COLLECTION « BEST-SELLERS »

KATHY REICHS

# MACABRE RETOUR

*roman*

Traduit de l'américain
par Viviane Mikhalkov et Nathalie Gouyé-Guilbert

**Robert Laffont**

Titre original : BONES NEVER LIE
© Temperance Brennan L.P., 2014
Traduction française : Éditions Robert Laffont, S.A., Paris, 2015

ISBN 978-2-221-19129-3
(édition originale : ISBN 978-1-4767-2643-4 Simon & Schuster, Toronto)
Publié avec l'accord de Simon & Schuster, Toronto.

À
ALICE TAYLOR REICHS
NÉE LE 3 AOÛT 2012
ET
MILES AIVARS MIXON
NÉ LE 11 AOÛT 2012

I

# Chapitre 1

Message reçu lundi à la première heure : Honor Barrow avait besoin de mon aide immédiate dans le cadre d'une réunion au pied levé.

Pas vraiment le rêve quand vous avez des ribambelles de microbes qui s'en donnent à cœur joie à l'intérieur de votre cerveau. Au sortir d'un week-end passé à ingurgiter Sudafed et Afrin en faisant passer le tout avec des litres de thé au miel et citron, j'ai rejoint les millions de lambins qui faisaient du surplace dans le haut de la ville comme tous les matins à cette heure-là. Et tant pis pour mon rapport sur le motard putréfié.

À huit heures moins le quart, je me garais à l'arrière des bureaux du quartier général de la police. L'air était frais et sentait les feuilles mortes. Enfin, je suppose.

J'avais le nez tellement bouché que je n'aurais pas fait la différence entre une odeur de tulipe et celle d'une benne à ordures.

En 2012, les démocrates ont tenu leur réunion quadriennale à Charlotte ; des dizaines de milliers de gens ont fait le déplacement, qu'ils manifestent pour ou contre, dans le but de désigner le candidat. La ville a dépensé 50 millions de dollars pour la sécurité. Du coup, l'immense hall d'entrée jadis désertique du quartier général s'est transformé en pont supérieur du vaisseau amiral *Enterprise* : bastingage en bois circulaire ; vitres pare-balles, écrans vidéo déployant les moindres recoins du bâtiment à l'intérieur comme à l'extérieur.

Ma signature apposée sur le registre, ma carte scannée, en route pour le deuxième étage.

Juste au moment où la porte de l'ascenseur s'ouvrait avec un bruit étouffé, Barrow s'apprêtait à franchir une arche donnant sur un couloir.

Par-delà sa silhouette, deux flèches sur fond vert : l'une montrant la gauche et annonçant *Crimes contre la propriété*; l'autre pointant à droite et précisant *Crimes contre la personne*. Au-dessus de ces flèches, le nid de frelons, symbole du Service de police de Charlotte-Mecklenburg.

— Merci d'être venue, m'a lancé Barrow quasiment sans ralentir.

— Normal. (Juste un tintamarre dans le ciboulot et un incendie dans le gosier.)

La porte franchie, on a pris à droite.

Dans le couloir, un va-et-vient ininterrompu de détectives, la plupart en bras de chemise et cravate, l'un d'eux en pantalon kaki et polo bleu marine brodé de l'intrépide frelon. Tous un café à la main et lourdement armés.

Barrow a disparu dans une salle à gauche portant le numéro 2220 sur un panneau, vert lui aussi : *Section des crimes violents. Homicide et agression mortelle.*

J'ai continué tout droit. Trois salles d'interrogatoire. De la première sortaient les rugissements particulièrement disharmonieux d'un baryton indigné.

Dix mètres plus loin, une salle identifiée sous le numéro 2101 : *Homicides non résolus.* C'est là que je suis entrée.

Une table grise et six chaises occupaient presque tout l'espace. Photocopieuse. Classeurs. Aux murs, un tableau blanc effaçable et des panneaux marron en liège. Dans le fond, formant séparation, un meuble bas en guise de bureau avec sa panoplie habituelle : téléphone, tasse et plante verte desséchée. Et, bien sûr, les corbeilles à courrier débordant de papiers. Sur le sous-main, des rectangles de soleil provenant de la fenêtre.

Pas âme qui vive dans la pièce. Sept heures cinquante-huit à l'horloge murale.

Je n'étais quand même pas la seule à être à l'heure ?

Quelque peu agacée, je me suis laissée choir sur une chaise, mon sac à mes pieds. J'avais des coups de marteau à l'intérieur du crâne.

Sur la table, un ordinateur portable, une boîte en carton et une caisse en plastique. Les deux avec des numéros sur le couvercle. Sur celui de la caisse : 090430070901, codification qui m'était familière et parfaitement déchiffrable : Affaire ouverte le 30 avril 2009, à 7 heures 09 du matin, à la suite d'un seul appel.

La boîte, elle, affichait un système de numérotation différent. L'affaire à l'intérieur devait relever d'une autre juridiction.

Que je vous explique.

La police de Charlotte-Mecklenburg a dans ses tiroirs environ cinq cents meurtres non résolus depuis les années 1970. Ce qui fait pas mal de cadavres en souffrance et plus encore de gens qui attendent que justice leur soit rendue. Le comprenant, le CMPD a créé en 2003 une section spécialement consacrée aux affaires non résolues, la CCU.

Honor Barrow, vingt ans d'expérience à la table des meurtres en tous genres, est l'homme qui dirige la CCU depuis sa création. La section compte deux autres membres à temps plein, un sergent de police et un agent du FBI, mais aussi des bénévoles qui réexaminent l'affaire et apportent leurs lumières autant en matière de tri que d'analyse des faits avant investigation. Ils sont au nombre de six. Parmi eux, trois agents du FBI à la retraite, un retraité de la police de New York et deux civils, un universitaire et un ingénieur. La section se réunit tous les mois.

En tant qu'anthropologue judiciaire, je travaille sur des morts qui le sont en général depuis un bout de temps.

On comprend donc que la CCU m'invite parfois à prendre part à sa rigolade. D'habitude, je sais plus ou moins dans quel domaine mes compétences sont requises — si c'est pour effectuer une recherche approfondie sur des restes humains ou pour répondre à une question concernant un os, un traumatisme ou un stade de décomposition.

Rien de tout cela, cette fois-ci.

En proie à l'impatience et à la curiosité, j'ai tiré vers moi la caisse en plastique et en ai soulevé le couvercle. À l'intérieur, des centaines de feuilles séparées par des intercalaires. Sur les onglets, les intitulés habituels. *Victimologie. Résumé des faits. Analyse des lieux. Analyse des preuves et indices matériels recueillis. Rapport du médecin légiste. Témoins. Enquête annexe. Suspects potentiels. Recommandations concernant le suivi.*

Posé en travers de ces dossiers, un résumé de l'affaire, signé Claire Melani, criminologue. Une de mes collègues à l'Université de Caroline du Nord, section Charlotte. J'ai fait défiler les pages jusqu'à la première section du rapport.

Dès la première ligne, crispation immédiate des muscles de mon cou. Je n'ai pas lu plus avant, des pas retentissaient dans le couloir. L'instant d'après, Barrow faisait son entrée, accompagné d'un gars qui avait tout du rescapé tel que le représente la couverture des manuels de survie : jeans délavé, veste militaire de couleur passée, chandail rouge à manches longues, cheveux noirs bouclés sous la casquette orange fluo.

J'ai replacé le dossier dans sa caisse.

— Les autres sont coincés dans les bouchons ?

— Je n'ai pas convié les bénévoles, a répondu Barrow.

Surprise, je n'ai toutefois rien dit.

— Le détective Rodas, a-t-il ajouté en remarquant mon coup d'œil au rescapé. Il nous arrive du Vermont.

— Umparo, est intervenu celui-ci. Umpie pour mes amis… Enfin, pour les deux seuls que j'ai. (Assorti d'un sourire d'autodérision.)

Une poignée de main qui corroborait l'aspect général : rude et forte.

Comme les deux hommes prenaient place autour de la table, une silhouette bien connue s'est encadrée dans la porte. Erskine Slidell, dit Skinny. Le flic persuadé d'être une légende à lui tout seul.

On ne peut pas dire que son apparition m'a fait sauter de joie. On s'est souvent retrouvés à bosser ensemble au fil des ans, vu qu'il est à la Section des homicides et moi à la morgue. Nos rapports sont en dents de scie, pires qu'une charte polygraphe. Ce n'est pas que Slidell soit nul, c'est juste qu'il est exaspérant.

Il a tendu les deux mains devant lui dans un geste signifiant « Qu'y puis-je ? » puis il a ramené un de ses poignets vers lui et a jeté un œil à sa montre. D'un subtil achevé.

— Content que tu aies pu t'arracher à tes sites porno, lui a lancé Barrow en guise d'accueil tout en écartant du pied une chaise de dessous la table à son intention.

— Y a pas à dire, ta petite sœur, elle aime la caméra, a répliqué Slidell en déposant sur le siège son substantiel popotin.

Le coussin a laissé échapper un long soupir.

Barrow a fait équipe avec Slidell dans les années quatre-vingt et, contrairement à la plupart des gens, il affirme garder un excellent souvenir de cette période. Probablement qu'ils ont le même sens de l'humour.

Barrow venait tout juste d'achever les présentations quand la porte s'est ouverte à nouveau sur un individu que je n'avais jamais vu. Un gars sans menton et avec un nez trop long, qui devait être à peu près de ma taille en se tenant bien droit dans ses chaussures. Le fonctionnaire arrivé à mi-carrière, si on se fiait à la cravate, à la chemise en polyester et au costume à peine décroché du cintre. Carrière de flic, suggérait l'attitude du monsieur.

Les quatre que nous étions ont suivi sa progression jusqu'à la table.

— L'agent Tinker est du SBI, a précisé Barrow.

Comprendre : du Bureau d'investigation de l'État. Ce qui n'a pas fait réchauffer l'atmosphère de la pièce.

Beau Tinker, un gars étroit d'esprit, affublé d'un égo d'un kilomètre de long, colportait la rumeur. Et pas très reluisant dans ses rapports avec les dames.

— Le SBI ? Ça donnait pas l'impression d'être si loin que ça, a lâché Slidell sans lever les yeux de ses doigts qu'il tenait croisés sur son ventre.

Tinker l'a dévisagé d'un œil aussi gris et inexpressif que de l'étain brut.

— Je suis en poste au bureau d'Harrisburg, juste un peu plus loin sur la route.

Slidell a crispé les mâchoires, mais s'est abstenu de relancer.

Comme partout au monde, la Caroline du Nord a son lot de rivalités entre institutions. Shérif, campus, aéroport ou police portuaire contre police locale. Police d'État contre police municipale. FBI contre le monde entier.

En dehors de certaines infractions pour lesquelles il est commis d'office, telles que le trafic de stupéfiants, les incendies criminels, le jeu ou la fraude électorale, le SBI n'intervient généralement dans les enquêtes criminelles qu'à la demande expresse de la police d'État.

L'animosité de Barrow et Slidell à l'égard de Tinker laissait supposer que la police d'ici n'avait présenté aucune demande en ce sens au SBI.

Rodas était-il l'objet d'un enjeu entre ces deux institutions? Si oui, pour quelle raison la ville de Raleigh s'intéressait-elle à une affaire qui relevait du Vermont?

Et que faisait Slidell à cette réunion, lui qui se considérait comme un atout de taille au sein de la brigade des homicides, un atout bien trop important pour rester assis autour d'une table à lâcher des gaz, comme il l'avait formulé un jour à son propos?

Et puis, il y avait ce dossier, rangé dans la caisse en plastique.

J'ai regardé Slidell, assis de l'autre côté de la table. Il avait relevé les yeux sur Tinker et le dévisageait de l'air qu'on réserve d'habitude aux pédophiles et aux taches de moisi.

Que cachait cette hostilité? Une simple question de territoire ou davantage? Une vieille histoire entre eux? Rien d'autre que le signe que Skinny était au sommet de sa forme?

La voix de Barrow a interrompu le fil de mes pensées.

— Je vais laisser le détective Rodas commencer.

Il s'est penché en arrière et a repositionné la chaîne où pendait son badge autour de son cou. Avec sa peau sombre plus plissée qu'une tête réduite et ses yeux très écartés qui formaient une sorte de protubérance au-dessus de son petit nez pointu, Barrow me faisait souvent penser à une grosse tortue ratatinée.

Rodas a ouvert la boîte et en a sorti des rapports qu'il nous a remis.

— Désolé si je n'ai pas un style aussi élégant que vous. (Voix profonde et bourrue, le genre qui évoque immédiatement le cheddar blanc et la milice des Green Mountain Boys, au Vermont.) Je vais d'abord vous donner un aperçu de l'affaire, puis je répondrai à toutes vos questions s'il y a des choses qui ne sont pas claires.

J'ai commencé à lire le rapport. Au bruit qui venait de leur place, Tinker et Slidell faisaient pareil.

— Le 18 octobre 2007, entre quatorze heures trente et quinze heures, une fillette de douze ans, blanche, appelée Nellie Gower, a disparu alors qu'elle revenait de l'école à

16

vélo. Six heures plus tard, la bécane était retrouvée sur une route de campagne à 450 m de la ferme de ses parents.

Quelque chose dans le ton de Rodas m'a forcée à relever les yeux. J'ai vu sa pomme d'Adam remonter dans son gosier.

— Le corps de Nellie a été découvert huit jours plus tard dans une carrière de granit à sept kilomètres de la ville.

Rodas avait appelé la petite fille par son nom, sans chercher à la dépersonnaliser comme les flics le font souvent en disant, par exemple, l'enfant ou la victime. Pas besoin d'être Freud pour comprendre que cette affaire le touchait personnellement.

— L'enfant était entièrement vêtue. Le médecin examinateur n'a trouvé aucun signe de traumatisme ou d'agression sexuelle. La mort a été enregistrée comme homicide, et sa cause déclarée comme inconnue. L'examen des lieux n'a rien révélé de probant. Le corps non plus. Pas de trace de pneus ou de pas, pas de sang ni de salive, rien qui relève de la médecine légale.

« Toutes les personnes qu'on interroge dans ces cas-là ont été entendues : délinquants sexuels répertoriés, parents et famille, amis, proches des amis, voisins, gardiennes, cheftaine scout, tous ceux qui travaillaient à l'école, à l'église, au centre communautaire. Quiconque avait le moindre lien avec la victime. »

Rodas a pris dans la caisse des petits carnets à spirale et les a distribués à la ronde à la façon d'un croupier. Puis il s'est tu, nous laissant découvrir un sinistre jeu de photos.

Les premières représentaient la carrière. Sous un ciel de plomb, une étendue de roche et de terre, sans aucun arbre alentour. À gauche, au premier plan, une route non asphaltée s'élevant vers un horizon déchiqueté.

Des barrières amovibles avaient été mises en place le long de la route. Garées derrière, des voitures, des camionnettes, les fourgonnettes des médias et, bien sûr, les chauffeurs et passagers des véhicules par groupes de deux ou trois, parlant entre eux, scrutant la scène à travers le croisillon des barrières, ou encore gardant les yeux rivés au sol. Certains d'entre eux portaient des t-shirts avec la photo d'une adolescente souriante surmontée des mots *Retrouvez Nellie.*

Je connaissais tous les participants du jeu: les bons Samaritains qui avaient consacré des heures à fouiller les lieux ou à répondre au téléphone; les badauds à l'affût d'un petit bout du sac mortuaire. Les journalistes en quête du meilleur angle d'attaque pour relater cette nouvelle tragédie humaine.

À l'intérieur des barrières, des véhicules abandonnés n'importe où, comme s'ils avaient été subitement frappés de paralysie en plein mouvement: une voiture de police, le camion des services technique et scientifique, le fourgon du coroner, deux véhicules banalisés. À proximité, les intervenants habituels: les techniciens du bureau du coroner et ceux du labo occupés à relever les indices; une femme en coupe-vent avec *Médecin légiste* écrit en jaune dans son dos; des flics en uniforme, dont un en train de parler dans le micro-épaule de son walkie-talkie, la tête penchée sur le côté.

Au centre de l'espace, un auvent en plastique bleu couvrant un espace plus ou moins rectangulaire délimité par des rubans jaunes accrochés aux montants.

À l'intérieur du rectangle, un petit monticule et Rodas, accroupi à côté, la mine sombre, un bloc-notes à la main.

La série suivante était consacrée à Nellie Gower: la petite fille couchée sur le dos, les jambes droites, les bras serrés contre le corps. La fermeture éclair de sa veste en laine rouge était remontée jusqu'à son menton et les boucles des lacets de ses espadrilles avaient exactement la même longueur. Elle avait le bas de sa chemise à pois bien enfoncé dans son jeans rose vif.

Plusieurs photos reproduisaient le visage imprimé sur les t-shirts. Mais sans le sourire.

Ses cheveux, parfaitement peignés, étaient répartis en deux masses égales des deux côtés de son crâne à partir de la raie au milieu et lui recouvraient ses épaules comme des vagues en chocolat.

Huit jours d'exposition à l'air libre avaient laissé leur marque: l'enfant avait les traits gonflés, la peau marbrée de taches vertes et violettes, les narines et la bouche remplies d'une masse grouillante d'asticots.

Les trois dernières photos étaient des gros plans de sa main droite. Dans le creux de sa main, des parcelles de substance blanche vaporeuse éparpillées un peu partout.

— Qu'est-ce que c'est? ai-je demandé.

— Le CSS avait fait des prélèvements sur les deux mains. Le ME a pu effectuer des frottis de peau et récurer le dessous de ses ongles. Les spécialistes des résidus pensent qu'il pourrait s'agir de restes de mouchoir en papier.

J'ai hoché la tête, sans lâcher des yeux les photos. À l'intérieur de mon cerveau, les synapses s'en donnaient à cœur joie, me rappelant à la mémoire le souvenir d'un autre enfant. Une autre série de photos tout aussi déchirantes.

Je savais maintenant pourquoi j'avais été convoquée à cette réunion. Et pourquoi Skinny était ici.

— Enfant de chienne!

— Nous avions des pistes, des tuyaux reçus par téléphone, a repris Rodas sans s'arrêter à l'exclamation lâchée par Slidell sur un ton tonitruant. Selon un témoin, un enseignant manifestait pour Nellie un intérêt anormal; un voisin jurait l'avoir aperçue dans un camion en compagnie d'un barbu. Rien de tout cela n'a débouché sur quoi que ce soit. Finalement, l'affaire a été classée comme non résolue. Nous n'avons pas de gros effectifs, je devais passer à autre chose. Vous savez ce que c'est, a conclu Rodas en portant les yeux de Slidell à Barrow.

Il a pu lire dans le regard de l'un et de l'autre qu'ils ne connaissaient que trop bien cette triste réalité.

— Mais ça me titillait. C'est comme ça avec les enfants. Dès que j'avais un trou dans mon emploi du temps, je ressortais le dossier, espérant y découvrir un truc qui me serait passé inaperçu jusqu'ici.

De nouveau, sa pomme d'Adam est remontée dans sa gorge.

— Tous les témoins s'accordaient à dire que Nellie était timide. Qu'elle faisait attention. Qu'elle n'était pas du genre à suivre un inconnu. Nous étions tous persuadés que l'auteur des faits était quelqu'un des environs. Quelqu'un qu'elle connaissait. Je suppose qu'on est restés bloqués sur cette idée. Et puis l'année dernière, je me suis dit au diable. On va pas tourner en rond en vase clos. Et je me suis branché sur VICAP.

Rodas faisait allusion à un programme du FBI conçu en vue de faciliter l'arrestation des auteurs de crimes violents, une base de données nationale établie spécialement pour recueillir et analyser les informations sur les homicides, les agressions sexuelles, les disparitions de personnes et autres crimes violents. Cet index comporte près de 150 000 données se rapportant à des enquêtes en cours ou classées, fournies par près de 3 800 organismes locaux ou d'État, et concernant des affaires non résolues qui remontent jusqu'aux années 1950.

— J'ai entré dans cette base de données tous les renseignements en notre possession : le mode opératoire, les caractéristiques de la signature, les descriptions des lieux accompagnées de photos, les détails sur la victime. Ça m'a pris des semaines pour obtenir une réponse. Et voilà qu'il s'est avéré que notre profil correspondait à un cas de chez vous, une affaire non résolue ici à Charlotte.

— La petite Nance, a lâché Slidell sans presque ouvrir les lèvres.

— Jamais entendu parler de ça.

Les premiers mots que prononçait Tinker depuis qu'il avait dit à Slidell qu'il travaillait au bureau du SBI. Slidell a ouvert la bouche pour répondre. Puis s'est ravisé.

Mon regard s'est posé sur la caisse. L'affaire 090430070901, Lizzie Nance. Un échec pour Skinny. Un échec personnel qui lui restait en travers du gosier.

Le 17 avril 2009, Elizabeth Ellen Nance, surnommée Lizzie, avait quitté son cours de danse pour rentrer chez sa mère, à trois pâtés de maisons de là. Elle n'était jamais arrivée à destination. Les médias en avaient parlé abondamment. Par centaines, les gens s'étaient présentés pour aider à vérifier la validité des tuyaux, coller des affiches, participer aux patrouilles dans les bois et sonder les étangs à côté de chez elle. Sans résultat.

Deux semaines après la disparition de Lizzie, un corps décomposé avait été retrouvé dans une réserve naturelle au nord-ouest de Charlotte. Le cadavre était allongé sur le dos, les pieds serrés, les bras le long du corps. Un body noir, des collants et de la lingerie rose en coton enveloppaient encore les chairs putréfiées. Aux pieds, des Crocs bleu royal. Les résidus retrouvés sous l'ongle d'un pouce avaient été identifiés plus tard comme provenant d'un mouchoir en papier ordinaire.

C'est Slidell qui avait dirigé l'enquête criminelle, moi j'avais analysé les os.

Je n'avais pas repéré la moindre entaille, coupure ou fracture à quelque endroit que ce soit du squelette et ce n'était pas faute d'avoir passé des jours entiers penchée sur mon microscope. De son côté, Tim Larabee, le médecin légiste du comté de Mecklenburg, n'avait pas été en mesure d'établir avec certitude s'il y avait eu ou non agression sexuelle. La mort avait donc été enregistrée comme homicide et la cause du décès déclarée comme étant inconnue.

Lizzie Nance était âgée de onze ans.

— Par bonheur, Honor avait lui aussi enregistré son affaire non résolue dans la base de données. L'ordinateur a repéré les similitudes. D'où ma présence aujourd'hui, a conclu Rodas en levant ses deux mains.

Le silence a rempli la salle. C'est Tinker qui l'a rompu.

— C'est à ça que ça se résume ? Deux petites filles plus ou moins du même âge et portant encore leurs vêtements ?

Personne n'a répondu.

— La petite Nance n'était-elle pas en trop mauvais état pour qu'on puisse exclure le viol ?

Ayant plaqué ses deux paumes sur la table, Slidell s'est penché vers Tinker. J'ai préféré le devancer :

— Le D$^r$ Larabee s'est senti fondé à conclure qu'il n'y avait pas eu viol parce que l'enfant avait toujours ses vêtements sur elle, mais le rapport d'autopsie fait état de facteurs qui rendent la situation plus compliquée.

— Pas vraiment probant, a réagi Tinker en haussant les épaules, sans se rendre compte — ou ne s'en souciant pas — qu'une attitude aussi cavalière offensait tout le monde.

— Mais ce n'est pas seulement à cause du résultat fourni par le VICAP que je suis à Charlotte, a repris Rodas. En fait, notre labo a découvert certaines choses sur Nellie. En réalité, quand on l'a retrouvée, ça faisait un jour et demi qu'il pleuvait. Ses vêtements étaient trempés d'un mélange de pluie et de liquide de décomposition. J'ai remis la totalité des éléments à notre labo de médecine légale de Waterbury pour qu'ils soient analysés. Je n'avais guère d'espoir, mais, à ma grande surprise, il s'est avéré qu'un peu d'ADN pouvait être exploité.

— Rien que le sien ? a demandé Slidell.

— Oui, a répondu Rodas avant de se pencher sur la table en appui sur ses avant-bras. Mais il y a dix-huit mois, en reconsultant le fichier, j'ai repéré que le résidu qu'il y avait dans la main de Nellie n'avait pas été soumis pour analyse en même temps que ses vêtements. Ça pouvait peut-être changer la donne. J'ai appelé le ME. Elle en a retrouvé de petits échantillons prélevés par son prédécesseur au cours de l'autopsie. Sans en attendre grand-chose, je les ai expédiés à Waterbury.

Rodas m'a dévisagée fixement.

J'ai soutenu son regard.

— Le matériau contenait un ADN qui n'était pas celui de Nellie.

— Vous l'avez enregistré dans le système ? (Question inutile, posée par Tinker.)

— Jetez un coup d'œil à la section *Mise à jour des résultats d'ADN*, docteur Brennan, a répondu Rodas en désignant du menton le rapport que j'avais dans les mains.

J'ai obtempéré, impatiente de savoir pourquoi j'avais été choisie.

J'ai lu le nom.

Un flot d'adrénaline a inondé mes entrailles.

# Chapitre 2

Le rapport n'était pas long, rédigé en français et en anglais.

Une conclusion tellement ahurissante que j'ai dû relire le paragraphe dans les deux langues pour essayer d'en tirer un sens.

Pour l'échantillon d'ADN 7426, une correspondance avait bel et bien été trouvée avec un échantillon répertorié dans le registre national du Canada sous le numéro 64899 et identifié comme étant celui d'un sujet de sexe féminin, date de naissance : 1975-10-12, et ne faisant pas actuellement l'objet d'une privation de liberté, une certaine Annick Pomerleau.

Annick Pomerleau.

J'ai relevé les yeux sur Rodas. Il avait toujours les siens fixés sur moi.

— Vous imaginez l'état d'excitation dans lequel j'étais. Des années sans aucune information et, brusquement, j'apprenais qu'on avait séquencé l'ADN qui n'était pas celui de Nellie. J'ai dit à l'analyste de voir s'il n'était pas répertorié dans le CODIS.

Le CODIS, ou Combined DNA Index System, est une base de données du FBI au même titre que le VICAP. Il regroupe les profils ADN et génère des pistes d'investigation à partir des deux fichiers dont est constitué son programme. Le premier, appelé fichier des individus condamnés, recense les délinquants ayant commis des infractions allant du méfait à l'agression sexuelle et au meurtre. Le second, appelé fichier médico-légal, regroupe les profils obtenus à partir de l'analyse d'indices recueillis sur les lieux, tels que le sperme, la salive ou le sang. Quand un policier ou un analyste entre un profil inconnu dans le CODIS en vue d'obtenir une correspondance, le logiciel passe en revue les deux fichiers à la fois.

Une correspondance à l'intérieur du fichier médico-légal permet de relier plusieurs crimes l'un à l'autre et, peut-être, d'identifier les récidivistes. Sur la base de cette correspondance médico-légale, les polices de différentes juridictions peuvent coordonner leurs actions et échanger des pistes dans le cadre de l'enquête. Une correspondance entre le fichier médico-légal et le fichier des délinquants fournit aux enquêteurs un nom. Un suspect potentiel.

Dans le cas présent : Annick Pomerleau.

— Elle n'est pas Américaine.

Réaction pas vraiment adaptée à la situation, mais ça a été plus fort que moi. Ce que je voulais dire en réalité, c'était : comment Rodas s'était-il débrouillé pour découvrir une correspondance avec un sujet canadien ? Il est vrai que nos voisins au nord du quarante-neuvième parallèle utilisent eux aussi le logiciel CODIS, mais ils ont également leur propre base de données nationale quand il s'agit d'ADN. Son explication :

— Comme nous n'aboutissions à rien chez nous, j'ai décidé de m'adresser aux collègues de l'autre côté de la frontière. C'est un peu l'habitude, chez nous. Hardwick est à moins d'une heure de voiture de la frontière. Ce rapport, a ajouté Rodas en désignant celui que j'avais entre les mains, nous vient justement de la Banque nationale de données génétiques.

Je le savais déjà. Dans le cadre de mon travail au Laboratoire de sciences judiciaires et de médecine légale de Montréal, j'avais vu des dizaines de rapports semblables. Mais la quantité de pseudoéphédrine et d'oxymétazoline que j'avais avalée pour juguler mon rhume court-circuitait ma capacité à exposer mes idées clairement. J'ai donc précisé :

— Et la connexion avec moi ?

— La correspondance ayant été obtenue grâce au fichier canadien, il m'a paru logique de commencer par le Canada.

J'ai un copain à la Gendarmerie royale, il a fait une recherche à partir du nom et a découvert une Annick Pomerleau avec le même code barre ADN. Il se trouve que cette Pomerleau est recherchée par la Sûreté du Québec. Mandat datant de 2004.

— Attendez, l'a coupé Tinker. Vous nous dites que cette fille recherchée pendant cinq ans par les autorités canadiennes a laissé des traces de son ADN sur une gamine morte chez nous, dans le Vermont?! (La compassion faite homme, ce monsieur!)

— Le détective chargé de l'affaire Pomerleau au Canada est toujours sur le coup. Sauf que, apparemment, il s'octroierait un congé sans permission depuis quelque temps. Toute une histoire en soi, à mon avis, a ajouté Rodas avec un sourire narquois.

À ces mots, j'ai ressenti mon sang battre plus vite. J'ai baissé les yeux sur mon poignet et fixé la délicate veine bleue qui serpentait sous ma peau.

— Personne ne se souvenait de grand-chose concernant cette affaire ou l'auteur des faits. Mais un coroner m'a mis en rapport avec un pathologiste en place depuis toujours. Pierre LaManche.

« Ce LaManche m'a dit que Pomerleau était soupçonnée d'avoir assassiné plusieurs jeunes filles. Qu'elle avait pour complice un certain Neal Wesley Catts, mais qu'en 2004 ce Catts s'était tiré une balle. À moins qu'il n'ait été zigouillé par Pomerleau. Quoi qu'il en soit, celle-ci avait disparu depuis.

« J'ai parlé à LaManche de l'ADN prélevé sur la main de Nellie Gower et de sa correspondance, d'après le VICAP, avec l'ADN d'une affaire non résolue, ici à Charlotte. Il m'a conseillé de contacter le D$^r$ Brennan. »

Annick Pomerleau.

Un véritable monstre.

La seule personne à avoir réussi à s'en tirer.

Les yeux rivés sur les méandres de la veine, j'ai fait de mon mieux pour rester impassible.

— Vous pensez que Pomerleau a zigouillé les deux gamines, Gower et la petite Nance?

Tinker déclarant l'évidence, encore une fois.

— Je pense que c'est une possibilité.

— Où est-ce qu'elle se planque depuis tout ce temps ?

— On a lancé un avis de recherche. La SQ aussi. Mais je n'ai pas ressenti chez eux un grand engouement. On ne peut pas vraiment leur en vouloir. C'est vieux de dix ans. Pomerleau peut très bien être morte, ou vivre sous un faux nom. La seule photo qu'ils ont d'elle date de 1989.

Exact, je m'en souvenais. C'était la seule photo que nous ayons. Prise à l'âge de quinze ans.

— Bon. Après Montréal, Pomerleau se terre pendant trois ans. Puis elle refait surface dans le Vermont et attrape une gamine.

Slidell. Au ton qu'il avait employé, j'ai compris qu'il se répétait cette théorie pour mieux en tirer un sens. Ce n'était pas le cas de Tinker qui a ironisé :

— La dernière fois que j'ai ouvert un atlas, la Caroline du Nord était à quelques kilomètres de la toundra. Comment Pomerleau a-t-elle abouti ici ?

Comme personne ne répondait, il a insisté :

— C'est par son ADN que Pomerleau est reliée à la petite Gower. Mais qu'est-ce qui relie la petite Gower à Nance ? Je l'ai dit, et je le répète : aussi triste que ce soit, il y a des enfants assassinés tous les jours. Qu'est-ce qui vous rend si sûrs qu'il n'y a qu'un seul auteur dans le cas présent ?

Brusquement, j'ai cru que mes sinus allaient exploser sous l'effet de la pression à l'intérieur. Je me suis palpé la joue discrètement. J'avais la peau brûlante. Était-ce le virus ou le choc à l'annonce de ces révélations ?

Je me suis penchée pour attraper un mouchoir dans mon sac. Rodas a entrepris de résumer les faits en comptant sur ses doigts. D'abord, la main droite en commençant par le pouce.

— Les deux victimes étaient des femmes. Elles avaient toutes les deux entre onze et quatorze ans. Elles ont disparu toutes les deux en plein jour alors qu'elles se trouvaient sur une voie publique, route de campagne ou rue de ville. Toutes les deux ont été laissées à même le sol, sans protection : dans une carrière ou au milieu d'un champ. Toutes les deux étaient allongées sur le dos, avec les bras le long du corps, les jambes droites et les cheveux bien coiffés.

— Une pose étudiée, a déclaré Barrow.

— Sans aucun doute, a renchéri Rodas avant de poursuivre le compte sur sa main gauche. Les deux victimes étaient entièrement vêtues. Elles avaient toutes les deux des résidus de mouchoir en papier sur les doigts. Elles ne présentaient aucun traumatisme, pas la moindre trace d'agression sexuelle.

Il a sorti de la boîte une pochette en plastique et l'a posée sur la table. À l'intérieur, une photo 5 x 7 en couleurs, entourée de blanc.

Barrow a extrait une photo identique de la caisse en plastique et l'a placée à côté de celle de Rodas. Tout le monde, comme un seul homme, s'est penché pour mieux voir.

Des photos de classe, à l'évidence. Le genre de portrait pour lequel nous avons tous posé, étant enfant, et que nous avons rapporté chaque année à la maison. Mais avec un tronc d'arbre en guise d'arrière-fond, au lieu du sempiternel tissu en velours frappé rouge. Sur les deux photos, le sujet regardait droit devant lui avec un même sourire gêné.

— Faut reconnaître qu'elles ont le même type, a lâché Tinker.

— Le même type ? s'est écrié Slidell en laissant échapper un petit bruit méprisant. Des fichus de clones, vous voulez dire !

— Taille et poids similaires, a repris Rodas. Ni frange, ni lunettes, ni appareil dentaire, ce qui est plutôt rare, je suppose, dans cette catégorie d'âge.

Il disait vrai. Les filles avaient toutes les deux le teint clair, des traits fins et des cheveux longs, bruns, ramenés sur les côtés avec la raie au milieu. Gower avait les oreilles dégagées.

Je me suis concentrée sur Lizzie Nance. Sur ce visage que j'avais examiné en détail des milliers de fois. Ses taches de rousseur caramel. Ses tresses attachées avec des barrettes en plastique rouge. Ses grands yeux verts au regard un peu malicieux.

Et la même douleur m'a envahie. Le même sentiment de frustration. Mais s'y ajoutaient aujourd'hui des émotions nouvelles.

Les images surgissaient dans mon esprit spontanément : un corps squelettique ramassé en boule sur un banc de fortune ; des flammes jaune-orangé dansant sur un mur. Du cristal éclaboussé de sang projetant à l'autre bout d'un salon faiblement éclairé des ombres qui tournoyaient lentement.

Mon regard a survolé l'épaule de Slidell pour se poser sur le fond de la salle.

De là où j'étais assise, je n'avais pas la vue depuis la fenêtre. Mais je savais qu'elle donnait sur le stationnement et les immeubles du haut de la ville. Sur l'autoroute qui serpentait le long de tout le réseau électrique du Nord-Est. Sur la frontière canadienne au loin. Et sur un cul-de-sac à proximité d'une gare de triage abandonnée. La rue de Sébastopol.

Le silence autour de moi m'a ramenée à la réalité. Barrow me fixait d'un drôle d'air. Les autres aussi.

— Vous voulez qu'on fasse une pause ?

Sur un oui, je me suis levée précipitamment et j'ai quitté la pièce.

Dans le couloir, d'autres images m'ont assaillie. Un collier de chien encerclant un cou fluet. Des yeux noirs de réfugié, ronds et terrifiés, dans un visage d'une pâleur de morgue.

Ayant verrouillé la porte des toilettes, je me suis avancée vers le lavabo et j'ai tenu mes mains sous le robinet. Tantôt regardant l'eau couler à travers mes doigts, tantôt détournant les yeux. Cela pendant une minute entière.

Puis j'ai bu, formant une coupe de mes doigts.

M'étant redressée, j'ai fixé le miroir. Une femme m'y examinait. Elle avait les jointures des doigts aussi blanches que la porcelaine à laquelle elle s'agrippait. Un visage ni jeune ni vieux. Des cheveux blonds cendrés parsemés de filaments gris. Des yeux vert émeraude. Exprimant quoi ? Le chagrin ? La rage ? Le nez bouché et la fièvre ?

— Reprends-toi, ont articulé les lèvres réfléchies dans le miroir. Fais ton travail. Fais en sorte que cette salope soit arrêtée.

J'ai refermé le robinet. Séché mon visage à l'aide de serviettes en papier arrachées au distributeur. Me suis mouchée.

Après quoi, retour à la salle de brigade de la CCU.

— … juste que c'est pas fréquent de ne trouver strictement aucun élément sexuel. (Tinker, sur un ton exaspéré.)

J'ai regagné ma place.

28

— Qui sait ce qui est sexuel pour ces foutus cons !
(Slidell, affalé sur le dossier de son siège et promenant son
poing serré en boule sur le dessus de la table.)

— Si l'auteur est une femme, le jeu risque d'être complètement différent. (Tinker.)

— Ouais, eh bien, c'est notre jeu à nous. (Slidell, sur un
ton sans réplique. Puis, après une pause :) Gower, c'était en
2007.

— Et alors ?

— Gower, c'était en 2007, a répété Slidell en foudroyant
Tinker du regard. Y a un trou de trois ans entre le Vermont
et ce qui s'est passé avant, à Montréal. Un an plus tard, c'est
Nance qui se fait attraper ici.

— Qu'est-ce que vous cherchez à démontrer ?

— La chronologie, tas de merde. (Slidell a bondi sur ses
pieds avant que Tinker ait seulement eu le temps de trouver
une réplique.) J'en ai ma claque, d'ici.

— Disons qu'on en a fini pour ce matin, est intervenu
Barrow, essayant de désamorcer une scène qui risquait de
dégénérer en combat de boxe. Nous reprendrons quand
le détective Slidell et le docteur auront examiné le dossier
Nance.

Sur un échange de regards avec Barrow, Skinny s'est
éclipsé.

— Vous pouvez envoyer les clowns ! a lâché Tinker avant
de se hisser sur ses pieds et de nous gratifier d'un salut étri-
qué de la tête.

Rodas l'a suivi des yeux jusqu'à ce qu'il disparaisse par
la porte, puis il s'est tourné vers Barrow, le regard interrogateur. Barrow lui a signifié du geste de rester.

Rodas s'est rassis. Moi aussi.

Quelques minutes plus tard, Slidell est réapparu, lesté
d'un dossier. Une photo était attachée à la couverture à
l'aide d'un trombone.

S'étant laissé tomber dans le fauteuil le plus proche,
Slidell a libéré la photo d'une pichenette et l'a posée à côté
des deux portraits de classe.

Nouvelle giclée d'adrénaline.

La jeune fille représentée avait les yeux bruns et la peau
légèrement olivâtre. De longs cheveux châtains séparés par

une raie au milieu et retenus par des peignes. Elle devait avoir douze ou treize ans.

— Michelle Leal. Surnommée Shelly, a dit Slidell. Treize ans. Vit avec ses parents, son frère et sa sœur à Plaza-Midwood. Vendredi dernier, en après-midi, la mère l'a envoyée à l'épicerie, à l'angle de Central et de Morningside. Elle a acheté du lait et des M & M à quatre heures et quart. N'est jamais rentrée chez elle.

J'avais passé la plus grande partie du week-end complètement abrutie par les médicaments, incapable de suivre un programme à la télé. Je me rappelais vaguement des bribes d'un reportage sur une disparition d'enfant. L'équipe de recherche, la mère en larmes.

Le visage de cette petite fille me revenait maintenant. La gorge serrée, j'ai demandé :

— Elle n'est toujours pas réapparue ?

— Non, a répondu Slidell.

— Vous pensez qu'il y a un lien ?

— Regardez-la. Et tout colle, pour ce qui est du mode opératoire.

J'ai relevé les yeux, croisé ceux de Barrow et dit sur un ton égal :

— Vous croyez que c'est moi, l'enjeu ?

Barrow a voulu me faire un sourire réconfortant. Sans y parvenir.

— Vous croyez que Pomerleau a découvert où j'habitais, qu'elle est venue ici et a tué Lizzie Nance ? Et maintenant, elle a pris Shelly Leal.

— C'est une possibilité qu'il faut envisager, a répondu Barrow avec calme.

— C'est pour cela que vous m'avez fait venir ce matin ?

— C'est une des raisons. (Une pause.) Pour les affaires non résolues, on a tout le temps du monde. Aucune pression de la part du public, des médias ou des gros bonnets. Avec Shelly Leal, ce ne sera pas le cas.

J'ai hoché la tête.

— La petite est peut-être déjà morte, est intervenu Slidell. Ou peut-être pas. Gower a été retrouvée huit jours après avoir été enlevée. Si Leal est vivante, on dispose d'une fenêtre de tir probablement très réduite.

— Vous qui connaissez Pomerleau, a repris Barrow, sa façon de penser, son mode de fonctionnement...

— Je suis anthropologue, pas psychologue.

— D'accord, a admis Barrow en levant les mains en un geste de concession. Mais vous étiez là-bas. C'est une des raisons pour lesquelles nous avons besoin de votre aide.

— Et l'autre ?

— L'enquête Pomerleau était conduite par un détective du nom d'Andrew Ryan. Il paraît que vous le connaissez personnellement.

Le rouge m'est monté aux joues. Je n'avais pas vu le coup venir.

— Nous voulons que vous le retrouviez.

# Chapitre 3

— Je ne suis pas à la trace les allées et venues du détective Ryan.

Mon cœur continuait à envoyer du sang vers mes joues. J'avais horreur de ça. Horreur d'être si facile à déchiffrer pour autrui.

Barrow avait pour habitude de se racler la gorge. Il y est allé de sa petite manie.

— Vous avez travaillé pas mal de temps avec lui, non ?

J'ai hoché la tête.

— Savez-vous pourquoi il a tout laissé tomber ?

— Sa fille est morte.

— Soudainement ?

— Oui. (En fait, d'une overdose dans une piquerie.)

— Son âge ?

— Vingt ans.

— Ça chamboulerait n'importe qui.

Coup d'œil à ma montre. Par pur réflexe, car je savais l'heure qu'il était.

— Ça fait près de deux mois qu'il a disparu et personne n'a la moindre idée de l'endroit où il se cache.

Je n'ai pas réagi.

— Il ne vous a jamais parlé d'un lieu où il aimait trouver refuge ? D'endroits qu'il souhaitait visiter ? Où il passait ses vacances ?

— Ryan n'est pas du genre à prendre des vacances.

— Il a toute une réputation, là-haut chez vous, a dit Rodas avec un sourire. À vous croire, il aurait résolu tous les crimes depuis le Dahlia noir.

— Elizabeth Short a été tuée à L.A.

Au tour de Rodas d'avoir le rouge aux joues. De gêne, ou d'autre chose.

— Ryan a travaillé sur l'affaire Pomerleau, a insisté Barrow. Son expérience pourrait nous être utile.

— Je vous souhaite bonne chance ! (Pas très aimable, c'est vrai, mais je n'aime pas qu'on me mette la pression.)

— LaManche avait l'impression que vous étiez proches, Ryan et vous.

Je me suis retenue à deux mains pour ne pas quitter la pièce.

— Désolé, la phrase a dépassé ma pensée.

*Ne vous excusez pas, détective Rodas, votre phrase correspond parfaitement à la réalité. Notre travail sur le crime n'est pas la seule chose qui nous unit, Ryan et moi. Il y a les souvenirs, l'affection et même le lit.*

— D'après LaManche, il n'y a que vous qui soyez capable de remettre la main sur Ryan. Voilà ce que je voulais dire.

— Le faire descendre du froid jusqu'ici ?

— Ouais.

— Ces choses-là n'arrivent que dans les romans.

Les fichiers originaux ne quittent jamais la salle de brigade des Affaires non résolues. Voilà pourquoi, après avoir raconté à Slidell, Barrow et Rodas tout ce que je me rappelais sur Annick Pomerleau, j'ai entrepris de photocopier le contenu de la caisse en plastique.

Slidell, sorti répondre à un appel, n'est jamais réapparu.

En revanche, j'ai reçu un coup de fil de Tim Larabee un peu avant une heure. Il voulait que j'examine des restes découverts dans le coffre d'une Subaru envoyée à la ferraille.

Merde !

J'avais la tête en plomb, du gravier brûlant dans la gorge et les émanations de toner étaient sur le point de me faire tourner de l'œil.

J'ai déposé un double du dossier Nance sur le bureau de Slidell et je me suis dégotté une boîte où ranger mon exemplaire. Après quoi je suis partie.

Mais pas pour le bureau du ME dans le haut de la ville, à l'ouest, non. J'ai rappelé Larabee et l'ai supplié de m'accorder ma journée, vu mon état. Et j'ai pointé ma Mazda sur une enclave de maisons hors de prix, bordées d'arbres si hauts que leur feuillage, l'été, transforme les rues en tunnels de verdure. Myers Park. Mon quartier à moi.

Quelques minutes plus tard, je quittais Queens Road pour m'engager dans une allée circulaire donnant accès au pompeux bâtiment en brique de style géorgien qui règne au-dessus de cet ensemble d'habitations dénommé Sharon Hall.

Laissant la remise aux calèches derrière moi, j'ai roulé jusqu'à l'Annexe, la maison de poupée de deux étages, nichée dans un coin du jardin qui est mon chez-moi. Date de construction inconnue, tout comme sa destination première.

Du pas de la porte, j'ai crié : « Birdie, où es-tu ? »

Pas de chat.

J'ai laissé tomber la boîte sur le comptoir de la cuisine et j'ai scruté les lieux autour de moi.

Les volets inclinés vers le bas ; les longues rayures dorées sur le plancher en chêne.

Un silence de tombeau, mis à part le bourdonnement du réfrigérateur.

De l'autre côté de la porte battante, la salle à manger. Je l'ai traversée et je suis montée à l'étage.

Birdie était roulé en boule sur mon lit. À mon entrée, il a relevé la tête. A eu l'air surpris, peut-être même contrarié. Difficile à dire avec les félins.

J'ai balancé mon sac sur le fauteuil, mes vêtements ont suivi.

J'ai enfilé un sweatshirt, avalé deux cachets et me suis glissée sous les draps.

Les yeux fermés, j'ai prêté l'oreille aux sons de la maison en essayant de ne pas penser à Annick Pomerleau. De ne pas penser à Andrew Ryan. Au plop plop plop du robinet de la salle de bains qui dégouttait. Au crrrr crrrrr de la branche du magnolia qui frottait contre la moustiquaire. Ni au brrrrr rrrr qui émanait de Birdie, très précisément de l'air vibrant contre ses cordes vocales.

Et brusquement Journey s'est mis à brailler *Don't Stop Believin'*.

Mes paupières se sont relevées d'un coup.

Il faisait sombre dans la pièce. Juste un étroit rectangle de gris autour du store.

— J'arrive…

J'ai roulé sur le côté. 16 h 45, indiquait la pendule en petits chiffres orange.

J'ai grogné.

La musique s'est interrompue tout aussi brutalement. Quelques pas vacillants jusqu'à mon sac. iPhone. Liste d'appels.

Re-grognement.

Retour au lit. Je me suis écroulée tout au bord et j'ai appuyé sur la touche de rappel.

Slidell a décroché à la première sonnerie. D'après le bruit de fond, il devait être en voiture.

— *Yo.*

— Vous vouliez me parler ?

— Dites-moi que c'est pas une nouvelle épidémie !

Incompréhensible pour un esprit embrumé par les médicaments.

— D'abord, c'est Ryan qui prend la poudre d'escampette, maintenant c'est vous !

Il se foutait du monde !

— C'était un plaisir de vous faire toutes ces photocopies, ça ne m'a pas du tout dérangée.

Il a produit un son que j'ai décidé de prendre pour un merci.

— Vous aussi, vous aimez jouer votre petit numéro de disparition. (Tout en tirant un mouchoir en papier de la boîte.)

— Fallait que je vérifie une info dans l'affaire Leal.

— Quoi donc ?

— Un gars qui se baladait dans Morningside vendredi après-midi a aperçu une enfant dans une voiture qui avait l'air bouleversé.

— Ce qui veut dire ?

— Ce qui veut dire que ce crétin a de la soupe aux lentilles à la place du cerveau. Mais l'heure colle et la description de l'enfant aussi.

— Il a relevé le numéro d'immatriculation ?

— Juste deux chiffres. Mais qu'est-ce qui se passe avec vous ? Z'avez une drôle de voix !

— C'est peut-être une fourgonnette.

— Ou un crapaud qui hallucine.

— Qu'est-ce qu'il y a, entre Tinker et vous?

— Le gars ressemble à un de ces machins sortis des entrailles de la soucoupe volante à Roswell.

Ce n'est pas le côté négatif de Slidell qui m'a surprise, mais le fait qu'il soit au courant de cet événement considéré par certains comme le premier accident d'OVNI sur Terre.

— Ça ne serait pas tout bonnement le fait que Tinker travaille pour une agence de l'État?

— *Bullshit.*

— Que voulez-vous dire?

— Ces temps-ci, le SBI en rame un coup face à la presse. Donc un trou de cul de Raleigh a dû se dire que les meurtres d'enfants en série, y avait pas mieux pour redorer leur blason.

Une précision s'impose : en 2010, le SBI a été secoué par un scandale au sein de son laboratoire d'analyses criminelles, impliquant les unités de sérologie et de taches de sang. Le procureur général de Caroline du Nord a mené une enquête. Les conclusions ont été dévastatrices : rapports d'analyses faussés; manquement à signaler des résultats contradictoires; un directeur de service qui avait menti sur sa formation, qui s'était peut-être même parjuré. Des poursuites fondées sur des préjugés, en veux-tu en v'là.

Dans tout l'État, le bonheur pour les avocats de la défense.

Entre les pourvois en appel et les condamnations abrogées, l'avalanche de procès promettait de coûter des millions de dollars à la Caroline du Nord.

Les médias ont viré fous.

Au bout du compte, des têtes sont tombées, à commencer par celle du directeur du labo. Des réformes ont été mises en place. Procédures et modes de fonctionnement ont été revus. Le système d'accréditation a été modifié. Et malgré tout, le SBI en était toujours à tenter de restaurer sa crédibilité.

Slidell disait-il vrai? Le bureau d'investigation de l'État cherchait-il à s'insinuer dans notre enquête dans le but de réhabiliter son image?

— Vous pensez que Tinker a été dépêché à notre réunion de ce matin pour des raisons de politique?

— Nan. Je pense qu'il aime les cornichons qu'on sert à la cafétéria.

— Ça fait des années que rien ne bouge dans l'affaire Nance. Ce n'est pas risqué pour eux de vouloir à tout prix participer à une vieille affaire non résolue ?

— Le public y verra une volonté d'éclaircissement. Ils seront les héros. Ce sera nous, les crétins qui auront foutu la merde au départ.

Ça avait du sens, je devais l'admettre.

— L'interférence du SBI n'est pas forcément une mauvaise chose. Peut-être que Tinker peut vous aider. Vous savez, apporter un angle de vue différent.

— Je l'ai déjà sur le dos, cet emmerdeur.

— C'est-à-dire ?

— C'est-à-dire que j'apparais en haut de sa liste de numéros abrégés.

— Peut-être qu'il a quelque chose d'utile à vous communiquer.

— Il veut s'immiscer dans mon affaire.

Mieux valait changer de sujet.

— Et Rodas, vous en pensez quoi ?

— Qu'il devrait retirer sa casquette. C'est pas la saison des ours.

— Si, déjà. Dans certains comtés.

— Le gars a l'air correct.

— Son prénom, c'est Umpie.

— Pas vrai.

— Si, vrai.

— Faut peut-être que je revoie mon opinion. Dites donc, pendant que je suis sur l'affaire Leal, ça vous dérangerait de vous pencher sur Nance ? Voir si y aurait pas quelque chose qui vous sauterait aux yeux.

— Bien sûr. (J'ai fermé les paupières, fait une boule de mon mouchoir.) Vous pensez la retrouver vivante ?

— Pour ça, faut que je retourne au boulot.

Sur ce, trois bips et puis plus rien.

Birdie était dans la cuisine et fixait son plat. Je l'ai rempli de croquettes.

Je n'avais pas faim, je me suis forcée quand même. Du thon sur des toasts. Mmmm, délicieux.

Après, j'ai emporté la boîte en carton Nance dans la salle à manger et étalé les dossiers sur la table. J'ai pris celui auquel j'avais jeté un coup d'œil ce matin.

Je n'avais pas encore l'esprit très clair à cause de tous les cachets ingurgités. Sans compter que, de raconter à nouveau les horreurs infligées par Pomerleau à ses victimes, ça m'avait chamboulée. Au lieu de me représenter les détails de l'affaire Lizzie Nance, c'est la vieille baraque de la rue de Sébastopol qui s'imposait à moi. La cave humide où Pomerleau et Catts tenaient leurs victimes prisonnières.

L'affaire avait débuté assez tranquillement. Comme bien souvent.

Une pizzeria. Une fuite sur une canalisation. La mise au jour d'un escalier dérobé. Allez savoir pourquoi le plombier s'était aventuré dans la cave. Comment avait-il repéré le fémur humain qui saillait du sol en terre battue? Mystère. Toujours est-il que le propriétaire avait appelé les flics et que les flics m'avaient appelée.

J'avais exhumé trois squelettes incomplets, l'un enfermé dans une boîte, les deux autres ensevelis nus à même le sol dans des trous peu profonds. Je les avais fait transporter dans mon laboratoire pour analyse. Des jeunes filles.

Un jeu qui avait mal tourné? Personne n'y avait pensé au début. On s'était dit qu'il s'agissait probablement d'ossements anciens, aussi vieux que la bâtisse infestée de rats sous laquelle ils gisaient.

Erreur, avaient révélé les isotopes radioactifs.

Ryan aussi avait travaillé sur cette affaire. Et un flic municipal du nom de Luc Claudel. Au bout du compte, nous avions découvert l'identité des morts. Le nom du tueur. Mais certaines questions demeuraient sans réponse.

Les os n'avaient fourni aucune indication sur la cause du décès. Inanition? Abus répétés? Perte du désir de vivre un tel enfer une journée de plus?

Grâce à un journal intime, nous avions appris l'existence d'une captive dont nous n'avions pas retrouvé les restes. Kimberly Harris… Hamilton… Hawking… Où était donc cette jeune femme dont je n'arrivais pas à me rappeler le nom aujourd'hui? Quelque part sous terre dans un endroit inconnu? Y avait-il d'autres cadavres enterrés avec elle?

Une des victimes avait survécu. Il m'arrivait de penser à elle de temps en temps. Se remet-on jamais d'avoir vécu tant d'années dans l'isolement en subissant des tortures? Comment survivre quand votre enfance vous a été volée par des fous?

Ryan aussi envahissait mes pensées.

En une succession d'images fragmentées. Ses traits au moment où il avait émergé de l'obscurité dans la lumière jaune pâle de la véranda; ses larmes quand il m'avait annoncé la mort de Lily; sa gêne de les avoir versées.

Son dos se fondant dans la nuit.

Ryan n'avait pas informé ses supérieurs, n'avait pas pris de congé. N'avait dit à personne ni où il se rendait ni quand il comptait revenir. Si jamais il revenait un jour.

Et ce «personne» m'incluait également.

J'avais surmonté mon chagrin en m'interdisant de penser à lui. Mais à présent, alors que j'essayais de me concentrer, tout me revenait d'un coup et m'écrasait.

Les enfants assassinés à Montréal. Les enfants assassinés dans le Vermont, et peut-être à Charlotte.

L'impensable, l'abominable possibilité qu'Annick Pomerleau ait repris ses monstrueuses activités.

La demande pressante qui m'était faite de retrouver un homme que j'avais tout fait pour oublier. Le convaincre de réintégrer un monde qu'il avait volontairement abandonné.

Et cette fièvre qui me submergeait par vagues incessantes.

À neuf heures, j'ai laissé tomber.

Après une douche brûlante et deux cachets anti-rhume, je me suis mise au lit.

Je n'étais pas couchée depuis cinq minutes que le téléphone fixe a sonné.

Le son de cette voix a déstabilisé mon cerveau surmené et surmédicalisé.

# Chapitre 4

J'aime les montagnes de Caroline. J'aime rouler en voiture le long des étroites routes à deux voies des Blue Ridge Mountains, suivre les sinueux rubans noirs qui serpentent entre les dos bossus de ces géants.

Mais c'était vraiment du gâchis que de dérouler une telle beauté sous mes yeux ce matin. Je n'avais ni le temps de l'admirer, ni l'esprit à ça.

7 h 44, disait la pendule du tableau de bord. Deux heures que j'étais levée, une heure et demie que j'étais au volant. Curieusement, je me sentais bien. Mieux que la veille, en tout cas. Dieu bénisse la chimie.

Juste avant Marion, j'ai quitté l'autoroute 226 et pris en direction de l'est. La boule jaune orangé du soleil qui flottait au ras de l'horizon me clignait de l'œil au gré des virages. Les rayons obliques faisaient étinceler les écharpes de brume qui subsistaient encore au creux des vallons entre les crêtes.

Dans un champ, une jument chocolat pâturait à côté de son poulain. Un bref instant, ils ont relevé la tête et dressé les oreilles, pris de curiosité, puis ils se sont remis à brouter.

Quelques minutes plus tard, un panneau en fer forgé a pointé le nez à droite, hors du feuillage, pour annoncer Heatherhill Farm. Mais discrètement. Le genre : si vous ignorez notre présence ici, continuez tout droit.

J'ai tourné sur une voie asphaltée qui s'enfonçait entre d'énormes buissons d'azalées et de rhododendrons. J'ai baissé la vitre, l'air du petit matin a envahi l'habitacle : mélange d'odeurs de pin, de feuilles mouillées et de terre détrempée.

40

Un peu plus loin plusieurs bâtiments, les uns petits, les autres grands, mais tous donnant l'impression de sortir tout droit des décors d'*Un Noël dans le Connecticut*. Des cheminées sur lesquelles grimpait du lierre, de longues vérandas, des parements blancs et des volets noirs.

Un bon nombre de ces bâtiments était disséminé sur les vingt hectares de Heatherhill; on comptait notamment un centre de traitement des douleurs chroniques, une salle de sport, une bibliothèque, un laboratoire d'informatique, un espace plus spécifiquement destiné aux personnes aisées souffrant de «problèmes».

Celui-là, je le connaissais bien. Trop bien, même.

Passé l'hôpital principal avec ses quatre étages, j'ai bifurqué sur une route adjacente, puis longé un bâtiment bas abritant l'accueil et les services administratifs, avant de prendre à gauche. La petite route se terminait cinquante mètres plus loin par un rectangle de gravier entouré d'une clôture blanche. Je me suis garée.

Ma veste et mon sac bien en main, je suis sortie de voiture.

Il y avait un portillon dans la clôture. Un chemin dallé conduisait à un petit bungalow. River House, était-il écrit au-dessus de la porte. Une grande goulée d'air pour conserver mon calme, et je me suis élancée.

À l'intérieur, River House avait tout d'un chalet. D'un chalet dont le propriétaire aurait aimé les copies d'antiquités et aurait eu beaucoup, beaucoup de fric.

Des tapis Ushak et Sarouk d'une valeur bien supérieure au prix de toute ma maison de Charlotte, jetés sur des planchers en bois à larges lames. Des tissus d'ameublement aux teintes subtiles probablement dénommées mousse et champignon par le décorateur. Des meubles en bois teinté, spécialement abîmés pour suggérer le grand âge. Dans le salon, une cheminée en pierre où dansaient des flammes nourries au gaz.

J'ai traversé la pièce et en suis ressortie par une double porte vitrée donnant sur l'arrière de la maison. Dans la véranda, une table en teck et ses fauteuils assortis, des bacs à fleurs plantés de pensées et de soucis, quatre chaises longues avec des coussins de couleur melon.

L'une d'elles avait été tirée à bonne distance des autres et placée de biais. Allongée dessus, une femme aux cheveux blancs, de coupe pixie. Devant elle, posée sur la balustrade, une tasse en faïence. La femme portait un pantalon kaki et un pull irlandais qui lui descendait jusqu'au milieu des cuisses. À ses pieds, des ballerines bicolores, le cuir recouvrant les orteils assorti à son pantalon.

Je suis restée un moment à la regarder. Immobile, les mains jointes, elle avait les yeux fixés sur la forêt riche en ombres matinales. Le boucan de mes chaussures de randonnée a rompu le silence, tandis que j'avançais vers elle.

Elle ne s'est pas retournée.

— Désolée pour hier soir, je n'ai pas pu venir. (Dit sur un ton enthousiaste digne de la fanfare de Mickey.)

Pas de réponse.

J'ai rapproché une chaise parallèlement à la chaise longue et me suis assise de biais, tournée vers la dame.

— J'aime bien ta nouvelle coupe de cheveux.

Rien.

— J'ai bien roulé. J'ai fait la route en moins de deux heures.

Toujours aucun signe indiquant qu'elle avait remarqué ma présence.

— Tu avais l'air fâché hier. Ça va mieux aujourd'hui ?

Un oiseau s'est posé sur la balustrade. Une sittelle, peut-être un jaseur.

— Tu m'en veux ?

L'oiseau a penché la tête et m'a regardée d'un seul œil, noir et brillant. Elle a croisé les chevilles. Effarouché, l'oiseau s'est envolé.

— Je compte venir pour l'Action de grâce. (Continuant à lui parler de profil.) C'est jeudi prochain.

— Je sais très bien quel jour c'est, je ne suis pas idiote.

— Bien sûr que non.

Une mouche s'est posée sur le rebord de la tasse. Je l'ai regardée en explorer le pourtour, tester la faïence à l'aide de ses antennes et de ses pattes avant. Avec circonspection. Ne sachant pas à quoi s'attendre. J'ai éprouvé pour elle un sentiment d'empathie absolu.

— Tu savais que Carrauntoohil était la plus haute montagne d'Irlande ?

42

En disant cela, elle a posé ses bras sur les accoudoirs. Elle avait des taches de vieillesse, mais l'ovale de ses ongles peints en rose était parfait.

— Je n'en avais pas la moindre idée.

— Eh bien, ça se trouve dans le comté de Kerry. Son sommet culmine à 1 038 mètres. Ce n'est pas grand-chose pour une montagne, si tu veux mon avis.

J'ai posé ma main sur la sienne. Et senti sous ma paume ses os délicats.

— Comment te sens-tu ?

Sous le tricot torsadé, l'une de ses épaules s'est soulevée. À peine.

— Tu disais que tu avais quelque chose à me dire.

La main que je ne tenais pas est partie en l'air, s'est maintenue là-haut comme si elle ne savait plus pourquoi elle s'était levée. Puis est retombée.

— Tu ne te sens pas bien ?

De nouveau, le mouvement de l'épaule.

— Maman ?

Un long et profond soupir

On dit que les filles deviennent les variantes de leurs mères. Un même scénario lu différemment. L'interprétation à neuf d'un personnage ayant existé.

J'ai étudié ce visage conservé avec tant de vigilance grâce aux crèmes, aux liftings et aux piqûres. Aux chapeaux à larges bords en été et aux longues écharpes en cachemire en hiver. Les chairs étaient moins fermes, les rides plus accentuées, les paupières un peu tombantes. Sinon, c'était la copie du reflet que j'avais aperçu dans le miroir, à la police de Charlotte-Mecklenburg. Les yeux verts, la mâchoire volontaire.

L'air tendu. Sur ses gardes.

Je savais que je ressemblais physiquement à ma mère. Mais je croyais que la ressemblance s'arrêtait là. Que j'étais une exception. Celle qui contredisait la règle.

Je n'étais pas ma mère. Je ne serais jamais comme elle.

Médecins, psychiatres, psychologues. Les diagnostics, si nombreux : bipolaire, schizoaffective, schizobipolaire, trouble de l'instant. Vous avez le choix des mots.

Lithium. Carbamazépine. Lamotrigine. Diazepam. Lorazepam.

Aucun des médicaments n'agissait longtemps. Impossible de s'en tenir à un seul traitement. Pendant des semaines, ma mère était comme je l'aimais, dynamique, chaleureuse, quelqu'un qui ensoleillait les pièces où elle entrait, heureuse, drôle, intelligente. Et soudain ses démons la reprenaient.

En un mot : ma mère est folle à lier.

Tout au long de mon enfance, dès que survenait la noirceur, maman emballait ses Vuitton, nous embrassait, ma sœur Harry et moi, et disparaissait de notre horizon, emmenée par papa au volant de sa vieille Buick. Et grand-mère prenait la relève.

Mais Daisy Brennan, née Katherine Daessee Lee, ne fréquentait pas les hôpitaux publics, non. Uniquement des institutions privées. Au fil des ans, elle a séjourné dans des dizaines de ces cliniques aux noms enchanteurs évoquant la nature. Les bouleaux d'argent. Les chênes qui murmurent. La vallée ensoleillée.

Maman n'y retournait jamais deux fois, car il y avait toujours quelque chose qui n'allait pas. La nourriture. La chambre. Le personnel.

Jusqu'à Heatherhill, la colline aux bruyères. Ici tout lui convenait, le menu, la chambre individuelle avec salle de bains. Après tant de séjours dans toutes sortes de cliniques, voilà qu'elle pouvait rester dans celle-ci aussi longtemps qu'elle le souhaitait. Enfin, tant que le fonds de placement familial réglait la note.

Maman, sans croiser mon regard, a prononcé d'une voix sucrée comme Charleston au mois d'août :

— Dans cette autre chambre, je serai en mesure de voir.

La citation m'a fait froid dans le dos.

— Helen Keller.

Maman a hoché la tête.

Elle aimait l'histoire de cette femme sourde, muette et aveugle et nous la racontait souvent quand nous étions petites, Harry et moi.

— Elle parlait de la mort.

— C'est notre lot à tous et je suis vieille, ma chérie.

Ruse ? Stratagème pour capter mon attention ? Manifestation de délire ?

— Regarde-moi, maman. (Sur un ton plus sévère que je ne le voulais.)

Pour la première fois, elle a tourné la tête vers moi. Elle avait une expression paisible, le regard clair et serein. Ma maman solaire.

Quand j'étais plus jeune, j'essayais de lui arracher des explications. Maintenant, je savais à quoi m'en tenir.

— Je vais voir le D<sup>r</sup> Finch.

— C'est une excellente idée. (La main sous la mienne a repris sa liberté et m'a tapoté le genou.) Inutile de gâcher le peu de temps que nous avons ensemble.

Derrière nous, la porte vitrée s'est ouverte et refermée.

— Et toi, ma chérie? Quel est ton pain quotidien, ces jours-ci?

— Rien d'extraordinaire. (Juste des enfants assassinés et une tueuse dépravée dont j'avais tant espéré ne jamais croiser la route à nouveau.)

— Tu vois toujours ton jeune homme?

Sa question m'a déstabilisée.

— Quel jeune homme?

— Mais ton détective canadien-français. Vous êtes toujours ensemble?

La question à un million de dollars: comment maman était-elle au courant?

— C'est Harry qui t'a dit que je sortais avec lui? Sortir... Ce mot décrit-il vraiment le rituel complexe qui régit les relations entre des personnes de plus de quarante ans?

— Évidemment. Ta sœur et moi n'avons pas de secrets l'une pour l'autre.

— Elle pourrait être plus discrète.

— Harry est très bien.

Pour autant que l'on considère comme bien le fait d'avoir eu quatre maris, d'éprouver une indulgence obsessionnelle envers soi-même, mais aussi le besoin insatiable d'attirer sur soi l'attention des hommes.

Levant légèrement les sourcils, maman s'est penchée vers moi dans une pose faite pour m'encourager à prolonger ce moment d'intimité. Inutile de chercher à esquiver.

— Ça fait un bout de temps que je ne l'ai pas vu.

— Oh mon Dieu. Il t'a laissé tomber?

— Sa fille est morte. Il a besoin de solitude pour le moment.

— Morte ?

Les sourcils parfaitement épilés sont montés très haut sur son front.

— Elle était malade. (Assez proche de la vérité.)

— Oh, que c'est triste. Très triste.

— Oui.

— Mais vous continuez à vous parler, n'est-ce pas ? Comment s'appelle ce monsieur ?

— Andrew Ryan.

— C'est un joli nom. Vous avez été en contact depuis la mort de l'enfant ?

— Une visite et un courriel.

— Oh, oh. Ce n'est pas ce qu'on appelle de la dévotion.

— Mmm.

— T'a-t-il dit où il allait ?

— Il ne l'a dit à personne. (Sur la défensive.)

— Parce que d'autres personnes le recherchent ?

À quoi bon essayer de cacher quoi que ce soit à maman ?

— Des détectives aimeraient bien le voir reprendre une affaire.

— Quelque chose de trop misérable pour être formulé avec des mots ?

Maman a toujours montré un vif intérêt pour mon travail, pour ces « pauvres âmes perdues », comme elle appelle les morts dont on ignore l'identité. Je lui ai donc raconté les cas non résolus impliquant Vermont et Charlotte. Annick Pomerleau et Montréal. Quel mal y avait-il à cela ? En revanche, je n'ai pas soufflé mot de Shelly Leal.

Maman m'a posé les questions habituelles : qui, quand, où. Puis elle s'est à nouveau bien calée sur sa chaise longue et a recroisé les chevilles. J'ai attendu. Au bout d'une minute entière, elle a demandé :

— Ces autres détectives, ils pensent que ton Andrew Ryan saurait retrouver cette horrible bonne femme ?

— Oui.

— Toi aussi ?

— Peut-être. (À condition qu'il n'ait pas le cerveau réduit en bouillie par l'excès d'alcool, le chagrin et le dégoût de soi.)

J'ai ponctué ma phrase d'un petit reniflement de mépris.

Maman a serré les mâchoires.

— Excuse-moi. Je sais que tu as bien des choses à l'esprit et que tu dois te concentrer. Mais je ne doute pas un instant que tu vas le retrouver.

Moi si.

Un jour, j'ai offert un ordinateur à ma mère. Un iMac qui coûtait les yeux de la tête. Maman avait cinquante-huit ans à l'époque. Elle émergeait d'une crise dépressive particulièrement profonde, et je n'avais pas grand espoir de la voir trouver le cybermonde attrayant, mais je ne savais plus comment occuper son attention. L'occuper avec quelque chose qui ne soit pas moi.

Je lui ai montré comment faire marcher le courrier électronique, le traitement de texte, les tableurs, Internet, et je lui ai expliqué comment fonctionnaient les navigateurs et les moteurs de recherche. À ma grande surprise, elle a été fascinée. Elle a suivi formations sur formations, elle a appris à jongler avec iTunes, Myspace, Facebook, Twitter, Photoshop. Tant et si bien qu'aujourd'hui elle maîtrise ce nouveau sport bien mieux que moi-même, comme il fallait s'y attendre.

Je n'irai pas jusqu'à dire que ma mère est un *hacker*, parce qu'elle n'a aucun intérêt pour les secrets du Département de la Défense ou de la NASA. Ne collectionne pas non plus les cartes de crédit ou les numéros de distributeurs de billets. Mais elle n'en est pas loin.

À l'aide d'un ordi, il n'y a rien qu'elle ne puisse arracher à la Toile.

— Tu as encore son courriel ? a demandé maman.

— Je suppose que je pourrais le retrouver. Mais tout ce qu'il a dit, c'était…

— Attends-moi ici.

Je n'ai pas eu le temps d'ouvrir la bouche qu'elle s'était levée et rentrait dans la maison. Un moment plus tard, elle en est ressortie, lestée d'un Mac de la taille d'un magazine de mode.

— Tu utilises Gmail, n'est-ce pas, chérie ?

Elle a soulevé le couvercle et enfoncé une série de touches. Puis elle a tapoté la chaise à côté d'elle à droite. Lorsque je m'y suis assise, elle a placé le portable sur mes genoux.

— Branche-toi.

Je me suis connectée à mon fournisseur de services et j'ai entré un identifiant qui me semblait devoir fonctionner. Quelques secondes plus tard, un courriel de Ryan est apparu à l'écran. Je l'ai ouvert.

*Ça va. Tu me manques. AR.*

J'ai passé l'ordinateur à maman. Elle a cliqué sur un petit triangle à droite de la flèche de réponse. Sur un menu déroulant, elle a choisi la commande : *Afficher l'original.*

Un bloc de données est apparu. La police de caractères ressemblait à celle de ma vieille unité centrale, en première année d'université.

Maman a désigné une ligne au milieu du texte. L'entête indiquait : *Reçu.* Encastrée dans le charabia, une série de quatre nombres séparés par des points.

— Les courriels ont tous une adresse IP. En gros, c'est la même chose qu'une adresse postale. Ça, c'est celle qui nous intéresse, notre petit bébé chéri.

Elle a surligné les chiffres et les a copiés dans le presse-papiers. Puis elle s'est connectée sur Gmail et est entrée dans un site appelé ipTRACKERonline.com.

— Maintenant, on va faire une géolocalisation, comme on dit.

Elle a collé la séquence de nombres dans une boîte au milieu de l'écran et enfoncé la touche *Entrée.* Quelques secondes plus tard, une image satellite de Google Earth est apparue, avec un cercle rouge fiché dans le sol.

En-dessous de la carte, trois colonnes : info fournisseur, info pays, info temps.

J'ai fait dérouler la colonne du milieu. Pays. Région. Ville. Code postal. Puis, en regardant maman :

— C'est aussi simple que ça ?

— Aussi simple que ça !

Elle a refermé l'ordinateur portable, s'est retournée vers moi et m'a serrée dans ses bras. Des bras tout fragiles dans ces épaisses manches de laine.

— Maintenant, ma douce, va retrouver ton Andrew Ryan.

— Si je le fais, je ne pourrai pas venir te voir jeudi.

— La dinde est bonne tous les jours de l'année. Va !

Avant de quitter River House, j'ai fait un petit détour par un couloir recouvert de moquette accessible depuis la salle à manger, jusqu'au bureau du D᭢ Finch. Luna de son prénom, comme l'indiquait une plaque. Par la porte entr'ouverte, on l'apercevait en partie, assise derrière un bureau richement sculpté.

J'ai frappé doucement et suis entrée.

Le D᭢ Finch a relevé les yeux. Un moment de surprise, puis elle a désigné l'un des deux fauteuils devant elle.

Comme j'y prenais place, elle s'est penchée en arrière et a croisé les doigts. Elle était petite et replète, mais pas trop. Elle avait les cheveux bouclés, teints en châtain et coupés en dégradé juste au-dessous des oreilles. J'ai déclaré :

— Elle est dans une phase positive.

— Oui.

J'ai souri, le D᭢ Finch m'a rendu mon sourire. J'ai repris :

— Elle pense qu'elle est en train de mourir.

Une pause, avant la réponse :

— Votre mère a le cancer.

Mon cœur s'est arrêté de battre.

— Elle vient de l'apprendre ?

— Non. Cela fait plusieurs mois qu'elle est suivie par un oncologue.

— Et vous ne m'en avez pas informée ?

— Nous ne sommes pas les médecins référents de votre mère. Nous nous occupons de son bien-être mental.

— On peut séparer les deux ?

— Votre mère nous a prévenus de son état à son arrivée et a réclamé la confidentialité. Elle est adulte. Nous devons respecter ses volontés. Maintenant, elle considère que le temps est venu de vous mettre au courant de la situation.

— Allez-y.

— Pardon ?

— Dites-moi le reste.

— Le cancer se propage.

— Bien sûr. C'est sa caractéristique première. Comment est-il traité ?

Luna Finch a posé sur moi un regard qui répondait à ma question.

Évidemment… Maman ne perdrait pas ses cheveux et ne porterait pas de perruque. Impossible !

— La chimio serait efficace ?

— C'est possible.

La gorge serrée, j'ai demandé :

— Et si elle continue à refuser ?

Même réponse des yeux.

J'ai baissé les miens sur mes mains. J'avais le pouce droit rouge et enflé. Et qui me démangeait.

Piqûre de moustique, à coup sûr.

— Et maintenant ?

— Votre mère a décidé de rester chez nous, à Heatherhill Farm, tant qu'elle le pourrait.

— Et cela veut dire combien de temps ?

— Peut-être un bon moment.

J'ai hoché la tête.

— Le numéro de téléphone inscrit dans le dossier est toujours valide ? Pour le cas où nous devrions vous joindre ?

— Oui.

Je me suis levée.

— Je comprends votre chagrin, a-t-elle dit encore.

Dehors, la brume s'était dissipée. Très haut dans le ciel, une traînée de vapeur blanche découpait l'azur sans nuage.

Non, maman ne pouvait pas être en train de mourir.

Pourtant, c'était bien ce qu'avait dit Luna Finch.

# Chapitre 5

Je dors mal en avion. Croyez-moi, j'ai tout essayé.

Je suis rentrée à Charlotte en milieu d'après-midi. Il était huit heures quand j'en ai eu terminé avec mon examen préliminaire du cas de Larabee, le cadavre trouvé dans le coffre de voiture. Dix heures quand j'ai enfin trouvé un vol et réservé mon billet et une chambre.

Après m'être organisée avec mon voisin pour qu'il s'occupe de Birdie, j'ai fait ma valise, pris une douche et me suis écroulée dans mon lit.

Mon esprit débordait d'activité et me présentait des foules d'événements bruts, dépourvus de tout lien chronologique.

Des souvenirs de ma mère dans mon enfance.

Moments de bonheur, quand elle nous lisait une histoire dans le jardin, à Harry et moi, pendant que nous nous balancions. Quand elle déclamait des citations qui nous passaient bien au-dessus de la tête — Shakespeare, Milton ou quelque autre inconnu mort depuis des lustres. Quand elle s'asseyait au volant de la Buick pour nous emmener manger des glaces illicites, bien après l'heure du coucher.

Moments de tristesse. Moi, inquiète, à l'affût des sons provenant de la chambre de maman, et ne comprenant rien à ses larmes ni à ces bruits de verre brisé. Terrifiée qu'elle apparaisse sur le pas de la porte. Terrifiée qu'elle n'y apparaisse pas.

Souvenirs d'Andrew Ryan. Périodes de bonheur : nos journées de ski à Mont-Tremblant dans les Laurentides ; nos virées au Hurley's Irish Pub pour célébrer nos succès ; nos fous rires aux plaisanteries grivoises de Charlie, la perruche dont nous avons la garde partagée.

Périodes de malheur. Le jour où Ryan avait été blessé par balle. Le jour où son coéquipier avait perdu la vie dans un accident d'avion. La nuit où nous avions mis fin à notre relation.

Mes doutes sur le voyage que j'allais entreprendre. Cela en valait-il le coup ? D'autant que le courriel de Ryan datait de presque un mois. Était-il toujours là-bas ?

Oui, forcément. Barrow avait été bien inspiré de me demander si Ryan m'avait parlé d'un lieu qu'il aimait tout particulièrement. Je me souvenais de ce qu'il m'en avait dit. Il adorait cet endroit, et c'est là qu'il irait chercher refuge s'il avait besoin de rompre les amarres.

Mes doutes sur ma décision de ne pas révéler à ma fille dans quel état était sa grand-mère. Oui, c'était bien ce qu'il fallait faire. Katy était en mission en Afghanistan. Elle avait assez de choses en tête comme ça.

Toute la nuit je me suis tournée et retournée dans mon lit. Mille et une questions s'agitaient le long de mes voies neuronales encombrées de doutes et d'incertitudes.

De certitudes, aussi. Luna Finch. Les cellules malignes qui échappent à tout contrôle.

Dernier coup d'œil à la pendule à 2 h 54. À cinq heures, l'alarme retentissait déjà.

Un vol court jusqu'à Atlanta, et une attente d'à peine plus d'une heure pour l'avion suivant. Pas mal. L'horreur, c'était l'escale.

À bord, j'ai essayé de lire. *Life*. Peut-être que les problèmes de Keith Richards me feraient paraître les miens plus petits. Raté.

J'ai fermé le livre et mes yeux.

Quelque chose m'a caressé le bras. J'ai relevé les paupières. Redressé mon menton.

Le passager à côté de moi était en train de rétablir l'équilibre de mon gobelet en plastique où restait encore un peu de jus de canneberge. Il était grand, avec des cheveux roux clair et des yeux couleur de verre teinté.

— On est sur le point d'atterrir.

Ses premiers mots depuis le décollage, quatre heures plus tôt.

— Excusez-moi.

J'ai pris mon gobelet en main, ai remis le plateau en position verticale. Mon siège aussi.

— Vous partez en vacances? a demandé l'homme en anglais, avec un léger accent.

Pourquoi être désagréable avec ce type qui avait évité une inondation?

— Je suis à la recherche de quelqu'un.

— À Liberia?

— Playa Samara.

— Ah, c'est justement là que je vais.

— Mmm.

— J'ai une propriété là-bas.

Il a sorti une carte de son portefeuille et me l'a tendue. Nils Vanderleer. Il vendait des systèmes d'irrigation pour le compte d'une entreprise basée à Atlanta. Du moins, c'est ce que prétendait sa carte.

J'ai réussi à sourire. J'avais l'esprit ailleurs.

— Je pourrais peut-être vous être d'une aide quelconque…, a insisté Vanderleer.

— Je vous remercie, tout va bien pour moi.

— Je n'en doute pas.

L'avion s'est incliné et nous avons tourné la tête vers le hublot. Vanderleer pouvait voir à l'extérieur. Moi pas.

Quelques instants plus tard, les roues ont touché le sol. Vanderleer s'est retourné vers moi.

— Pourrais-je vous inviter à dîner un soir?

— J'espère ne passer qu'une soirée à Samara.

— Quel dommage. Le Costa Rica est un lieu magique.

\* \* \*

Une demi-heure de queue au contrôle des passeports. Je suis sortie du terminal, trempée de sueur, la tête comme un ballon et d'une humeur de chien.

Dehors, Vanderleer faisait les cent pas sur le trottoir, sourcils froncés. Je n'avais d'autre choix que de passer devant lui. En m'apercevant, il a fait un geste signifiant: «Que peut-on y faire?»

— J'avais réservé une voiture, mais bien sûr elle est en retard. Le chauffeur est à dix minutes d'ici. Si ça ne vous dérange pas d'attendre un peu, je serai ravi de vous conduire à Samara.

— C'est très gentil, mais mon hôtel a commandé un taxi.

Trois heures après avoir touché terre, j'ai enfin franchi une arche en marbre blanc s'élevant d'un mur épais recouvert de fleurs grimpantes. Un panneau de bois m'a annoncé que j'étais bien arrivée aux Villas Katerina.

L'endroit correspondait à ce qu'il en était dit sur Internet. Des palmiers. Des hamacs tissés. Des villas avec des murs en stuc jaune, des encadrements blancs et des toits en tuiles rouges tout autour d'une piscine en forme d'amibe.

La dame à la réception, petite et pétillante de vie, souffrait d'une vilaine acné. Elle s'est emparée de ma carte de crédit, tout sourire, et m'a conduite à une villa située à l'écart des autres. Plus petite et dominant un jardin à la végétation tropicale luxuriante.

Entrée dans la chambre, j'ai roulé mon sac jusqu'à une chaise en bois sculpté placée à côté d'une fenêtre dont j'ai écarté les rideaux. De l'autre côté de la vitre, du feuillage et c'est tout.

Demi-tour sur moi-même pour détailler les lieux : du jaune pour les murs, de l'orange pour les moulures, de l'orange pour le couvre-lit et les rideaux. De l'art primitif, sans grande finesse, probablement d'un artiste du coin.

Cuisinette de poupée. Salle de bains avec des carreaux d'un bleu particulièrement agressif quand on sortait de cette chambre carotte.

Brusquement, j'ai eu la sensation d'être épuisée. J'ai envoyé balader mes chaussures et me suis étendue sur le lit afin d'examiner les options qui s'offraient à moi. Une sieste ? Pas question. Plus tôt je retrouverais Ryan, plus tôt je rentrerais.

Où me trouvais-je exactement ? Plage de Samara. Playa Samara. Dans le nord-ouest du Costa Rica, pas très loin de la frontière avec le Nicaragua, sur une péninsule qui formait une boucle le long de la côte du Pacifique.

La veille, j'avais fait des recherches sur ce petit pays d'un peu plus de cinquante mille kilomètres carrés. Un pays connu pour sa biodiversité, pour ses forêts tropicales, ses forêts pluviales, ses zones boisées et ses zones humides. Un pays dont le quart du territoire était constitué de parcs nationaux et de refuges.

Et quelque part au milieu de tout cela, il y avait Andrew Ryan. Du moins, je l'espérais.

Son adresse IP l'avait localisé à Samara, quatre semaines plus tôt. C'était une petite bourgade, moins appréciée des touristes que les plages chic de Tamarindo et de Flamingo. Ce qui devrait me faciliter la tâche.

J'ai sorti la carte de la ville que j'avais téléchargée, et j'en ai étudié l'enchevêtrement de ruelles. J'ai repéré une église, une buanderie, des magasins, des hôtels, des bars et des restaurants. Un ou deux cafés Internet.

Ryan a quantité de facettes. Drôle, généreux, policier hors pair. Mais en matière de communication, c'est l'anti-*geek* par excellence. D'accord, il a un téléphone intelligent et il sait faire fonctionner les outils informatiques mis à la disposition des flics, CODIS, AFIS, CIPC, et tout le bataclan. Mais ça s'arrête là. En dehors des heures de boulot, Ryan préfère téléphoner. Il n'envoie jamais de textos et très rarement des courriels. Il ne possède pas d'ordinateur portable. Il dit qu'il veut garder sa vie privée *privée*.

J'ai pris une bonne douche, enfilé un jeans, un t-shirt et des sandales. Puis j'ai avalé deux Sudafed, passé la bandoulière de mon sac en travers de mon épaule et quitté la chambre.

La dame au visage acnéique balayait les fleurs mortes de la margelle en pierre autour de la piscine. Sur une impulsion subite, je l'ai rejointe et, m'adressant à elle en espagnol, je lui ai montré une photo de Ryan.

La dame s'appelait Estella. Elle n'avait pas connaissance d'un Canadien qui vivrait à Samara. Elle se souvenait d'un groupe de quatre personnes originaires d'Edmonton qui avaient brièvement séjourné ici. Les deux hommes étaient de petite taille et chauves. Puis elle m'a gaiement expliqué comment me rendre en ville.

La marche le long de la plage n'a pris que quelques minutes. J'ai passé un restaurant, une école de surf, un poste de police grand comme un porte-savon.

L'artère principale de Samara, en forme de U, était accolée à la grand-route qui traversait la ville. Pour l'atteindre, il suffisait de continuer toujours tout droit depuis l'océan.

Au premier tournant du U, deux chevaux en train de brouter un carré d'herbe. Quelques voitures et des motos garées de chaque côté de la route. Au-dessus, un entrecroisement de lignes électriques.

Le café Internet le plus proche était coincé entre une boutique de souvenirs et une petite épicerie. Une façade en stuc de ces mêmes couleurs jaune citron et mandarine que ma chambre. Des panneaux offrant divers services : appels téléphoniques à l'étranger, services Internet, réparation d'ordinateur et d'iPhone.

Un intérieur beaucoup moins exubérant comprenant un comptoir, un distributeur de boissons et six postes informatiques. Assis à l'un d'eux, une jeune femme à l'air perplexe en train d'étudier un guide Lonely Planet, son sac à dos à ses pieds. Les autres services proposés en vitrine devaient être fournis par-delà la porte au fond de la boutique.

À la caisse enregistreuse, un garçon d'environ seize ans, dos au mur, les pieds avant de son tabouret soulevés du sol, en train de parler dans son cellulaire. Une peau grasse et des dreadlocks blondes déplumées remontées haut sur le crâne, qui tressautaient au rythme de ses paroles.

Je me suis approchée.

Il a continué sa conversation.

Je me suis éclairci la gorge.

Il a désigné les ordinateurs sans couper son téléphone.

J'ai posé une photo sur le comptoir et l'ai poussée vers lui.

Il a remis son tabouret sur ses pieds et regardé l'image. Puis il a relevé les yeux sur moi. Un éclat dans son regard. Très bref.

— Je te rappelle.

Un accent américain de la côte Est, peut-être de New York. Puis, à mon intention :

— Et alors ?

— Vous l'avez vu ?

— Qu'est-ce qui vous fait croire ça ?

— Il a pu vouloir utiliser Internet.

— Ouais, m'dame. C'est ce que souhaitent les gens qui viennent ici.

— Il ne passe pas inaperçu. Il a les cheveux blonds sable et fait plus d'un mètre quatre-vingt-dix.

— Dans ses mocassins ?

56

Je n'ai pas compris ce qu'il entendait par là.

— Que le diable m'emporte! Natty Bumppo ici même, à Samara!

Bien. Il avait lu James Fenimore Cooper, *Le dernier des Mohicans*. Il n'était peut-être pas aussi nul que ça.

— C'est important que je le retrouve.

— Qu'est-ce qu'il a fait?

— C'est un flic. On a besoin de ses lumières dans une enquête.

Coup d'œil à la porte, puis à la jeune fille Lonely Planet, avant de se pencher vers moi en appui sur ses coudes et de lâcher à mi-voix:

— Peut-être bien que je l'ai vu.

— Ici?

— J'ai un peu de mal à me souvenir. (Rapide aller-retour des sourcils.) Vous voyez ce que je veux dire?

Parfaitement. J'ai sorti mon portefeuille et fait apparaître vingt dollars. Le garçon a projeté la main en avant. J'ai gardé mon billet hors de sa portée.

— Prenez la grand-route en direction de l'ouest de la ville. Après l'endroit où l'Arriba Pathway fait un T, vous passez Las Brisas del Pacifico, et descendez sur la plage. Y a un auvent bleu. Visez la route à gauche qui rentre dans les terres. Il y a un gars là-bas, Blackbird, qui loue dans le coin des maisons dans les arbres. Votre gars habite l'une d'elles.

— Il est toujours ici?

— Ouais, toujours.

Nos yeux sont restés vissés l'un à l'autre pendant un court moment, et je l'ai laissé m'arracher mon billet.

Le cœur battant à grands coups, j'ai repris en sens inverse le chemin parcouru.

Se pouvait-il que les choses soient aussi simples que ça? Entrer dans le premier café venu et tirer le gros lot?

Et si le garçon s'était fichu de moi? S'il en rigolait déjà au téléphone et décrivait l'imbécile de *gringo* qu'il venait d'arnaquer joliment?

Non, parce que je reviendrais si jamais il m'avait raconté n'importe quoi. Bien sûr. Et pour lui faire quoi?

Encore une fois j'ai considéré les possibilités qui s'offraient à moi. Pas bien nombreuses, à vrai dire. Filer là-bas sur-le-champ ? Y aller plus tard, quand Ryan serait au lit ? Plus tard dans combien de temps ? Dormir d'abord et débarquer demain au lever du soleil ?

Mon estomac a fait entendre des grognements.

Ça m'a décidée : de toute façon, souper d'abord.

Je me suis plongée dans le petit dossier TripAdvisor que je m'étais imprimé avant de partir. El Lagarto, un petit peu plus loin sur la plage. Plein de gens avaient apprécié l'endroit. Que pouvait-on ne pas aimer dans un endroit qui avait pour logo un couple de crocodiles dansant un slow ?

Une entrée visible de loin. Un chemin éclairé par des lanternes qui menait jusqu'à un long bar. Derrière, un type qui faisait rôtir des steaks, du poisson et des plantains sur un grill gigantesque. À ces bonnes odeurs, mon estomac a gémi.

Une femme avec un top en coton brodé m'a installée dans un coin meublé de tables et de chaises qui semblaient être en bois fossilisé.

La moitié d'entre elles étaient déjà occupées. Au-dessus, des lanternes et des lumières de couleur scintillaient doucement. Au niveau du sol, des bougies dans des dizaines de lampes-tempête projetaient une lumière vacillante. Dans le crépuscule qui tombait, les vagues se fracassaient doucement au-delà de la bande de sable.

J'ai commandé le plateau de fruits de mer. L'ai mangé. Comme mon sang s'était dérouté vers mes boyaux, je me sentais un peu au ralenti.

J'en étais à mon deuxième café, et le buvais en promenant paresseusement les yeux sur les convives, quand mon cerveau a réclamé mon attention.

À l'autre bout du restaurant, un homme parlait avec le barman. De dos par rapport à moi. Il portait un t-shirt noir avec un logo de surf vert néon, des shorts délavés en jeans et des chaussures de bateau. Des cheveux blonds plus hirsutes que lors de notre dernière rencontre. Mais des mâchoires, des épaules, des membres longilignes que je connaissais par cœur.

Je l'observais le cœur battant quand soudain il a agité un doigt en direction du barman et a quitté le restaurant.

J'ai sorti de l'argent de mon porte-monnaie. Trop, mais qu'importe !

J'ai plaqué les billets de *colones* sur la table et me suis précipitée vers la sortie.

# Chapitre 6

À la clarté de la lanterne, aussi nébuleuse qu'inefficace, j'ai aperçu le surf vert fluo au bout de l'allée. Il a disparu à droite en même temps que celui qui le portait.

Quand j'ai atteint la route, Ryan était à dix mètres devant moi. Bien qu'il ne marche pas vite, j'ai dû presser le pas pour ne pas être distancée.

Il a longé quelques pâtés de maisons, puis s'est engagé sur la grand-route en direction de l'ouest. C'était conforme aux indications du garçon aux dreadlocks.

À mesure que nous nous éloignions du centre-ville, les touristes se faisaient plus rares. En l'absence de bruits parasites, l'océan s'entendait davantage. Quelques points lumineux commençaient à scintiller dans le ciel de plus en plus sombre.

Au bout d'un quart d'heure, Ryan s'est arrêté brutalement. Persuadée qu'il m'avait vue, j'ai figé. Inquiète de savoir comment il réagirait à ma soudaine irruption dans sa nouvelle vie.

Il a arrondi les épaules et levé les mains. La flamme d'une allumette a jailli. Un halo orangé a brièvement éclairé son visage. Puis il s'est redressé et a tourné à gauche.

Je l'ai laissé prendre un peu d'avance avant de lui emboîter le pas.

La route était étroite, seulement recouverte de gravier, bordée de part et d'autre d'une végétation dense, masse opaque et sombre dans la nuit sans lune.

Un vrombissement de moustiques. J'ai renoncé à frapper dans mes mains pour les chasser, de peur de me trahir.

Ryan a encore parcouru une cinquantaine de mètres. Une porte s'est ouverte, refermée avec fracas. Encore quelques secondes et une lumière a filtré à travers l'entrelacs végétal.

J'ai attendu une grande minute avant de bouger.

Il habitait une sorte de cabane façon Tarzan, une hutte rudimentaire sur pilotis, calée entre les branches d'un arbre. Je me suis approchée et j'ai glissé un coup d'œil par les interstices des lattes de bois.

Le niveau inférieur abritait une cuisine sommaire, distribuée autour d'une table de bois encadrée de deux chaises en plastique bleu. Dans un coin, une porte ouverte laissait entrevoir une salle de bains aux murs recouverts de pierres. Dans un autre, un escalier constitué de planches conduisait en formant un angle serré vers un étage supérieur. Le faible éclairage venait d'en haut.

Pendant un moment, je suis restée immobile, en retenant mon souffle. Et si je me trompais ? Si ce n'était pas Ryan ?

C'était bien lui.

Ouvrant discrètement le panneau de lattes qui servait de porte, je suis entrée sur la pointe des pieds et me suis faufilée dans l'escalier. Arrivée à l'avant-dernière marche, je l'ai entendu grommeler :

— Qu'est-ce que tu me veux ?

Une voix rauque, grincheuse. Irritée ? Impossible à dire.

— C'est Tempe.

Pas de réponse. J'ai ravalé ma salive. J'ai essayé de me rappeler les phrases que j'avais préparées.

— Pourquoi tu me suis ?

— Je t'ai retrouvé grâce à ton courriel.

— Félicitations.

— Ça n'a pas été très difficile.

Merde. Serais-je en train de me montrer désagréable ?

— En fait, on m'a aidée.

— Donc, tu m'as trouvé. Maintenant, laisse-moi tranquille.

— Je peux monter ?

Silence.

— Tu ne veux pas savoir pourquoi je suis venue ?

— Non.

J'ai franchi la dernière marche.

Ryan était assis, adossé au mur, les genoux relevés, sur un lit défait. Une pauvre lumière s'écoulait au travers de l'abat-jour en papier d'une applique fixée au-dessus de son épaule gauche. Un ventilateur tournoyait lentement au plafond. Il tenait un livre ouvert sur sa poitrine.

Une bouteille de whisky entamée trônait sur une table en rondins à droite du lit. Une autre bouteille, vide celle-là, gisait au pied d'une cloison, à l'endroit où elle avait roulé. L'odeur d'alcool et de linge sale éclipsait les parfums sauvages épanchés par les grillages formant la partie haute des murs.

— Tu as l'air en forme, lui ai-je dit.

Ce n'était qu'en partie vrai. Ryan avait la peau bronzée et les cheveux décolorés par le soleil. Mais il avait maigri. Sous sa courte barbe, il avait les joues creuses. Et on devinait des côtes saillantes sous son t-shirt.

— J'ai une mine à faire peur, oui.

J'ai entonné le laïus que j'avais préparé.

— On a besoin de toi. Il est temps de rentrer.

Rien.

Tant pis. J'ai abrégé.

— Annick Pomerleau.

Ryan a braqué les yeux sur moi. Il semblait sur le point de parler, mais a rouvert son livre.

— C'est elle, Ryan. Elle s'est remise à tuer. Une jeune fille a été assassinée dans le Vermont en 2007. Corps disposé avec soin. L'enquêteur des affaires non résolues…

— De l'histoire ancienne.

Et il a repris sa lecture.

— On a trouvé l'ADN de Pomerleau sur la petite.

Ryan a gardé les yeux fixés sur son livre. Mais à la tension qui a soudain raidi ses épaules et son cou, j'ai su qu'il m'écoutait.

— Tu as traqué Pomerleau. Tu l'as arrêtée. Tu sais comment elle fonctionne.

— Je ne suis plus de la partie.

Les yeux toujours baissés.

— Elle a refait surface, Ryan. Elle nous avait échappé rue de Sébastopol et la voilà de retour.

Il a enfin levé les yeux. Deux iris d'un bleu perçant au milieu d'un maillage rouge vif.

— Une jeune fille a été assassinée à Charlotte en 2009. La victimologie et les caractéristiques de scènes de crime sont analogues à celles de l'affaire du Vermont.

— Y compris l'ADN de Pomerleau ?

— Cela reste à confirmer.

— Pas très probant.

— C'est elle.

Ryan a longuement soutenu mon regard avant de se replonger dans le livre qu'il ne lisait pas.

— Une autre jeune fille vient de disparaître. Même physique. Même mode opératoire.

— Non.

— Il y en a certainement eu d'autres entre-temps.

— Laisse-moi tranquille.

— On a besoin de toi. Il faut la mettre hors d'état de nuire.

— Tu sais comment retourner à ton hôtel ?

— Ça ne te ressemble pas, Ryan. Tu ne peux pas laisser tomber ces enfants en sachant qu'il y en aura d'autres. D'autres fillettes assassinées.

D'un geste, il a éteint la lumière.

Au milieu du bourdonnement des insectes et du bruissement des feuilles agitées par le vent, je l'ai entendu se détourner de moi.

Aux Villas Katerina, mon iPhone a retrouvé une couverture réseau à laquelle se connecter. Les messages ont afflué.

Trois appels de Slidell.

Je n'avais dormi que deux heures sur les quarante-huit qui venaient de s'écouler. Je l'ai quand même rappelé. Fidèle à lui-même, il a attaqué sans détour.

— Où diable êtes-vous ?

— Au Costa Rica.

— Un peu loin pour des tacos.

— J'ai parlé avec Ryan.

Inutile de s'étendre sur les particularités de la cuisine exotique.

— Ah ? Et ça progresse ?

— Pas du tout.

— Dites à cet enfoiré de ramener ses fesses.

— Tiens, je n'y avais pas pensé. Pourquoi m'avez-vous téléphoné?

— Quand Barrow a reçu le coup de fil de Rodas, il a ressorti l'affaire Nance pour réexamen.

Je le savais déjà.

— Il a tout de suite demandé une nouvelle analyse des vêtements de la victime et du truc collé dans sa main.

— En supposant que les techniques ont évolué depuis 2009? ai-je dit en réprimant un bâillement.

— Absolument. Et vous savez quoi? C'est le cas.

Me voilà tout à coup parfaitement réveillée.

— Le labo a trouvé un ADN qui n'appartient pas à Nance?

— Et devinez qui est la généreuse donatrice?

— Pomerleau.

— Elle-même.

— Bordel.

Cela ne m'étonnait pas que le résultat soit tombé si vite. La police de Charlotte disposait d'un laboratoire d'analyse ADN qui lui était propre et les délais étaient en moyenne de deux semaines. Ce qui me sidérait, c'était que le lien était désormais établi. Indéniable. Annick Pomerleau avait enlevé et tué une enfant dans ma ville.

— Et quelles nouvelles de Shelly Leal?

— Toujours introuvable. Mais on a peut-être une piste. Elle avait un ordinateur. Je l'ai fait examiner par les gars de l'informatique. Il a été effacé.

— Quand?

— Vers trois heures vendredi après-midi.

— Juste avant sa disparition.

— Ouais.

— Qu'est-ce qui a été supprimé?

— L'historique du navigateur et la messagerie. Intégralement. Plus un fichu message. Plus une fichue page Internet.

— Il y a une option qui permet d'effacer l'historique à intervalle régulier, non? Ou chaque fois qu'on se déconnecte?

— D'après l'informaticien, c'est ce qui lui a mis la puce à l'oreille. Il a vérifié. Ce réglage n'était pas activé. Avec les tours de magie dont ces types-là ont le secret, il a découvert que quelqu'un avait tout effacé manuellement. Viré toutes les archives que le système conserve sur la planète Mars.

— Autre chose ?

— Les fichiers photos, musique, documents sont toujours là. Ils n'ont pas été touchés depuis vendredi matin. Il n'y a que ce qui passe par le Net qui a été balancé.

— Une enfant de cet âge-là ne doit pas savoir faire ça.

— D'après sa mère, ce n'était pas une surdouée de l'ordinateur.

— On a dû l'aider.

— Probable.

— Vous croyez qu'elle a rencontré Pomerleau sur la Toile ?

— J'ai bien l'intention de vérifier.

— Votre informaticien ne peut pas récupérer les fichiers effacés ?

— Il s'y emploie, sans garantie.

— Vous avez comparé avec les affaires suivies par Rodas ?

— La victime du Vermont n'avait pas d'ordinateur.

— Des téléphones portables ? D'autres appareils ?

— Gower n'avait pas de portable. Leal en avait un, mais il a disparu. Et l'analyse des registres d'appels n'a rien donné.

— Et Nance ?

— C'est pour ça que je vous ai appelée. Vous vous souvenez s'il est fait mention d'un téléphone portable dans le dossier de la CCU ?

— J'irai voir dès mon retour.

— Vous rentrez quand ?

— Demain.

— Parfait. Faut qu'on coince cette salope avant qu'elle zigouille une autre petite.

Après avoir raccroché, je me suis repassé mentalement ma conversation avec Ryan. Déçue et furieuse qu'il nous refuse son aide. Je me suis rappelé le temps passé.

Ryan était un bon élément. Il avait eu des années difficiles, pris quelques mauvais départs. Mais après une jeunesse mouvementée, il avait été exemplaire. Bon flic et même bon père, une fois découverte sa paternité.

Certes, il avait subi une perte irréparable. Mais il n'allait pas se lamenter indéfiniment sur son sort.

Une idée m'est venue. Un peu rude ?

Non. Assez pleurniché sur lui-même.

Ma décision prise, je me suis connectée au site de US Airways. Ensuite, il m'a fallu un moment pour retrouver mon calme, tellement j'avais les nerfs à vif.

Dehors, des amateurs de bain de minuit sautaient dans la piscine. Du haut d'un palmier, un singe hurleur émettait à grands cris son dernier message du jour. Un autre lui répondait. Une petite bête, peut-être un lézard, a traversé le grillage de ma fenêtre en zigzaguant.

Mes pensées se sont tournées vers un cabanon en bord de rivière, environné d'arbres moussus.

Sur un coup de tête, j'ai appelé maman. Suis tombée sur le répondeur. J'ai laissé un message décousu où il était question de Samara, de plages, de fruits de mer et de Ryan. Je lui ai souhaité une bonne nuit et lui ai dit que je l'aimais.

Avant de sombrer dans le sommeil, j'ai été à nouveau assaillie par une foule de souvenirs avec Ryan. Me faisant un rempart de son corps lors d'une fusillade dans un cimetière de Montréal. Allongé sur une plage à Honolulu. Couché près de moi dans un hamac au Guatemala.

J'ai rêvé d'une cave près d'un dépôt ferroviaire couvert de neige.

# Chapitre 7

À six heures du matin, j'étais à nouveau en train de cava-
ler sur la route qui longe la plage.

Le noir du ciel commençait à s'éclaircir. La mer s'était
calmée pendant la nuit. Elle ondulait en jetant des reflets
jaune rosé annonçant le retour d'*el sol*.

Les marchands ambulants étaient déjà quelques-uns
à étaler leur bric-à-brac. Un vol de mouettes s'était donné
rendez-vous sur la plage. Une voiture ou une moto passait de
temps en temps, parfois un camion déglingué. À ces excep-
tions près, j'avais la route pour moi seule.

Ryan était en bas, dans la cuisine, assis sur l'une des deux
chaises bleues, vêtu du même t-shirt et du même short que la
veille. Il a levé les yeux à mon entrée sans cesser d'enfourner
des Cheerios. Visage impassible. Aucune réaction.

— Pourquoi le Costa Rica ? ai-je demandé.

— À cause des oiseaux.

— Plus de huit cents espèces.

— Huit cent quatre-vingt-quatorze.

— Charlie se sentirait dans son élément, dis-je, faisant
allusion à la perruche que nous avions élevée ensemble.

— Les chants de Charlie sont bien loin. Tu as faim ?

Pendant que je prenais place sur l'autre chaise, Ryan a
sorti un bol et une cuillère du placard situé derrière nous. Il
avait les traits tirés et des poches sous les yeux. Sa transpiration sentait l'alcool. Je me suis demandé s'il avait sifflé toute
la bouteille de whisky.

Je me suis servi des céréales, que j'ai arrosées de lait en me retenant à deux mains pour ne pas vérifier la date de péremption.

— Il y a un demi-million d'espèces animales dans ce pays, a déclaré Ryan sans me regarder.

— Dont trois cent mille insectes.

— Ces petites bêtes ont aussi le droit de vivre.

— Quels sont tes projets ?

— Les observer toutes sans exception.

— Et ça marche ?

— L'endroit a un autre atout.

Tout à ses céréales, Ryan n'a pas remarqué mon haussement de sourcils.

— Il est à des kilomètres du Québec.

— Tout est là ? La faune et la distance ?

— Et l'alcool pas cher. Et si on sait s'y prendre, on trouve des Cheerios, a-t-il ajouté en braquant sa cuillère sur moi.

— Ça ne te ressemble pas, Ryan.

Il a fait semblant de chercher derrière lui.

— De qui parles-tu ?

— Je ne peux pas imaginer ce que c'est de perdre un enfant et je ne prétends pas comprendre ta douleur. Mais cette façon de t'apitoyer sur toi-même, de t'étourdir d'alcool, de tourner le dos à la vie, ce n'est pas toi.

— Je voulais tenir un journal. (La bouche pleine.) Comme Darwin aux Galapagos.

— Que s'est-il passé ?

— Je ne sais pas dessiner.

— Non, je veux dire : que t'est-il arrivé, à toi ?

Sa cuillère a heurté le fond du bol. Il a sorti une cigarette d'un paquet qui traînait sur la table, l'a allumée avec une allumette extraite de l'enveloppe de cellophane, et a inhalé une première bouffée avant d'enfin croiser mon regard.

— Tu m'as retrouvé. Tu veux que je te porte en triomphe et te fasse faire un tour d'honneur de la maison ?

— Du cran, Ryan. Viens avec moi. Viens faire ce pour quoi tu es fait. Ce que nous avons accompli ensemble pendant près de vingt ans : attraper les criminels et mettre les dégénérés comme Pomerleau hors d'état de nuire.

— Rentre et dis à tes copains que je ne suis pas celui qu'il vous faut.

J'ai poussé vers lui mon téléphone portable sur lequel s'affichait le vol réservé. Ryan a jeté un coup d'œil à l'écran.

— Qui a payé?

— Peu importe.

— Pas question que la police de Charlotte-Mecklenburg paye mon billet de retour.

— Tu as ton passeport?

Il a avalé une grande bouffée et l'a exhalée par le nez.

— Ils ont besoin de toi là-bas.

— J'espère pour toi que le billet est remboursable.

— J'ai reçu un appel hier soir. De Skinny Slidell.

Ryan connaissait Slidell depuis une affaire sur laquelle nous avions travaillé tous les trois à Charlotte, il y a plusieurs années. Il n'a rien dit.

— Le labo a effectué un prélèvement d'ADN sur les vêtements de Lizzie Nance.

Un regard interrogateur de ses yeux injectés de sang. J'ai fait oui de la tête.

Il a écrasé sa cigarette d'un geste brusque. S'est affaissé contre son dossier, bras croisés.

— Slidell pense aussi tenir une piste dans l'affaire Leal.

À mesure que je lui expliquais l'histoire des fichiers effacés, son visage s'assombrissait, ses traits se creusaient.

— Si c'est Pomerleau qui a enlevé Leal, ai-je poursuivi, elle a affiné sa méthode. Maintenant, elle traque ses proies sur Internet. Autre chose: pourquoi Charlotte? Je crois le savoir. Elle a appris que je m'y trouvais et elle me nargue. Elle m'envoie un message pour me dire: «Tu ne peux pas me battre.»

Ma tirade achevée, je me suis relâchée sur ma chaise et j'ai attendu.

Ryan m'a observée pendant un long moment.

— Comme tu voudras, ai-je dit.

Je me suis emparée de mon téléphone et hop, dans la poche.

Sa voix m'est parvenue alors que j'avais déjà franchi la porte.

— À quelle heure, l'avion?

— Il faut quitter Samara avant dix heures. (Sans marquer un quelconque étonnement.) Je peux patienter, le temps que tu prennes ta douche et fasses ta valise.

— J'ai quelqu'un à voir avant de partir.

— Pas de problème. Cette fois, sans montrer ma tristesse. Irrationnelle. Le «quelqu'un» était peut-être son propriétaire. Ou son fournisseur de Cheerios. D'ailleurs, Ryan et moi étions d'accord pour ne pas nous considérer comme un couple. Quand même, ça faisait mal. Une autre femme dans sa vie? Nous avions été tellement importants l'un pour l'autre, pendant si longtemps.

— Tu es à quel hôtel?

— Aux Villas Katerina.

— Je t'y retrouve à neuf heures et demie.

J'ai hésité. Pouvais-je lui faire confiance? Avais-je le choix?

9 h 40 à ma montre. Je n'avais pas encore renoncé, mais je n'en étais pas loin.

9 h 50.

Évidemment, il ne viendrait pas. Il devait déjà être en route pour San Jose.

Je savais que Ryan souffrait, mais j'avais sous-estimé l'ampleur de sa douleur. Je me demandais s'il pourrait s'en remettre un jour. Malgré tout, l'idée qu'il me laisse affronter seule Pomerleau m'affectait plus profondément que je ne voulais bien l'admettre.

Autrefois, Ryan se serait soucié de ma sécurité. Des conséquences qu'une affaire pouvait avoir sur moi comme sur les victimes. Son comportement protecteur m'énervait autant qu'il me réconfortait. En le revoyant, je m'étais rendu compte à quel point cela me manquait.

Un klaxon a retenti dans la rue au-delà du mur.

10 h 05…

Tirant ma valise à roulettes, j'ai franchi la porte et me suis engagée dans l'allée. Estella, de derrière la vitre de la réception, m'a adressé un signe au passage.

Le chauffeur attendait, adossé au capot de son taxi. Il a pris mon bagage avec un sourire et l'a mis dans son coffre.

Je venais de monter dans la voiture en pensant au long voyage de retour et à ce que j'allais dire à Slidell et Barrow quand j'ai aperçu Ryan qui agitait les bras derrière un groupe de touristes luisant de crème solaire en route vers la plage. Rasé de frais et vêtu d'un jeans et d'un polo noir, un sac à dos bourré à craquer à l'épaule.

— Merci, lui ai-je dit.

— J'étais à cours de Cheerios.

Les deux heures suivantes se sont écoulées en silence. À l'aéroport Daniel Oduber Quirós, nous nous sommes enregistrés, avons passé la sécurité, présenté nos cartes d'embarquement, pris place dans l'avion, bouclé nos ceintures. Sans un mot.

Assise près du hublot cette fois, j'ai regardé le Costa Rica s'éloigner en bas. Le silence me devenant insupportable, je me suis lancée :

— Je me demande quel temps il fait à Charlotte.

— Noir persistant pendant toute la nuit, lumineux le matin.

Reconnaissant la citation de l'humoriste George Carlin, j'ai souri en aparté. Il restait quelque chose du bon vieux Ryan d'antan.

Là-dessus, je me suis endormie.

J'ai émergé en entendant le commandant annoncer l'atterrissage. Et souhaiter aux passagers et au personnel de bord de bonnes fêtes de l'Action de grâce.

En quittant le stationnement de l'aéroport, j'ai proposé à Ryan ma chambre d'amis.

— Un hôtel proche du quartier général fera l'affaire.

Rien d'étonnant. Alors pourquoi ce sentiment bizarre ? Soulagement ? Résignation ? Tristesse de voir confirmé mon pressentiment ?

Oui. C'était bien de la tristesse.

Je n'ai rien dit.

— C'est mieux ainsi. (Sa réaction à mon silence.)

— Pas de problème en ce qui me concerne.

— Je ne suis plus le même, Tempe. Plus le même homme qu'avant.

Je l'ai déposé à l'Holiday Inn de College Street.

Il était plus de dix heures quand j'ai retrouvé la maison. L'Annexe semblait bien vide sans Birdie. Après avoir avalé les burritos achetés en chemin, j'ai téléphoné à Barrow.

Il était impressionné que j'aie réussi à ramener la brebis perdue. Et ravi. A suggéré qu'on se retrouve tous le lendemain matin à huit heures, et dit qu'il se chargeait de prévenir Rodas et Slidell.

Sitôt raccroché, j'ai appelé l'Holiday Inn. Surprise… on m'a passé Ryan. Il avait bien pris une chambre.

Je lui ai proposé d'aller le chercher pour l'emmener à la réunion. Il m'a dit qu'il se débrouillerait pour y aller de son côté. Ou retourner à l'aéroport, ai-je pensé, cynique.

Que pouvais-je faire de plus ? Rien.

À bout de force, je me suis effondrée sur mon lit.

— J'aimerais pouvoir m'extasier sur votre bonne mine, a déclaré Slidell en considérant Ryan d'un œil amusé.

Haussement d'épaules de Ryan.

— *Fuck !* Qu'est-il arrivé à vos cheveux ?

— J'ai fait un bout de route avec Shaggy.

Les goûts musicaux de Slidell s'arrêtent au blues de C.W. Stoneking et au rock des années soixante.

Barrow a toussé un grand coup.

— Plus tôt nous commencerons, plus tôt nous regagnerons nos pénates pour avaler un reste de dinde.

— Ou nous remettre en chasse, a rectifié Slidell.

— Ce ne sera pas long. Nous n'avons rien de nouveau sur Pomerleau. Leal est toujours dans la nature. D'après le détective Slidell, les informaticiens n'ont rien récupéré dans son Mac. Ils continuent à y travailler.

— Personne n'est au courant pour l'ordinateur.

Dans la bouche de Slidell, ça signifiait : « N'en parlez pas à la presse. »

— Exact, a confirmé Barrow. Les médias commencent à se montrer pénibles. Je voulais surtout que nous nous rencontrions…

— Sans ce fouteur de merde de Tinker.

Barrow a fait les gros yeux à Slidell avant de poursuivre.

— Je voulais que le détective Ryan fasse la connaissance du détective Rodas.

Les deux hommes, qui avaient déjà été présentés, se sont adressé un signe de tête.

— Le docteur Brennan a déjà informé le détective Ryan des détails sur les affaires de Charlotte et du Vermont. (Pas une affirmation, une question.)

— Oui. (Je l'avais fait pendant le trajet de l'aéroport à l'hôtel de Ryan, sans obtenir de réaction en retour.)

— Je ne suis ici qu'en tant qu'observateur, a précisé Ryan en me jetant un regard en coin. Et pour calmer les ardeurs de D^r Harceleuse.

Bouffée de fureur et de peine en proportions égales. Aussitôt réprimée.

— Deux meurtres, a rappelé Barrow. Et il y a maintenant une semaine que Shelly Leal a disparu.

— Le lien est quand même bien mince. (Ryan se faisant l'avocat du diable).

— L'ADN relie Gower à Nance et renvoie les deux à Pomerleau. Pour Leal, le mode opératoire est identique.

Ryan passait l'ongle de son pouce sur le bord de la table. Pensait-il aux enfants découvertes autrefois au fond d'une cave ? À sa fille morte ? À la bouteille de whisky qu'il avait laissée dans sa chambre ?

— Ryan…, ai-je commencé.

— Je ne vous serai d'aucune utilité.

— Tu connais Pomerleau, ai-je continué.

— Je ne me sens pas d'attaque.

— Ça me sauve le cul, a ricané Slidell.

— Je suis désolé. J'en ai ma claque des crânes fendus, des gorges tranchées et des brûlures de cigarette. Les enfants massacrées, c'est fini.

— Et les vivantes ?

Le pouce de Ryan poursuivait son va-et-vient. J'avais envie de le gifler, de le secouer pour le ramener à la raison. J'ai néanmoins adopté un ton calme et posé.

— Ce qui exalte Pomerleau, ce n'est pas de tuer. Tu le sais bien. Elle nourrissait ses victimes juste ce qu'il fallait pour qu'elles restent en vie et qu'elle puisse les torturer et les violer. Elle et son complice détraqué.

— Neal Wesley Catts, a précisé Rodas. Alias Stephen Menard.

— Leal est peut-être encore vivante, ai-je dit pour enfoncer le clou. Mais si on se réfère aux cas de Nance et Gower, ce n'est plus comme avant. Pomerleau a changé de méthode. Leal n'en a plus pour longtemps.

Ryan est resté muet.

Rodas a posé la main sur la boîte en carton contenant ses notes.

— Je dois partir dans le nord ce matin. Vous voulez bien au moins jeter un coup d'œil aux dossiers des enquêtes ?

Ryan a fermé les yeux.

J'ai regardé Slidell. Il a haussé les épaules.

Il s'est écoulé un long moment.

Ryan s'est passé la main sur le menton. A poussé un soupir. A levé les yeux vers moi.

— Un jour.

Il a consulté la montre qu'il n'avait pas au poignet.

— Vingt-quatre heures.

# Chapitre 8

Avant de nous plonger dans le dossier de l'affaire Nance, Ryan et moi sommes allés chercher un café. C'était un rituel, comme tailler un crayon ou redresser un buvard. Un geste insignifiant servant de prélude aux choses sérieuses. Dans le cas présent, un breuvage trop infect pour être bu.

Pour commencer, étude de la partie intitulée *Exposé des faits.*

Le 17 avril 2009 à 16 h 20, Elizabeth Ellen Nance, dite « Lizzie », âgée de onze ans, est sortie de l'école de danse Isabelle Dumas, située dans le centre commercial de Park Road, et s'est dirigée vers l'ensemble d'immeubles Charlotte Woods d'East Woodlawn. Un motocycliste a déclaré avoir vu une fillette correspondant au signalement de Lizzie à l'intersection de Park Road et Woodlawn Road vers 16 h 30.

Lizzie habite avec sa mère, Cynthia Pridmore, trente-trois ans, et sa sœur, Rebecca Pridmore, neuf ans. Cynthia Pridmore a signalé la disparition de sa fille par téléphone à 19 h 30. Elle a déclaré avoir contacté l'école, plusieurs camarades de classe de Lizzie et son ex-mari, Lionel Nance, trente-neuf ans. Madame Pridmore a dit avoir parcouru plusieurs fois le chemin de l'école à la maison en voiture avec monsieur Nance. Elle a affirmé que sa fille n'avait pas pu faire une fugue. La police a ouvert une enquête, qui a été confiée au détective Marjorie Washington.

Le 30 avril 2009, un jardinier, Cody Steuben, vingt-quatre ans, a découvert le corps décomposé d'un enfant dans la réserve naturelle de Latta Plantation, au nord-ouest de Charlotte. Le médecin légiste Timothy Larabee a identifié la dépouille comme étant celle de Lizzie Nance. L'affaire a été transmise à la section des homicides et la direction de l'enquête confiée au détective Erskine Slidell.

Lizzie Nance était en classe de sixième et n'entrait pas dans les catégories à risque. Aucun problème de drogue, d'alcool ou d'ordre psychologique. Sa mère, Cynthia Pridmore, était secrétaire juridique, deux fois divorcée. Son deuxième ex-mari, John Pridmore, trente-neuf ans, était agent immobilier. Lionel Nance était électricien, sans emploi à l'époque de la disparition de sa fille.

Aucun des membres de la famille Pridmore n'avait de casier judiciaire. Lionel Nance avait été arrêté une fois en 2001 pour ivresse sur la voie publique.

Les témoins qui connaissaient la victime assuraient que l'auteur des faits était certainement quelqu'un qu'elle connaissait ou en qui elle avait confiance. Aucun d'eux ne croyait à l'implication de Nance ou de l'un des Pridmore.

Dans les articles de journaux, la même frénésie, la même complaisance dans le tragique que d'habitude. La disparition. Les recherches. Le petit visage d'ange encadré de longs cheveux bruns. Les gros titres proclamant la mort de l'enfant.

Alors que j'étais en train de lire, Ryan s'est soudain appuyé au dossier de sa chaise.

— Ça va?

— Réjouissant.

— On passe à la scène de crime?

— Allons-y.

J'ai échangé le dossier que nous examinions contre le rapport d'analyse de la scène de crime.

Les techniciens de scènes de crime étaient arrivés le 30-04-2009 à 9 h 31. Le site consistait en un terrain découvert environné de bois, une zone non sécurisée, mais qui n'était pas fréquentée normalement par le public. Le corps avait été abandonné à cinq mètres au nord d'une petite voie d'accès.

La victime gisait sur le dos, habillée, les pieds joints, les bras le long du corps. On notait peu de dégradations imputables aux animaux. Le corps était couvert de débris divers (feuilles, brindilles et autres, ramassées par les techniciens), mais on n'avait pas cherché à le dissimuler ni à l'enterrer.

Bien qu'il soit impossible de relever les empreintes à cause de l'état de décomposition, les deux mains avaient été enfermées dans des sachets. La victime et l'environnement avaient été photographiés.

Suivaient les rapports des techniciens de scènes de crime. Que j'ai laissés à Ryan pour me plonger dans la partie *Preuves et indices matériels recueillis et analysés*.

Les différents objets étaient énumérés à l'intérieur d'un tableau comportant cinq colonnes intitulées comme suit : *Numéro de contrôle. Objet. Emplacement. Mode de prélèvement. Résultats.*

Les cases étaient si peu remplies que c'en était affligeant. Photos, quarante-cinq. Une canette de soda. Des feuilles. Des fragments d'écorce. Une pile rouillée. Des cheveux. Une chaussure de tennis usée, pointure 10, de femme. Les cheveux étaient ceux de Lizzie. La canette, la pile et la chaussure n'avaient livré ni ADN ni empreinte latente.

J'ai dû émettre un son ou esquisser une moue que Ryan a surprise, car il a demandé :

— Quoi ?

— Katy suivait des cours de ballet quand elle était petite. (Katy est ma fille.) Elle mettait ses chaussons dans un sac et portait des chaussures de ville pour aller à l'école et en revenir.

Devant les yeux écarquillés de Ryan, j'ai poussé vers lui la liste des objets collectés. Sa lecture achevée, il s'est étonné :

— Où sont les chaussons de danse de la victime ?

— Justement.

— Les techniciens ne mentionnent pas de chaussures. Pas de sac non plus, ni de sac à dos. (Faisant pivoter sa tête pour atténuer la raideur de son cou.)

— Que dirais-tu de prendre les témoignages ? Moi, je me charge du rapport d'autopsie.

— Ne te crois pas obligée de me ménager.

— Ce n'est pas mon intention. (Ça l'était.) Les interrogatoires sont plus de ta compétence.

La partie intitulée *Témoignages* faisait dix pages. Classique. En cas de meurtre d'enfant, les flics questionnent toutes les personnes qui l'ont côtoyé de près ou de loin.

Les témoignages se succédaient par ordre chronologique. En premier, le jardinier qui avait découvert le corps. Interrogé par Slidell.

Je me suis penchée sur la partie intitulée *Rapport du médecin légiste.*

Elizabeth Ellen Nance. Le corps est celui d'une enfant de onze ans, de sexe féminin et de race blanche, taille 1 m 46, mince, cheveux bruns. Autopsie effectuée le 1-05. Dépouille partiellement réduite à l'état de squelette, avec des restes de chair putréfiée à l'arrière du crâne, sur le torse, les membres et les pieds. Le corps est revêtu d'une veste de laine verte, d'un justaucorps et de collants noirs, de dessous en coton rose et de chaussures en plastique bleu. La culotte est à sa place. Les vêtements sont tous très sales. On ne remarque aucune tâche de sang.

Le corps ne présente aucune blessure par objet tranchant ou contondant. Le crâne ne présente aucune fracture, interne ou externe. La base du crâne est intacte. Les os de la face sont intacts. La dentition est en place et intacte, à part deux incisives du maxillaire droit qui semblent être tombées *post mortem.*

Les cornes de l'os hyoïde ne sont pas soudées au corps. Les éléments restants des cartilages du larynx et de la trachée sont intacts. Il est impossible de vérifier la présence de sang par aspiration dans les voies aériennes supérieures ou les bronches. Il est impossible de vérifier une obstruction éventuelle des voies aériennes ou des bronches.

L'observation de deux sillons parallèles sur deux phalanges intermédiaires de la main droite évoque l'œuvre de rongeurs. Deux phalanges distales de la main droite sont manquantes. Les mains ne présentent aucune lésion pouvant être associée à des blessures défensives.

La présence de fibres ou poils fins a été constatée sur la face ventrale de l'avant-bras. Des échantillons en ont été prélevés par la police scientifique.

En raison de l'état de décomposition, il est impossible de vérifier l'existence de lésions au niveau des parties génitales externes ou la présence de fluide corporel ou d'autre matière étrangère dans la région des organes génitaux ou du pubis. La chair du torse dans la partie inférieure de l'abdomen et au niveau des cuisses et des jambes est décomposée, mais les os ne présentent aucune fracture ou autre traumatisme.

Prélevés pour analyse :
1. Cheveux
2. Sachets ayant enveloppé les mains droite et gauche
3. Restes d'ongles des mains droite et gauche
4. Vêtements et sac mortuaire dans lequel le corps a été enveloppé
5. Fibres et poils prélevés sur l'avant-bras droit

Niveaux d'alcool et de monoxyde de carbone dans le sang : indéterminés
Circonstances de la mort : homicide
Cause de la mort : indéterminée

Si peu d'informations, quelle pitié !
La pendule indiquait 13 h 10. Ryan était toujours plongé dans ses témoignages.
— Tu as trouvé quelque chose ?
— Son oncle a l'air du genre punk, mais à part ça, non.
— On va manger ?
Nous nous sommes rendus au rez-de-chaussée. J'ai pris une salade. Ryan a choisi une part de pizza qui attendait un amateur depuis pas mal de temps. Nous nous sommes installés avec nos plateaux à une table collée au mur du fond.
— Le système des commissions de recours marche bien. (Un ballon d'essai lancé pour tenter d'amorcer la conversation.)
— On dirait.
— Les enquêtes ont été assez exhaustives. Les flics n'avaient tout simplement pas grand-chose à se mettre sous la dent.
— C'est souvent le cas dans les affaires d'enlèvement par une personne étrangère à l'entourage.
— Un enlèvement par une personne étrangère sans agression sexuelle ?

— C'est la conclusion du légiste?

— Il ne se prononce pas. Mais les vêtements étant en place, il était à peu près certain qu'il n'y avait pas eu viol. La cause de la mort reste indéterminée.

Nous avons passé un bon moment à manger en silence.

— Le mode opératoire de Pomerleau consistait à kidnapper des fillettes et à les maintenir en vie pour s'adonner sur elles à ses petits fantasmes. Qu'est-ce qui l'a fait changer? (Une question que je me posais depuis le rebondissement des résultats ADN.)

— Quand la torture ne leur suffit plus, ces malades ajoutent du piment.

Une autre chose me tourmentait.

— La nuit où Pomerleau a mis le feu à la maison de la rue de Sébastopol (en m'y enfermant pour que je crève, mais ça, je ne l'ai pas dit), elle s'est enfuie avant que Claudel ne puisse l'arrêter. Alors, comment son ADN a-t-il pu se retrouver dans la base de données du Canada?

— Il y a deux ou trois ans, certains comtés de Californie ont commencé à prélever l'ADN des criminels qui étaient morts avant que les autorités aient pu dresser leur profil génétique.

— Avec quoi?

— Les vieux éléments de preuve rassemblés par les tribunaux, du sang ou de la salive recueillis sur une victime ou sur une scène de crime. Ils les ont comparés aux profils génétiques établis lors d'affaires non résolues.

— Dans lesquelles on détient l'ADN d'auteurs non identifiés.

— Exact.

— C'est valable en cas de procès?

— J'en doute. Mais cela a permis de résoudre quelques cas non résolus.

— Et le Canada en a fait autant?

— Je ne suis plus dans le coup depuis un moment, mais j'imagine que c'est quelque chose comme ça. La première fois que nous avons épinglé Pomerleau, elle a été envoyée à l'Hôpital général de Montréal, n'est-ce pas?

Les projecteurs. Les corps d'une pâleur mortelle dans les ténèbres du cachot. J'ai confirmé d'un signe de tête.

— Les médecins ont dû lui faire une prise de sang quand elle a été admise. Les techniciens de scènes de crime ont effectué des prélèvements de matériel biologique dans la maison de la rue de Sébastopol. Les profils coïncidaient. Quand Pomerleau est devenue suspecte dans les affaires de meurtre, elle a été intégrée dans la NDDB, la Banque nationale de données génétiques du Canada.

— Ça colle.

En revenant de la cafétéria, alors que Ryan reprenait sa lecture des témoignages, je me suis attaquée au dossier suivant : *Enquêtes annexes*. J'y étais depuis une heure quand je suis tombée sur un paragraphe de la section intitulée *Notes des enquêteurs* qui m'a fait sursauter.

Une note manuscrite en date du 02-05-2009. Le nom de l'auteur n'était pas précisé.

L'expert informaticien de la police judiciaire F.G. Ferrara avait appelé pour dire que l'examen de l'ordinateur Dell Inspiron 1525 saisi dans la chambre de la victime n'avait apporté aucun supplément d'information. Historique Internet et messagerie vides.

J'ai parcouru à toute vitesse le reste de la page. Puis la suivante. Plus aucune allusion à l'ordinateur ni à Ferrara.

— Ryan !

Il a levé les yeux et j'ai retourné le document en lui désignant le paragraphe. Pendant qu'il en prenait connaissance, j'ai contacté Slidell.

Appel transféré sur sa messagerie vocale. « Rappelez-moi. »

J'ai tenté le numéro de Barrow. Lui ai demandé de rappliquer à la CCU. Il était là en moins d'une minute.

— Que se passe-t-il ?

Je lui ai montré la note.

— Qu'en dit Slidell ?

— Il ne répond pas. Ce Ferrara est encore dans le quartier ?

— Patientez.

Barrow s'est éclipsé et est revenu quelques instants plus tard.

— Frank Ferrara a déménagé dans l'Ohio en 2010.

— Il trouvait qu'ici le salaire était trop élevé et les journées de travail trop courtes. (Ryan, l'humour de retour.)

— Ce doit être ça.

— Y a-t-il une chance de pouvoir remettre la main sur le PC ? ai-je demandé.

— Il a été enregistré comme pièce à conviction ?

— Non.

— Cinq ans ? a marmonné Barrow en secouant la tête.

— Cynthia Pridmore vit toujours à Charlotte ?

— Oh oui. Elle téléphone régulièrement pour demander si on a du nouveau. Surtout pour qu'on n'oublie pas Lizzie.

— Vous lui passez un coup de fil ?

— Je n'aime pas susciter de vains espoirs, a déploré Barrow, hésitant.

Ryan et moi avons attendu.

— Bon, je vais voir ce que je peux faire.

Il est revenu au bout de vingt minutes. Son expression témoignait d'une conversation pénible. De la vie d'une femme partagée entre chagrin et culpabilité. De nuits hantées par la peur de ce que réserve le sommeil.

— Madame Pridmore se souvient qu'un policier a pris le Dell, ainsi que d'autres objets, dans la chambre de sa fille. Et qu'il lui a demandé si Lizzie se servait du courriel et d'Internet. C'est tout.

— Où se trouve l'ordinateur maintenant ?

— Madame Pridmore l'a récupéré. Deux ans après, elle l'a échangé contre un modèle plus récent.

— Lui avez-vous demandé si les fichiers de Lizzie avaient été sauvegardés ?

— Ils l'ont été. Madame Pridmore a recopié les photos et les fichiers Word sur un disque externe avant d'effacer le disque dur pour le revendre. Elle se souvient d'un exposé sur le personnel médical urgentiste que sa fille avait rédigé pour l'école. Il s'agissait d'effectuer une recherche sur les métiers qui les intéressaient et c'était ce qu'elle voulait faire. Après l'avoir lu, elle n'a pas eu le courage de regarder le reste.

— Il faut nous procurer ces disques.

— Je m'en occupe.

— Un quelconque espoir de récupérer l'ordinateur ?

Barrow a écarté les mains, l'air de dire : « Qui sait ? »

— Soit la note de Ferrara est passée inaperçue, soit personne ne s'est rendu compte de ce que pouvait avoir de significatif le fait qu'une enfant de onze ans prenne la peine d'effacer l'historique de ses connexions, a observé Ryan.

— Cela veut dire que Pomerleau traquait sans doute déjà ses victimes sur Internet en 2009, ai-je ajouté.

— Voyons ce qu'on peut encore trouver là-dedans (Ryan en tournant une page du dossier consacré aux témoignages).

En fin de compte, ce n'est pas la cybertraque de Pomerleau qui a convaincu Ryan de rester, mais l'appel téléphonique reçu à neuf heures et demie.

# Chapitre 9

Ryan et moi avons continué à étudier les dossiers jusqu'à plus de sept heures du soir. Sans rien trouver d'intéressant. Au moment de partir, je lui ai proposé de dîner avec moi. Il a accepté. Avec un manque d'enthousiasme remarquable.

Nous nous sommes rendus à pied à l'Epicentre, une immense foire de boutiques, cinémas, bowlings, bars et restaurants, répartis sur les deux niveaux d'une énorme bâtisse carrée assise sur tout un arpent du centre-ville.

C'était bondé. Nous avons opté pour le Mortimer. Sans autre raison que l'absence de file d'attente.

J'ai commandé un roulé au poulet asiatique. Ryan une pita Panthers. Ça avait l'air meilleur que ce que j'avais pris.

À la dernière bouchée, nous avons tendu la main en même temps vers l'addition. Nos doigts se sont frôlés. J'ai senti un courant chaud glisser sur ma peau. J'ai retiré brusquement ma main. *Du calme, Brennan, c'est fini.*

Petite victoire cependant. Ryan n'est pas non plus resté complètement insensible.

Au moment où nous ressortions, mon téléphone a vibré pour me signaler que j'avais un message. Je l'ai sorti de mon sac, m'attendant à une réponse de Slidell.

Indicatif 828. Inquiétant. Heatherhill Farm avait appelé à huit heures quinze. J'ai cliqué pour écouter. «Docteur Brennan, c'est Luna Finch. Je préfère vous prévenir. Votre mère… elle n'est pas venue dîner. Nous sommes allés voir dans sa chambre. Elle n'y était pas. Nous avons fouillé la maison et le jardin. Nous allons recommencer à chercher, et ensuite nous irons voir dans les autres bâtiments. Ce n'est sûrement pas grave, mais si vous avez une idée de l'endroit où elle a pu aller, pourriez-vous nous donner un coup de fil ? Merci. »

— Merde ! (J'ai rappelé le numéro.) Merde de merde !

Ryan s'est arrêté en me voyant me figer sur place.

— Un problème ?

— J'ai juste besoin d'une minute pour régler un truc.

Là-bas dans les montagnes, le téléphone de Luna Finch a sonné. Une fois, deux fois.

— Docteur Finch.

— C'est Temperance Brennan. (En tournant ostensiblement le dos. Manœuvre assez peu subtile.)

Ryan s'est éloigné pour préserver ma tranquillité. Du coin de l'œil, je l'ai vu sortir une cigarette de son paquet et l'allumer.

— Nous l'avons retrouvée. Je suis désolée de vous avoir alarmée. Mais elle n'a pas prévenu qu'elle sortait. C'est la première fois qu'elle fait ça.

— Où était-elle ?

— Dans la salle informatique, assise par terre dans un cubicule. Elle avait placé un chariot devant l'entrée et s'était cachée derrière. C'est pour ça que nous ne l'avons pas vue en passant la première fois.

— Elle a un ordinateur, pourtant. (Cette histoire ne rimait à rien.) Qu'est-ce qu'elle est allée faire là ?

— La WiFi était en panne à River House. Vous savez comment c'est en montagne.

— Elle ne pouvait pas attendre que le réseau soit rétabli ?

Je l'ai entendue pousser un long soupir.

— Daisy croit que sa connexion est volontairement coupée.

— C'est pour ça qu'elle s'est dissimulée derrière un chariot ?

— Je le crains. Elle pense qu'on la surveille.

— Elle déprime depuis que je l'ai vue mercredi ?

— Non, pas du tout, elle a l'air d'avoir bon moral. Elle est peut-être un peu distraite. Songeuse. Comme préoccupée par quelque chose.

— Où est-elle maintenant ?

— Elle prend un bain. Ça va aller bien, j'en suis sûre.

Mon Dieu. Comment est-ce que ça aurait pu aller ? Elle était en train de mourir.

— Est-ce que je peux lui parler ? (Très fière de moi. Ma peur ne transparaissait absolument pas dans ma voix.)

Après un bref silence, elle a répondu.

— Attendez une heure. On lui donnera une collation et elle se mettra au lit pour écrire son journal.

Fin de la communication. J'ai remis la sonnerie en mode sonore avant de ranger mon téléphone dans mon sac. Attendu un moment, le temps de retrouver mon calme.

Maman écrivait son journal. C'était toujours le prélude à un effondrement imminent.

Ryan patientait sur le trottoir à trois mètres de moi. Les néons criards de l'Epicentre ciselaient son visage en un masque osseux orange et vert.

Je me suis frayé un chemin jusqu'à lui à travers la foule du vendredi soir.

— Tout va bien ? a-t-il demandé en écrasant son mégot sous son talon.

— Super.

Un silence embarrassé.

— Que diriez-vous d'un petit remontant, m'dame ?

Nous nous sommes efforcés de sourire. Sans grand succès.

— Je ferais mieux de rentrer, ai-je articulé.

Ryan a hoché la tête.

C'est à ce moment-là que l'appel est arrivé. Pensant que c'était encore Luna Finch et craignant un problème, j'ai aussitôt répondu.

— Slidell.

Ce n'était pas dans les habitudes de Skinny de commencer en se présentant.

— Nous l'avons trouvée.

J'ai mis un moment à réaliser. Avec effroi. Shelly Leal ?

— Un type qui ramassait des mauvaises herbes, des feuilles ou je ne sais quelle autre cochonnerie est tombé sur le corps vers sept heures quinze. (Précis.)

— Où ?

— Dans Lower McAlpine Creek Greenway, sous le viaduc de l'I-485.

En trame de fond, j'entendais un brouhaha de voix et un bruit de circulation. Slidell devait être sur place.

— Larabee est arrivé?

— Oui.

— Il a besoin de moi?

Ça faisait une semaine que Leal avait disparu. Si elle était là depuis un certain temps et que les animaux s'étaient attaqués à sa dépouille, certaines parties du corps avaient pu être arrachées et dispersées.

— Il dit qu'il a la situation en main. Il veut seulement que vous sachiez qu'il pratiquera l'autopsie demain matin à la première heure. Si vous pouvez être là, il n'est pas contre.

— Bien entendu.

J'ai réfléchi un instant aux questions que je souhaitais poser.

— Le ramasseur d'herbes, il vous paraît fiable?

— Depuis que je suis arrivé, il n'arrête pas de vomir et de pleurer. À mon avis, il est hors de cause.

— Même mode opératoire?

— Tout habillée et le corps sagement allongé. Signé.

— Tinker est au courant?

— Oh oui. Il joue au grand psychologue et emmerde tout le monde.

— Il n'est pas profileur.

— Allez le lui dire. Ryan est avec vous?

— Oui.

— Mettez-le au courant.

— Je vais le faire.

Une voix s'est élevée au milieu des crachotements d'une radio.

— Faut que je vous laisse, a dit Slidell.

— Vous assisterez à l'autopsie demain?

— Plutôt deux fois qu'une.

J'ai raccroché.

— La petite est morte? a demandé Ryan.

N'osant me risquer à parler, j'ai acquiescé.

— Ils veulent qu'on y aille?

J'ai fait signe que non.

— Larabee fait l'autopsie demain?

Nouveau hochement de tête.

Les gens circulaient dans les deux sens autour de nous. Une toute jeune fille de douze ou treize ans est passée, encadrée par ses parents. Ils mangeaient tous les trois un cornet au chocolat. J'ai eu la vision de lumières rouges et bleues coulant sur un petit corps figé sur une dalle de béton sale. La gorge nouée, j'ai regardé la fillette se fondre dans la foule.

Soudain, mes mains se sont mises à trembler. Je les ai calées sur mes hanches en baissant les yeux. À mes pieds, j'ai remarqué un brin d'herbe folle solitaire émergeant d'une fissure du béton.

Shelly Leal. Maman. Ryan. À moins que ce ne soit le contrecoup du rhume. Ou le manque de sommeil. Je n'ai pas eu la force de contenir l'assaut de désespoir.

Les larmes ont jailli. Coulé. D'un revers de manche j'ai essuyé les grosses gouttes salées qui mouillaient mes joues.

— Je te raccompagne à ta voiture, a déclaré Ryan.

Aucune question sur Shelly Leal. Ni sur le coup de téléphone de Luna Finch. Je lui en ai su gré.

— Je suis une grande fille, ai-je dit sans lever les yeux. Rentre à ton hôtel.

Une porte du mastodonte s'ouvrant derrière nous a déversé un flot de musique. Aussitôt disparu. Quelque part, un camion en train de reculer faisait entendre son bip rythmique.

Ryan a pris mes deux mains dans les siennes. Les a serrées fort pour les empêcher de trembler.

— Je passerai te prendre demain matin, ai-je dit.

J'ai senti la brûlure de son regard sur le sommet de mon crâne.

— Regarde-moi.

J'ai obéi. Les iris de ses yeux étaient trop clairs dans les orbites injectées de sang. D'un bleu électrique. Saisissant.

— Quand un enfant est tué, il y a quelque chose qui meurt en nous. (Murmuré d'une voix douce, sur un ton qui se voulait calme.) Mais les enquêtes ne te mettent pas dans cet état, d'habitude. C'est à cause de moi ?

Je me suis accordé une seconde et une grande inspiration pour être sûre de ne rien dire que je pourrais regretter par la suite.

— La vie ne tourne pas seulement autour de toi, Ryan.

— Non, en effet.

Libérant mes mains, j'ai enroulé mes bras autour de mon torse. La tête baissée.

— Je ne peux pas expliquer pourquoi j'ai éprouvé le besoin de partir. Pour cuver seul mon chagrin. Voir si j'avais encore quelque chose en moi à sauver. C'était égoïste de ma part, mais je ne peux plus rien y changer.

Je regardais fixement le petit végétal qui se battait pour vivre à mes pieds. Je n'ai rien dit.

— Sache que je n'ai jamais eu l'intention de te faire du mal.

J'avais envie de le frapper. Envie de poser ma joue sur sa poitrine. De me laisser enfermer dans ses bras.

Ryan avait quitté le monde sans un regard pour moi. À peine une brève visite. Un courriel. La mort de sa fille avait été un drame inimaginable. Pourrais-je pour autant lui pardonner son insensibilité ? Le pardon ne serait-il pas la porte ouverte à d'autres souffrances ?

En observant la courageuse petite plante, je me suis sentie ragaillardie. Quel optimisme dans un environnement aussi hostile !

Rien ne m'obligeait à donner des explications à Ryan. À lui rendre ma confiance. Et pourtant.

— Ma mère est ici, en Caroline du Nord.

Il n'a pas masqué sa surprise. Je ne lui avais jamais parlé de maman.

— Elle est mourante. (À peine un murmure.)

Ryan se taisait, me laissant libre de poursuivre ou non.

Des images me sont venues à l'esprit. Maman me tenant la main dans le noir quand elle ne pouvait pas dormir. Maman rouge de plaisir après une virée au centre commercial. La valise de maman remplie de foulards de soie, de chemises de nuit en satin et de pâte dc cacao Godiva.

Maman planquée derrière un chariot avec son ordinateur.

La petite plante s'est brouillée et transformée en un trait vert liquide. Un sanglot est monté dans ma gorge.

*Non.*

Les mains sur les yeux, j'ai bloqué l'afflux de larmes en redressant les épaules et le menton.

Le visage de Ryan était devant moi, coloré par les néons.

J'ai réussi à esquisser un petit sourire.

— Et si on le prenait, ce remontant ?

À l'Annexe, Ryan a préparé une cafetière pendant que je me retirais dans le bureau pour téléphoner à ma mère. Elle semblait calme et lucide. Elle était allée à la salle informatique pour poursuivre ses recherches. Pas de quoi en faire un plat.

Je savais à quoi m'en tenir. Même quand elle était aux prises avec ses démons, maman était capable de présenter ses actes comme parfaitement raisonnables. De reprocher aux autres, en toute sincérité, de s'inquiéter pour rien. C'était sans doute l'aspect le plus troublant de sa folie.

— Tu avances de ton côté ? (Une pointe d'excitation sous le calme apparent.)

— Est-ce que j'avance ?

Je ne comprenais pas.

— Avec ces pauvres fillettes assassinées.

— Écoute, maman. Je…

— Je fais tout ce que je peux du mien. (Baissant la voix, d'un ton de conspiratrice.) Ils essayent de m'en empêcher, mais ils n'y arriveront pas.

— Personne ne cherche à t'empêcher de faire quoi que ce soit. Internet est tombé en panne.

— Il y en a d'autres, tu sais ?

— D'autres quoi ?

— De pauvres âmes perdues.

*Mon Dieu.*

— Tu prends tes médicaments, maman ?

— Après ton départ, je me suis mise à consulter de vieux articles de journaux de Charlotte et des environs. La fillette du Vermont a été tuée en 2007, j'ai donc commencé à partir de cette année-là.

*Miséricorde.*

— J'en ai trouvé au moins trois. (Toujours sa voix d'espionne au rapport.)

J'avais le choix entre deux solutions. La plus censée : la faire taire et appeler le docteur Finch. La plus facile : l'écouter jusqu'au bout. Il était tard, j'étais morte de fatigue. J'ai choisi la solution facile. Peut-être aussi parce que j'espérais

que son cerveau fonctionnait sur un reste suffisant de carburant logique pour avoir produit quelque chose de valable.

— Trois?

— Je note tout dans mon journal. Au cas où il m'arri-
verait quelque chose. (J'imaginais la lueur dans ses yeux.)
Mais je t'ai envoyé les noms, les dates et les lieux. Dans des
courriels séparés, naturellement.

— Ce n'est pas la peine, maman.

— Quelles nouvelles de ton jeune ami?

— Ryan a accepté de nous épauler.

— Je suis contente. Si ma remarquable fille a de l'affection pour lui, c'est qu'il doit être très astucieux.

— Je viens te voir dès que je peux.

— Tu n'en feras rien. Tu vas être sur les dents jusqu'à ce
que tu attrapes cette horrible créature.

J'ai retrouvé Ryan en train de parler baseball avec Birdie
dans la cuisine. Devant un café et des biscuits quinoa-myrtille,
je lui ai exposé l'essentiel de la situation.

# Chapitre 10

Quand j'avais huit ans, après la mort de mon père dans un accident de voiture et celle de mon petit frère, emporté par une leucémie, ma grand-mère nous a fait venir de Chicago, maman, Harry et moi, pour habiter avec elle dans la maison de famille des Lee à Pawleys Island, en Caroline du Sud. Des années plus tard, alors que Harry et moi étions mariées et avions déménagé, grand-mère est morte, à l'âge très canonique de quatre-vingt-seize ans.

Une semaine après son enterrement, maman a disparu. Quatre ans plus tard, nous avons appris qu'elle vivait à Paris avec une dame de compagnie, mi-domestique, mi-infirmière, du nom de Cécile Gosselin, qu'elle appelait Goose.

J'avais trente-cinq ans quand maman est revenue aux États-Unis avec Goose. Elles allaient et venaient entre la maison de Pawleys Island et un affreux appartement de l'Upper East Side à Manhattan.

Durant toutes ces années, si maman se sentait prête à sombrer ou si Goose remarquait les signes avant-coureurs, elles se rendaient dans le dernier établissement en lice à avoir tapé dans l'œil de maman. Pendant que Daisy se remettait d'aplomb, Goose rentrait en France pour reprendre sa vie d'avant Katerine Daessee Lee Brennan.

Le temps que j'explique maman à Ryan, il était minuit. Sa beauté. Son charme. Sa folie. Son cancer. Entre-temps, nous avions absorbé assez de caféine pour traverser la totalité des Appalaches à pied sans chaussures.

— Elle est sacrément intelligente. Et elle manie Internet comme personne. Tu cherches un truc, elle le trouve. (Besoin sans doute de mettre l'accent sur les points positifs.) C'est grâce à elle que je t'ai retrouvé.

— Ta mère devrait travailler pour la NSA, on dirait.

— Ma mère devrait surtout reprendre son traitement.

Nous avons échangé un regard, ayant compris l'un et l'autre que la médecine n'y pouvait plus rien.

— On regarde ses courriels ? a suggéré Ryan.

— Ouais.

Il y en avait neuf en tout, envoyés dans mes boîtes Gmail, AOL et à mon adresse de l'université. Avec un code indiquant ce qui reliait les éléments entre eux.

— Elle est prudente, a remarqué Ryan.

— Elle est maboule, ai-je dit, le regrettant aussitôt.

Nous avons ouvert les messages, dont j'ai recopié le contenu sur un document Word.

Avery Koseluk, treize ans, a disparu à Kannapolis, en Caroline du Nord, le 8 septembre 2011. Son père, Al Menniti, s'est volatilisé au même moment.

Tia Estrada, quatorze ans, a disparu à Salisbury, en Caroline du Nord, le 2 décembre 2012. Son corps a été retrouvé quatre jours plus tard dans une zone rurale du comté d'Anson.

Colleen Donovan, seize ans, a disparu à Charlotte en février dernier.

— Je me souviens de Donovan. Une étudiante qui a décroché et qui vivait dans la rue. Je crois que c'est un proxénète qui a signalé sa disparition.

— La police a dû considérer qu'il s'agissait d'une fugue, a commenté Ryan. D'ailleurs, elle est plus âgée et ne correspond pas au profil établi par Rodas. Quant à Koseluk, on a pu penser à un enlèvement par le parent qui n'avait pas la garde.

— Estrada était Latino et ne correspondait donc pas non plus au profil de Rodas.

À peine avais-je prononcé ces mots que mon téléphone a tinté trois fois, annonçant l'arrivée d'autres messages. Maman avait envoyé des photos des trois jeunes filles, qu'elle avait dû copier-coller sur les articles dénichés dans les archives de la presse.

Ryan s'est rapproché de moi pour regarder les photos à mesure que je les agrandissais. Je devais faire un effort pour respirer normalement.

Les filles avaient toutes la peau claire et de longs cheveux bruns séparés par une raie au milieu. Elles étaient toutes au stade intermédiaire entre la femme et l'enfant, typique de l'adolescence. Des membres grêles, une poitrine naissante.

La jeune Donovan ne faisait pas son âge. Estrada n'avait pas le type latino. Cela se passait de commentaire.

— Slidell pourra contacter Salisbury demain, a dit Ryan.

En guise de réponse, je lui ai adressé un signe de tête. Sans vraiment le voir. Nous savions déjà ce que diraient les rapports de police et d'autopsie. L'article concernant Tia Estrada précisait qu'elle avait été trouvée en terrain découvert, habillée et couchée sur le dos. Cause de la mort indéterminée. Pas d'arrestation.

— En attendant, cela ne nous fera pas de mal de dormir un peu.

— Oui, ai-je dit sans bouger.

— Tempe.

Je me suis décidée à regarder Ryan en face. Le bleu de ses yeux me faisait penser à un feu glacé.

— Tu te sens d'aplomb?

— Solide comme un char russe.

— Tu préfères que je reste cette nuit?

Oui.

J'ai haussé les épaules.

— Monte. (Prononcé par Ryan avec une étrange sonorité dans la voix.) Je sais où tu ranges les draps.


Je me suis réveillée avec l'impression que quelque chose ne tournait pas rond.

Birdie n'était pas là. Le soleil filtrait à travers les volets.

Un coup d'œil au réveil: 8 h 10. Je n'avais pas entendu la sonnerie. Ça ne m'arrivait jamais. Larabee avait déjà commencé l'autopsie de Shelly Leal.

Bondissant hors du lit, je me suis habillée en vitesse, sans me doucher. J'ai attaché mes cheveux en queue de cheval et me suis brossé les dents. Et j'ai foncé dans l'escalier.

Dans la cuisine, Ryan était en train de remplir des bols de Raisin Bran. Le chat roupillait sur le frigidaire.

— Pour l'amour du ciel, Ryan ! Pourquoi tu ne m'as pas réveillée ?

— Je me suis dit que tu étais fatiguée. (Versant du lait sur les céréales.) Mange.

— Il faut y aller.

— Mange.

— Je n'ai pas faim.

— Il faut que tu manges.

— Non, je ne veux pas.

— Moi, si.

Il a rempli deux tasses de café, ajouté du lait dans le mien. Puis il s'est assis et a engouffré une grande cuillère de céréales.

À mon tour, je me suis assise en soupirant et j'ai vidé mon bol.

— On peut y aller maintenant ?

— Oui, m'dame. (Dit en effleurant le bord de sa casquette. Laquelle était violette, avec écrit en espagnol : « Ceci n'est pas le chapeau de ton père ».)

Le trajet n'a pris que quelques minutes. C'est l'avantage de la circulation au centre-ville le samedi matin.

Je nous ai propulsés dans le MCME. Nous avons franchi la réception et le sas de désinfection et nous sommes dirigés vers le murmure de voix étouffées qui émanait de la salle d'autopsie.

L'odeur m'a assaillie dès le pas de la porte. Le gaz soufré produit par l'activité bactérienne et la désagrégation des globules rouges du sang. La puanteur de la putréfaction.

Larabee examinait des radios sur un négatoscope mural. Il portait une blouse, et un masque lui pendait sous le menton. Sur les panneaux lumineux, cinq ou six photos de scènes de crime.

Debout à côté de lui, un Slidell à la mine de chien. Mal rasé, des poches sous les yeux, le teint grisâtre. À se demander s'il n'avait pas passé une nuit blanche. À moins que ce ne soit dû à l'odeur. Ou au sinistre spectacle auquel il s'apprêtait à assister.

Une autopsie, ça n'agresse pas seulement l'odorat, mais tous les sens. La vue de l'incision brutale en Y. Le bruit des ciseaux heurtant les côtes. Le floc des organes lâchés dans la balance. Le crissement aigre de la scie sur les os. Le crac de la calotte crânienne quand elle se détache. Le ffrr qu'elle fait quand elle se décolle avec le visage.

Les pathologistes ne sont pas des chirurgiens. Ils n'ont pas à se préoccuper des signes vitaux, des saignements, de la douleur. Leur but n'est pas de soigner ou réparer. Ils cherchent des indices. Ils doivent être objectifs et observateurs. Ils n'ont pas besoin de faire preuve de délicatesse.

L'autopsie d'un enfant est toujours plus terrible. Les enfants sont l'image de l'innocence. Frais, roses, tendres. Tout neufs et prêts à savourer ce que la vie a à offrir.

Hélas, ce n'était pas le destin de Shelly Leal.

Elle était allongée nue sur une table en acier inoxydable au centre de la pièce, le ventre et la poitrine boursouflés et verdâtres. Au niveau des doigts et des orteils, sa peau se desquamait, blême et transparente comme du papier de riz. Ses yeux, ouverts à demi, étaient éteints et ternis par un film opaque.

M'armant de courage, je suis passée en mode expert scientifique.

On était en novembre. Il avait fait froid. Ce qui impliquait une activité restreinte des insectes. Les altérations subies par le corps laissaient penser qu'elle était morte depuis une semaine tout au plus.

Je me suis approchée pour observer les photos de scènes de crime. Toujours la même position, couchée sur le dos, les bras le long du corps.

Larabee procédait à l'examen externe, inspectait les contours du ventre et des fesses, les membres, les doigts et les orteils, le crâne, les orifices. À un moment, il a extrait plusieurs longs cheveux du fond de la bouche de l'enfant.

— D'un blond trop clair pour que ce soit les siens? a demandé Slidell.

— Pas nécessairement. Ils ont pu être décolorés par la décomposition et les sécrétions de l'estomac, a répondu Larabee et il a glissé les cheveux dans un flacon, scellé le couvercle et apposé une étiquette.

Ensuite, l'ouverture en Y.

Le silence régnait pendant qu'il découpait, pesait, mesurait, décrivait. L'humour noir qui sert en général à alléger la tension n'était pas de mise.

Slidell posait son regard partout sauf sur la table. De temps en temps, il me fixait longuement. Se balançait d'un pied sur l'autre. Croisait et décroisait les mains.

Ryan observait un mutisme effaré.

Au bout d'une heure et demie, Larabee s'est redressé. Inutile de nous récapituler ses constatations. Nous l'avions entendu les dicter en détail dans un micro suspendu devant lui.

La victime était une jeune fille de treize ans en bonne santé, de taille et de poids moyens. Elle n'avait pas de malformations congénitales, d'anomalies ni de symptômes de maladie. Elle avait mangé un hot-dog et une pomme moins de six heures avant sa mort.

Le corps ne présentait pas de fractures guéries ou en cours de guérison, de cicatrices ni de brûlures de cigarette. Pas d'hématomes ni de signes d'abrasion dans la région de l'anus ou des parties génitales. Aucune des horribles marques révélatrices de violences physiques ou sexuelles.

Shelly Leal avait été dorlotée et aimée jusqu'à ce qu'un être désaxé décide de mettre un terme à sa vie. Et il était impossible de savoir comment il s'y était pris.

— Pas de pétéchies ?

Je voulais parler des minuscules points rouges qui peuvent apparaître dans les yeux du fait de l'éclatement de vaisseaux sanguins.

— Non. Mais la sclère est esquintée.

— De quoi s'agit-il ? a demandé Slidell.

Je lui ai expliqué :

— Les pétéchies hémorragiques sont signes d'asphyxie.

— Les lèvres sont décolorées et très enflées, mais je n'ai pas remarqué d'hémorragie superficielle ou sous-cutanée. Ni coupures ou empreintes de dents.

— Alors, quoi ? s'est inquiété Slidell. Vous croyez qu'elle a été étouffée, étranglée ?

— Je crois que je ne peux pas déterminer la cause de la mort, détective.

Larabee ne masquait pas son exaspération. Il venait de le préciser en dictant ses conclusions.

Slidell a rougi malgré sa pâleur.

— On a fini, dans ce cas?

— Je vais la passer au microscope à rayons X. Examiner à nouveau les vêtements. Pas sûr que ça marche étant donné l'état de décomposition, mais je vais essayer d'obtenir des échantillons à envoyer au labo pour analyse toxico.

Slidell a approuvé. Fait un pas en direction de la porte.

— Ryan et moi pensons avoir découvert l'existence d'autres victimes. (Pas question de parler de maman.)

— Ah oui?

Les yeux bouffis se sont tournés vers Ryan.

— Et vous comptez faire part de vos trouvailles?

— C'est ce que nous sommes en train de faire.

Slidell a poussé un long soupir, qui s'est exhalé par son nez avec un sifflement.

— Il faut que j'aille faire mon rapport aux parents, a-t-il dit en tendant le bras vers la table. Ryan, tu m'accompagnes, tu m'expliqueras ça en chemin? Ensuite, nous mettrons Barrow au courant.

— C'est toi le patron.

Slidell et Ryan partis, Larabee et moi avons sorti le microscope à rayons X, chaussé des lunettes de protection et éteint les plafonniers. Pendant que nous balayions le corps de Shelly Leal avec l'appareil, je l'ai informé des cas de Koseluk, Estrada et Donovan. Il a écouté sans faire de commentaire.

Nous n'avons pas décelé d'empreintes latentes, ni fibres ni cheveux et pas de trace de fluides corporels. Pas surprenant, mais ça valait la peine d'essayer.

Les vêtements de Shelly étaient accrochés à une patère sur le côté, constellés de tâches et raides de boue. Un coupe-vent en nylon jaune à capuchon, une chemise écossaise, un pantalon rouge, une culotte en coton, des Nike noire et jaune, des chaussettes blanches.

Nous avons commencé par le coupe-vent. Rien sur le devant. Nous l'avons retourné.

— Qu'est-ce que c'est que ça? (Montrant une trace luminescente dont la forme évoquait une chauve-souris sur le bord du capuchon.)

Larabee s'est penché mais n'a rien dit.

— Ma main au feu que c'est une empreinte de lèvres. Regarde la forme. Et les petites stries verticales.

— Comment une empreinte de lèvres peut-elle survivre à une semaine d'intempéries ? (Prononcé sans quitter des yeux la trace légèrement luisante.)

— C'est peut-être du gloss, ou du baume à lèvres ?

Nos regards se sont croisés. Sans un mot, nous nous sommes dirigés vers l'enfant. Notre lumière n'a pas révélé la moindre lueur pouvant indiquer la présence de maquillage ou de cosmétique sur les lèvres boursouflées. Larabee les a essuyées et a enfermé le prélèvement dans un flacon.

— Tu envisages une cheiloscopie ?

Larabee faisait référence à une technique d'identification qui consiste à analyser les sillons des lèvres, car certains chercheurs estiment que leur disposition a un caractère aussi unique que celle des crêtes et des plis d'une empreinte digitale.

— Non. Enfin, peut-être. Je pense surtout à l'ADN. S'il y a un peu de salive et que l'empreinte labiale n'est pas la sienne…

L'idée est restée en suspens.

— Nom d'un petit bonhomme. Ce serait une chance extraordinaire !

Larabee a placé le coupe-vent dans un sac à indices et écrit dessus quelques notes concernant l'affaire.

Les autres vêtements n'ont apporté aucune révélation. *Nada.*

Tandis que nous ôtions nos blouses, nos gants, nos lunettes et nos masques, je lui ai fait part d'une idée qui me trottait dans la tête depuis que j'avais lu les courriels de maman.

— Gower a été enlevée dans le Vermont en 2007. Nance a été tuée ici, à Charlotte, en 2009. Koseluk en 2011, Estrada en 2012, Donovan fin 2013 ou début 2014.

— Et maintenant, nous avons Shelly Leal.

Larabee a roulé ses affaires en boule et les a jetées dans la poubelle destinée aux objets contaminés.

— Un meurtre par an depuis que les faits ont lieu en Caroline du Nord.

Le couvercle s'est refermé avec un claquement.

— Avec une interruption.

— Si ce n'est que je vais ressortir une affaire qui date de 2010, ai-je ajouté.

Larabee s'est tourné vers moi avec un air accablé. Lui aussi, il se souvenait.

# Chapitre 11

Je me suis connectée à mon ordinateur et j'ai fait apparaître le fichier. J'en ai numérisé le contenu.

Comme je le craignais, le cas numéro ME107-10 collait avec le modèle.

Le crâne avait été découvert par des randonneurs près de la South New Hope Road, du côté de Belmont, à l'ouest de Charlotte et au nord de la frontière avec la Caroline du Sud. Il gisait dans un ravin en face de l'entrée du jardin botanique Daniel Stowe.

Les os du visage et la mandibule avaient disparu, et la calotte crânienne était rongée et détériorée par les intempéries. Des résidus de matière cérébrale avaient adhéré à la surface endocrânienne, ce qui suggérait un temps écoulé depuis la mort inférieur à un an.

J'avais dirigé une des équipes de récupération. Épaule contre épaule, nous avions fouillé un carré complet du terrain pendant toute une journée, sondé les moindres creux sous les rochers et les troncs d'arbres abattus, passé au crible les plantes grimpantes, le feuillage et les broussailles du sous-bois. Nous avions récupéré un bon nombre d'os, mais il manquait la majeure partie du squelette, emportée par des charognards.

J'avais été en mesure d'établir que ces restes étaient ceux d'un enfant de douze à quatorze ans, probablement d'ascendance européenne, à en juger par ce qui restait du crâne.

Avant la puberté, les indicateurs permettant de déterminer le sexe à partir du squelette ne sont pas fiables. Toutefois, dans le cas présent, des morceaux de vêtements collés à divers groupes d'ossements donnaient à penser que la victime était de sexe féminin.

La comparaison de ces renseignements avec les fichiers des personnes disparues de Caroline du Nord ou du Sud n'avait rien donné. Pas de résultat non plus avec la recherche à partir de NamUS ou du réseau Doe, les banques de données nationales et internationales pour les personnes disparues et non identifiées.

À défaut de nom, l'enfant avait un numéro. Le ME107-10. Et ses ossements étaient temporairement archivés dans le couloir, sur une étagère.

Je me suis relevée de derrière mon bureau et me suis dirigée vers le renfoncement. Dans le silence de l'immeuble désert, les talons de mes bottes résonnaient avec bruit.

Ayant identifié la boîte à son étiquette, je l'ai emportée dans la salle d'autopsie n° 1. La porte du bureau de Larabee était fermée, ce qui voulait dire qu'il était déjà parti. La table d'autopsie était libre. La petite occupante de tout à l'heure avait été recousue, remballée dans son sac mortuaire et reconduite dans sa chambre froide.

Slidell devait être en train d'avoir une conversation déchirante avec les parents de Shelly Leal.

Apprendre ce qu'a révélé une autopsie n'est jamais facile. Ni pour celui qui reçoit la nouvelle, ni pour celui qui l'annonce. J'ai ressenti de l'empathie pour les trois protagonistes.

Grande goulée d'air : une vague odeur de putréfaction traînait encore.

J'ai soulevé le couvercle de la boîte, non sans avoir enfilé des gants au préalable.

Un squelette conforme à mon souvenir : tristement incomplet et d'une couleur thé foncé, en raison de son contact prolongé avec la végétation alentour.

Tout excitée à l'idée de retrouver l'empreinte de lèvres, j'ai étalé un grand drap en papier sur la table et y ai disposé tous les os et fragments.

La surface extérieure du crâne était striée de marques de dents. Les crêtes orbitales et les mastoïdes étaient à moitié mastiquées. La plupart des vertèbres et des côtes étaient écrasées. L'unique moitié de pelvis présentait plusieurs perforations d'origine canine. Les cinq os longs étaient amputés ou fissurés à leurs extrémités.

Premier examen à la loupe, le second au microscope à rayons X. Ni fibres, ni poils ou cheveux accrochés aux os ou incrustés à l'intérieur.

Je n'ai pas détecté la plus petite lueur.

J'allais remballer le squelette quand mes yeux sont tombés sur un petit sac coincé dans un coin de la boîte. Bizarre. Les vêtements auraient-ils quitté le MCME à un moment quelconque?

Auraient-ils été envoyés temporairement au labo de la police de Charlotte-Mecklenburg? Pourtant, le fichier électronique n'indiquait rien de tel.

J'ai sorti le contenu du sac et l'ai disposé sur le drap.

Une sandale de couleur lavande, numéro de pointure effacé par l'usure.

Des shorts en polyester violet, taille: douze ans.

Un t-shirt qui disait *100 % princesse*, taille: moyen.

Un soutien-gorge en polyester rose, taille: 32AA.

Une bande élastique provenant d'une culotte de petite fille, étiquette illisible.

J'ai réitéré l'examen à la loupe et à la lumière bleue.

Même résultat, mis à part quelques poils courts et noirs provenant de toute évidence d'un animal.

La boîte replacée sur son étagère, retour dans mon bureau.

Peut-être une erreur de commise, un rapport qui n'avait pas été enregistré. J'ai sorti mon propre dossier sur le ME107-10. Je garde toujours des copies papier. Les vieilles habitudes ont la vie dure.

Et de fait, un oubli dans la saisie des données. Le vêtement avait bien été soumis au labo de la police qui n'avait rien découvert et, pour quelque étrange raison, il nous avait été retourné.

Je m'apprêtais à appeler Slidell quand il m'a devancée. Il allait au Penguin avec Ryan. La passionnée de malbouffe en moi a dressé l'oreille.

Au diable. Je n'avais plus rien à faire ici!

J'ai rangé le bureau et suis partie.

La voiture de Larabee n'était plus dans le stationnement. En revanche, deux fourgonnettes étaient garées de l'autre côté de la barrière de sécurité. L'une avec *WSOC* écrit sur le flanc, l'autre avec *News 14 Carolina*.

Merde.

Je me suis dirigée vers ma Mazda. Aussitôt, les portières des fourgonnettes se sont ouvertes en même temps et deux équipes de deux ont sauté à terre. Le journaliste, un micro à la main ; le caméraman, son outil de travail au creux de l'épaule.

J'ai foncé. À peine à l'intérieur de la voiture, j'ai bloqué les serrures du plat de la main. Au moment de franchir la barrière, j'ai baissé ma vitre et leur ai fait un signe qui ne nécessitait pas de traduction.

Les médias, je le savais, avaient intercepté les échanges entre unités de police quand le corps de Leal avait été découvert, de sorte que ces journalistes postés à la morgue ne faisaient que leur travail. Des dizaines d'autres grouillaient ailleurs, je le savais aussi : sous le viaduc, à l'épicerie, devant chez les Leal, bavant à l'idée de rapporter à leurs rédacteurs en chef une info exclusive.

Il n'était pas juste de leur faire un bras d'honneur. Et en tout état de cause, parfaitement inélégant. Mais je me refusais à fournir aux voyeurs l'occasion de se vautrer dans le chagrin d'autrui.

À Charlotte, le Penguin est une institution depuis bien avant ma naissance. « Un resto-rapide surtout pressé de vous expédier dans l'au-delà », estiment les grincheux en se fondant sur la teneur en calories, à coup sûr illégale, des plats qu'on y sert. Pour ma part, j'adore leurs hamburgers et leurs frites autant qu'un toxico sa drogue.

Le restaurant se trouvait près de l'épicerie où Shelly Leal avait été vue pour la dernière fois. Où elle avait acheté le lait et les sucreries qui lui avaient coûté la vie.

En tournant de Commonwealth Avenue dans le stationnement près de l'entrée, j'ai aperçu Ryan et Slidell à travers le double vitrage de mon pare-brise et d'une fenêtre en verre teinté de la salle. L'expression de Skinny m'a presque fait regretter d'être venue.

Bien qu'il ait été près de deux heures, l'endroit était bondé à l'intérieur. Et résonnait de toutes ces conversations émanant de cervelles saturées de gras.

Les deux hommes ont relevé les yeux à mon approche. Ryan s'est décalé sur la gauche pour me faire une place sur la banquette. Slidell mangeait un sandwich qui défiait toute description. Le Dr. Devil : de la saucisse calcinée au feu de bois sur tranche de pain texan, assaisonnée de laitue, tomate et mayonnaise. Un des rares plats du menu que je n'aie jamais goûtés. Ryan s'acharnait sur un hot-dog à peine visible sous sa couche de *queso* et de rondelles d'oignon frit.

Tous deux buvaient des sodas aussi gros que des barils de pétrole dans des gobelets en plastique sur lesquels l'oiseau incapable de voler, emblème de ce lieu, souriait de tout son bec.

Je me suis glissée sur le banc. Ryan m'a remis un menu. Inutile, je savais ce que je voulais.

La serveuse s'est enquise de ma santé d'une voix traînante et sirupeuse. Je l'ai assurée que j'étais en pleine forme et j'ai commandé un Penguin, un hamburger surmonté de fromage pimenté et de cornichons frits. Un truc à vous stopper les battements de cœur.

En attendant mon plat, j'ai parlé à Ryan et Slidell de l'éventuelle empreinte de lèvre. Ryan n'a pas eu l'air convaincu :

— Ça peut très bien être celle de Leal.

— Oui, bien sûr. Comme ça peut être celle de son agresseur. Peut-être que Leal se débattait et qu'il a dû la serrer tout contre lui pour pouvoir lui attacher les bras. Peut-être qu'elle a glissé pendant qu'il la portait vers le viaduc. Il y a quantité de raisons pour lesquelles le visage du ravisseur a pu entrer en contact avec sa veste.

— Vous y croyez, vous, que l'ADN, ça dure aussi longtemps ? (Slidell, pire encore que Ryan dans le genre sceptique.)

— Je l'espère.

Tout comme j'espérais que la correspondance avec Pomerleau serait avérée et que cela l'enverrait tout droit en enfer.

Ma boisson est arrivée. Du thé sucré, au lieu du sans sucre que j'avais commandé. Tout en le sirotant à petites gorgées, j'ai fait part à mes compagnons de mes réflexions sur cette année 2010 qui manquait dans la chronologie.

Et j'ai décrit notre ME107-10.

Les hommes m'ont écoutée sans s'arrêter de mastiquer, essuyant de temps à autre le gras sur leurs mentons.

Slidell se rappelait très bien le cas, même s'il n'avait pas travaillé dessus.

J'ai parlé des médias qui faisaient le pied de grue au MCME. Skinny nous a sorti sa diatribe habituelle contre le cinquième pouvoir. Aucune de ses suggestions pour réduire son rayon d'action n'impliquait d'amender la Constitution.

Slidell avait déjà fini son plat quand le mien est arrivé. Il a fait une boule de sa serviette et s'est renversé contre son dossier.

— Les parents sont hors de cause, j'en suis sûr. Les collègues du vieux disent qu'il était au garage quand la petite a disparu. Quant à la mère, elle a du mal à se prendre en main. Elle dit qu'elle était chez elle avec les deux autres enfants, à attendre le lait. Ça me paraît crédible.

Ryan a signifié son accord d'un hochement de tête.

— Comment est-ce qu'ils ont pris la nouvelle ? ai-je demandé, la bouche pleine de bœuf haché et de cornichons.

Haussement d'épaules en guise de réponse. Pour signifier : vous vous en doutez bien.

En effet. Même si, personnellement, il ne m'est pas arrivé souvent dans le cadre de mon travail d'avoir à annoncer aux parents une nouvelle tragique, j'ai assisté à des scènes comparables quand la vie d'autrui change à jamais. Il y a des gens qui perdent connaissance, se transforment en furies, fondent en larmes, entrent en catalepsie. Certains vocifèrent, accusent le monde entier, supplient leur interlocuteur de retirer ses paroles, de l'assurer que tout cela n'est qu'une erreur. Qu'importe le nombre de fois où j'ai accompli cette tâche, ça a toujours été pour moi un déchirement.

— La mère s'inquiète d'une bague que la petite ne quittait jamais. En argent, en forme de coquillage. Vous avez un truc comme ça ? a demandé Slidell.

— Je n'ai pas vu de bijou dans la salle d'autopsie, mais je vais vérifier. Larabee l'a peut-être rangée dans un sachet avant que j'arrive.

Séparer la bague des vêtements ? Je doutais fort qu'il l'ait fait. Mais j'ai gardé cette réflexion pour moi.

— On a reluqué un peu vos autres victimes. Koseluk et Donovan sont toujours portées disparues. Les deux dossiers font du surplace, vu que personne n'y met de pression.

Ryan s'est excusé. Je me suis levée pour le laisser passer et l'ai accompagné des yeux jusqu'à la porte. Il sortait fumer.

Au moment où je me rasseyais, Slidell a fait jaillir un cure-dent d'un étui en cellophane et entrepris de se curer une molaire. Cette occupation n'a pas mis un frein à son récit.

— Le responsable pour la fille Koseluk, c'est un certain Spero. Un flic de Kannapolis. Un gars OK. J'ai travaillé avec lui une fois. Un gang qu'on a…

— Et c'est quoi, son opinion ?

— Il continue à bien aimer l'idée de l'ex.

— Al Menniti ?

Slidell a fait signe que oui.

— Il a refait surface ?

— Non. (Slidell a retiré le cure-dent de sa bouche pour en inspecter la pointe.) On a parlé à la mère. Elle dit que ce crétin serait pas foutu de se cacher lui-même. Encore moins un enfant. Dit aussi qu'il en a rien à foutre d'être père. Ses termes exacts.

— D'un lyrisme achevé. Et Colleen Donovan ?

— Comme elle n'avait plus ses parents, elle vivait avec une tante qui passait son temps à se bousiller le cerveau avec de la meth. Laura Lonergan. Et y avait pas grand-chose à bousiller. Un régal, la conversation avec elle.

Du geste, j'ai signifié à Slidell d'abréger l'analyse de caractère.

— Est-ce que Colleen a un dossier ?

Il a hoché la tête.

— Elle était mineure, va falloir l'autorisation du juge.

J'ai levé les sourcils. Slidell a compris.

— Ouais, ouais, je vais la pondre, votre requête.

Il a fait une pause comme s'il hésitait à ajouter quelque chose.

— Quoi ? ai-je insisté.

— Un truc bizarre. Selon son dossier, Donovan a été enregistrée dans une base de données nationale des enfants portés disparus.

— Enregistrée par qui ?

— Un enquêteur spécialisé du nom de Pat Tasat.

— Qu'est-ce qu'il y a de bizarre à cela ?

— J'ai vérifié à tout hasard. Y a six mois de ça, la petite a été retirée du système.

— Tasat vous a dit pourquoi ?

— Non, et aucune chance qu'y me le dise. (Sur un ton tendu :) Le pauvre con s'est noyé dans le lac Norman durant le week-end de la fête du Travail.

— C'est désolant. Vous le connaissiez ?

Slidell a hoché la tête.

— Les Jimmy B et les Jet Skis, ça se mélange pas.

Après un moment de réflexion, j'ai demandé :

— Est-ce que ce n'est pas la procédure habituelle d'indiquer une raison quand on retire un nom de la base de données ?

— Ouais. Et c'est ça qui est bizarre : pas de motif indiqué.

— Qui a effectué la suppression ?

— Pas écrit non plus.

J'ai retourné cette bizarrerie dans ma tête. Qu'est-ce que cela pouvait bien signifier ? Si jamais cela signifiait quelque chose.

— Et Estrada ?

— L'enfant a disparu à Salisbury, dans le comté de Rowan, mais comme elle a été retrouvée à Anson, c'est eux qui ont hérité du dossier. L'enquête a rien donné. Elle a fini par atterrir sur le bureau du shérif, une certaine Henrietta Hull. C'est elle que j'ai eue au téléphone. Se fait appeler la Poule. Z'imaginez ?

Je doutais fort que M$^{me}$ Henrietta se soit choisi elle-même ce nom. À mon avis, c'était plutôt un surnom donné par les flics.

— C'était quoi, le problème ? Le partage des compétences entre juridictions ?

— En partie, a répondu Slidell. Et aussi parce que le bureau du shérif du comté d'Anson devait s'occuper de ses poulains.

— Ce qui signifie ?

— Que quelques-unes de leurs vedettes s'étaient fait arrêter pour corruption.

Ça me revenait, maintenant. Les deux adjoints du shérif avaient été emprisonnés.

— Et en partie à cause de la synchro. Le type chargé de l'affaire au départ avait pris sa retraite quelques mois plus tôt. C'est à ce moment-là que le cas a rebondi chez Hull. Mais c'est surtout dû au fait qu'on n'avait rien trouvé. Pas le moindre indice matériel, pas le moindre témoin oculaire, rien qui soit susceptible d'expliquer le décès.

— À qui doit-on le rapport?

— À un zigoto qui a même pas pris la peine de se rendre sur les lieux.

Ça ne m'a pas étonnée. Le *Charlotte Observer* avait publié quantité d'articles sur les défaillances du système médico-légal de Caroline du Nord. Notamment une série cinglante en 2013 après la mort, à trois mois d'intervalle, d'un couple âgé et d'un jeune garçon de onze ans dans la même chambre d'un motel de Boone. Le coupable: le monoxyde de carbone. Le ME du coin ne s'était pas rendu sur place et n'avait pas non plus déposé de rapport en temps et lieu après les premiers décès. En 2014, d'autres événements avaient choqué le public: des meurtres enregistrés en tant que décès accidentels et des accidents enregistrés en tant que suicides, des corps mal identifiés livrés à la mauvaise entreprise de pompes funèbres.

Interviewé, le nouveau médecin examinateur en chef de l'État avait attribué ces problèmes à l'insuffisance de fonds. Sans blague. Partout, sauf dans le comté de Mecklenburg, les médecins légistes étaient payés une centaine de dollars par cas. Et comme l'État n'exigeait aucune formation particulière en médecine légale, un bon nombre d'entre eux n'en avait aucune. Certains ne possédaient même pas le titre de médecin. La nouvelle patronne essayait bien d'introduire des changements, mais, sans augmentation du budget alloué, elle avait peu de chances d'aboutir.

— Personne ne s'inquiétait de savoir où en était l'enquête?

— La mère d'Estrada a été renvoyée au Mexique peu après la disparition de l'enfant, a expliqué Slidell. Et comme il n'y avait pas de *señor* dans le tableau...

J'ai fini mon hamburger et pensé aux trois filles retrouvées par maman: Koseluk, Estrada et Donovan. Une morte, deux disparues. Des dossiers oubliés parce que personne n'était là pour les rappeler au bon souvenir des responsables.

Ryan est revenu, apportant avec lui une légère odeur de cigarette.

J'ai demandé si Tinker s'était rendu sur les lieux, hier soir.

En guise de réponse, Slidell a reniflé bruyamment puis il s'en est retourné à ses gencives. Ryan a pris la relève et son intervention a constitué sa première contribution à la conversation.

— Le SBI considère que le partage de l'information et des ressources au niveau de l'État sera tout à fait bénéfique pour l'enquête.

— *Fuck*, impossible que le SBI partage quoi que ce soit, a décrété Slidell en plantant son cure-dent dans son reste de salade. Y se disent que de résoudre ces cas, c'est le meilleur moyen de se refaire une image. La leur, pas la nôtre.

— Que pense Tinker des trois autres victimes? ai-je encore demandé.

— Ce trou de cul saurait pas conseiller un trajet à un pet sans demander de l'aide à quelqu'un!

L'exclamation de Slidell a fait se retourner plusieurs clients.

— Il n'est pas convaincu qu'il y ait un lien entre elles, a précisé Ryan.

— Même Leal?

— Pour celle-là, il dit peut-être.

— Qu'est-ce qu'on fait maintenant?

— J'ai remué tout ce qu'on a dans la CDC. (Comprendre: chaîne de commandement.) Maintenant, y a plus qu'à attendre, a répondu Slidell.

Nous arrivions à nos voitures quand le cellulaire de Slidell a sonné. Il a pris l'appel. Peu à peu son visage est devenu tout rouge.

— C'est pas avec deux calepins de plus qu'on va régler le problème!

D'un doigt furieux, il a coupé la communication et s'est tourné vers nous.

— On est foutus.

# Chapitre 12

Il avait été décidé que l'affaire Leal serait considérée comme un homicide ponctuel. Résultat : pas de groupe de travail spécial. Slidell y gagnait de l'espace vital, mais pas de soutien en personnel. Il était prié de coopérer avec Tinker et d'utiliser Ryan d'office. Si jamais l'enquête faisait apparaître des liens plus solides avec les autres cas, on réévaluerait la situation.

Laissant Ryan et un Slidell fulminant rentrer au quartier général de la police, je suis retournée au MCME. Les véhicules des journalistes avaient disparu, en quête de proies plus sanglantes.

La bague de Leal n'était ni dans la salle d'autopsie ni dans un sachet étanche sur le bureau de Larabee. J'ai survolé sa paperasse sur le cas : aucune mention d'un bijou quelconque.

Un instant de réflexion et j'ai enfilé des gants. Inspection du sac dans lequel Leal était enfermée. Juste des brindilles, des feuilles et un peu de gravier. Pas de bague.

J'ai appelé Larabee. Laissé un message sur le répondeur.

À court d'idées, je me suis rendue au quartier général. Slidell n'était ni à la CCU ni à son bureau dans la salle de brigade des homicides. Ryan n'était nulle part en vue. Il y avait bien quelques détectives qui parlaient au téléphone. Un autre, du nom de Porter, discutait empreintes de semelle avec un gars que je ne connaissais pas. C'est lui qui m'a dirigée sur la salle de conférences.

Un décor de série policière à petit budget. Une table dans un coin avec un téléphone et un ordinateur sans

111

personne devant. Fixés au mur du fond, plusieurs tableaux de liège, presque tous utilisés.

La grande table en chêne de rigueur occupait le centre de la pièce. Posés dessus, des dossiers : ceux des deux disparues et ceux des quatre homicides. Pour les affaires Gower et Nance, le matériel était conséquent — une boîte et une caisse — grâce au travail de Rodas et de l'équipe de la CCU sous les ordres de Barrow. Les autres étaient assez plats pour tenir dans des pochettes en carton ondulé marron, fermés par des élastiques.

Ryan était en train de passer en revue la boîte de Rodas. Slidell, à côté de lui, étudiait un tirage papier. Ni l'un ni l'autre n'ont relevé les yeux à mon entrée.

Je suis allée me planter devant les tableaux du fond. Sur six d'entre eux, des photos des victimes.

Sous chacune, le nom en majuscules. Ainsi que le lieu et la date où elle avait été vue pour la dernière fois.

NELLIE GOWER, HARDWICK, VERMONT, 2007
LIZZIE NANCE, CHARLOTTE, 2009
AVERY KOSELUK, KANNAPOLIS, 2011
TIA ESTRADA, SALISBURY, 2012
COLLEEN DONOVAN, CHARLOTTE, 2013-2014
SHELLY LEAL, CHARLOTTE, 2014

Chaque date marquait le début d'une ligne chronologique qui remontait en arrière et retraçait les mouvements de l'enfant à partir du jour de sa disparition.

Pas grand-chose d'inscrit sur ces lignes. Sur les tableaux consacrés à Gower, Nance, Estrada et Leal, des photos du CSS. Je me suis approchée du tableau Estrada pour examiner celles que je n'avais pas vues.

Comme les autres victimes, Tia Estrada était étendue sur le dos, toute habillée, les bras le long du corps. En dessous d'elle, de l'herbe brune et des feuilles mortes ; au-dessus un ciel gris. Dans le fond, on distinguait une table de pique-nique et quelque chose qui ressemblait au bas d'une tonnelle.

Une vague odeur de brillantine m'a appris que Slidell arrivait dans mon dos. J'ai lancé :

— C'est un terrain de camping ?

— Ouais, près du refuge de la réserve Pee Dee. Vous savez, pour les gens qui aiment le canot et le chasse-moustiques. Y a

112

deux-trois embarcadères, des sites pour les tentes et les roulottes, et des latrines. Comme ça les habitués peuvent chier avec les oiseaux.

Charmant.

— Elle a été retrouvée sur le terrain?

— Mmm.

— Et personne n'a rien vu?

— C'était l'hiver. L'endroit était désert.

— On a questionné les voisins?

— Quels voisins? C'est au milieu de nulle part.

— Les gens qui remarquent les choses! ai-je rétorqué sèchement. Un pompiste ne s'est pas rappelé avoir vendu de l'essence à un inconnu? Personne n'a vu passer une voiture qui n'était pas du coin? Ou garée sur le bas-côté?

Slidell m'a dévisagée sans ciller.

— Vous savez pourquoi ces crétins veulent pas reconnaître qu'on a un tueur en série, ici?

Je ne l'ai pas laissé continuer. Je n'avais aucune envie d'entendre sa dernière théorie du complot, quand bien même je partageais son avis sur le fait que ses supérieurs portaient des œillères.

— Je n'ai pas retrouvé la bague de Leal. Est-ce qu'elle pourrait être en bas dans la salle des effets personnels?

Slidell a fait une mimique de la bouche qu'on pouvait traduire par: «M'étonnerait!» Puis il a ajouté:

— Je vais jeter un œil au rapport du CSS, et voir si y auraient pas récupéré une bague.

— Demandez à sa mère de bien regarder chez elle.

Slidell a hoché la tête.

— Nance aurait dû avoir avec elle un petit sac avec ses affaires de danse, ne serait-ce que ses chaussons. Pas un mot sur le sujet dans le dossier?

Nouveau signe de tête.

— On devrait interroger Hull, voir s'il manquait aussi des choses avec Estrada. Peut-être passer un coup de fil à Rodas et lui demander pour Gower.

Slidell a compris ce qui me trottait dans la tête... Des souvenirs. Des réminiscences des tueries précédentes. Il est allé trouver Ryan. Lui a expliqué. Ryan a acquiescé et sorti son téléphone.

Slidell est revenu près de moi au moment où j'examinais le dernier tableau. Je lui ai demandé si Ryan lui avait parlé d'Annick Pomerleau. Dix ans avaient passé et j'avais encore du mal à prononcer son nom.

Il a répondu par l'affirmative.

— Avant qu'on commence à se mettre en place, ici, Ryan a fait un petit coucou aux gens de chez lui. Je pige rien au français, mais je dirais qu'il a eu des explications à donner.

Je me suis demandé comment il s'en était tiré.

— Il a appris un gros zéro à propos de Pomerleau. Mais j'ai l'impression qu'il a chauffé le cul à quelques Canadiens afin de régler le problème.

Pendant un moment, je me suis concentrée sur ma respiration. Sur mon pouls. Puis j'ai regardé la photo.

C'était une photo d'identité prise des années avant l'horreur à Montréal. Pomerleau avait un visage plus doux, version embryonnaire de l'image à jamais gravée dans mon cerveau. On reconnaissait les sourcils épais qui faisaient un trait au-dessus des yeux enfoncés dans les orbites, le nez pincé, les lèvres pleines, le menton carré arrogant.

— Elle avait quoi, seize ans ? a demandé Slidell.

— Quinze. Arrêtée pour vol à l'étalage à Mascouche en 1990. Elle s'est fait pincer par le propriétaire du magasin. En 2004, c'était la seule photo d'elle que nous avions.

— Ryan n'a pas réussi à déterrer queq'chose de plus récent ?

— Les parents de Pomerleau ont perdu tous leurs biens dans un incendie en 1992. À l'époque, elle était loin de chez elle et foutait le bordel à Montréal.

— Vol à l'étalage ?

— Et d'autres petits délits, je ne me souviens pas.

— Donc on a ses empreintes ?

J'ai acquiescé.

— Quinze ans ? Et papa-maman la ramenaient pas au bercail par le collet ?

— Ils avaient dans les quarante ans quand Annick est née. À l'époque où elle a tiré un trait sur l'école et décidé de partir à l'assaut de la grande ville, ils n'en pouvaient plus de ses bêtises, ils étaient épuisés.

Slidell a gonflé les lèvres et s'est frotté l'arrière du cou.

— Autrement dit, c'est entre 2004, quand avec Ryan vous la coincez à Montréal, et 2007, quand elle laisse de son ADN sur la petite Gower, qu'elle met le pied chez nous. (Plissant les yeux, sous l'effort:) Ça lui fait donc trente-neuf ans, maintenant, et elle se cache sûrement sous une fausse identité. Elle est du genre à savoir se débrouiller dans la vie, je suppose?

— Elle est brutale et elle délire, mais brillante en diable.

— Et la seule photo disponible date de plus de vingt ans. Pas étonnant qu'elle soit disparue des écrans radars pendant tout ce temps.

Brusquement, une idée m'a traversé l'esprit. Je suis allée me placer devant le tableau de Leal. Y était punaisé le tirage en noir et blanc d'un portrait d'enfant dénué de vie mais qui ressemblait assez à la photo de classe collée au-dessus. Il s'agissait probablement d'une image générée par un logiciel du genre SketchCop, FACES ou Identi-Kit, qui permet de sélectionner des traits physiques sur une palette de modèles interchangeables, choisis à partir du souvenir qu'un individu conserve d'un visage réel. Dans le cas présent, ce devait être le témoin de Slidell, ce type de Morningside, qui avait servi de point de départ. J'ai voulu savoir qui avait réalisé l'épreuve composite.

— C'est un contact du FBI qui fait ça pour nous.

— Est-ce qu'il pourrait réaliser un vieillissement de Pomerleau à partir de sa photo d'identité?

Tout en formulant cette demande, je me suis étonnée intérieurement que cela n'ait pas déjà été fait. Mais peut-être que si, après tout, et que je n'y avais pas prêté attention, tout simplement. Je me suis promis de vérifier.

Slidell a souri. Du moins, je le crois.

— Pas mal, doc.

— Rodas dit que Gower portait une chaîne avec une clé de chez elle autour du cou et qu'on ne l'a jamais retrouvée, a lancé Ryan depuis sa place.

Nous sommes allés le rejoindre.

— Et pour Estrada? ai-je demandé.

— Il n'y a rien dans le dossier à ce sujet, a répondu Ryan en désignant les papiers étalés devant lui en éventail. Hull n'est pas au courant d'effets personnels qui seraient venus à manquer. Elle a dit qu'elle allait vérifier.

J'ai croisé les yeux de Ryan. Il m'a rendu un regard franc avant de se replonger dans la lecture des interrogatoires.

— J'appelle le gars pour le croquis, a déclaré Slidell et il a quitté la salle.

Je me suis laissée tomber sur une chaise avec le dossier Estrada. Je l'ai feuilleté jusqu'à ce que je trouve ce que je cherchais.

Le rapport d'autopsie se composait d'une seule et unique page de texte et de quatre pages de photos couleur numérisées. Il était signé Perry L. Bullsbridge, MD.

Slidell avait raison. Question compte rendu, le pathologiste avait fait un boulot de merde pour un meurtre d'enfant.

Pour un meurtre tout court.

J'ai lu la partie consacrée aux descripteurs physiques et à l'aspect du corps. Les brèves remarques sur l'état de santé, l'hygiène et la nutrition. Le paragraphe sur l'absence de trauma — à vrai dire, une seule et unique phrase.

J'ai sauté la partie poids des organes pour passer en revue la liste des indices matériels recueillis. L'un d'eux m'a sauté aux yeux.

— Estrada avait deux cheveux dans la trachée. Ils ont été extraits.

— Et alors ? a réagi Ryan sans lever les yeux.

— Larabee aussi a retiré deux cheveux de la trachée de Leal.

— Il a pensé que c'était les siens.

— Il trouvait quand même bizarre qu'on puisse avoir des cheveux si loin dans le fond de la gorge.

Les yeux de Ryan se sont vrillés aux miens.

— Qu'est-ce que tu veux dire ?

— Je ne sais pas. (Et c'était la vérité.) Une coïncidence ?

— Tu ne crois pas aux coïncidences.

— Non, je n'y crois pas.

Ce soir-là, Ryan est venu à la maison et nous avons dîné de sushis achetés chez Baku. Nous avons mangé dans la cuisine, sous le regard inébranlable de Birdie. Toutes les cinq minutes, Ryan lui refilait du poisson cru. Je les ai grondés tous les deux. Un rappel de notre vie d'avant.

Nous en étions à débarrasser la table quand Slidell a téléphoné. Par réflexe, coup d'œil à la pendule. Dix heures moins vingt et il travaillait encore. Impressionnant. Ce qu'il avait à me dire ne l'était pas.

Le témoignage du type interrogé la semaine d'avant, celui qui croyait avoir vu Leal et avait fourni la description de la voiture et les deux chiffres de la plaque d'immatriculation, avait généré plus de douze cents possibilités.

Quelqu'un s'occupait de passer les coups de fil.

La bague de Leal n'était enregistrée ni dans l'inventaire du CSS ni dans la salle des effets personnels. Elle n'apparaissait sur aucune photo.

Les gars de l'informatique planchaient toujours sur le portable de Leal. Ils devaient encore récupérer tout l'historique du navigateur qui avait été effacé.

Le dessinateur du FBI avait accepté de vieillir la photo de Pomerleau. Quand il aurait le temps. Bordel. C'est que ça pressait !

— J'ai l'intention d'aller voir ma mère demain, ai-je dit à Ryan, tout en rinçant le riz et la sauce soja d'une assiette.

— Moi, je vais traîner ici, revoir le reste des dossiers, et reprendre la traque de Pomerleau avec plus de vigueur.

— Ça m'a l'air d'un bon programme.

— Tu ne devrais pas prévenir Daisy de ta visite ?

— Parce qu'elle risquerait de ne pas être là ? (En fermant le robinet.)

— On ne sait jamais, elle pourrait s'envoler.

— Très drôle.

En fait, ça l'était. Si on veut.

J'ai emporté mon téléphone cellulaire dans le bureau et me suis installée sur le canapé. Le sac à dos de Ryan pendait au bras du fauteuil devant la table, et son chargeur de téléphone était branché dans une prise. Bizarrement, le fait de voir ses affaires au milieu des miennes m'a apaisée. Et remplie de tristesse à la fois.

J'étais contente que Ryan ait accepté de réemménager dans ma chambre d'amis. C'était bien de l'avoir sous mon toit. En ami maintenant, rien de plus. Pourtant, j'étais heureuse qu'il soit là.

J'ai composé le numéro. La première sonnerie n'est pas allée jusqu'au bout.

— Je suis bien contente que tu téléphones! a aboyé maman d'une voix de pit-bull prévenant son maître d'une intrusion. J'allais t'appeler.

— Maman…

— Je voulais d'abord être sûre.

— Je viens te voir demain.

— J'ai frappé tellement de murs. Je me disais : «Daisy, ce sont les détails qui comptent. Concentre-toi sur les détails.»

Lorsque maman perd la boussole, elle n'est plus vraiment capable d'écouter.

— Je serai là à midi.

— Tu m'écoutes, Tempe?

— Oui, maman.

À quoi bon vouloir l'interrompre? Ça ne ferait que l'énerver davantage, je le savais.

— J'ai découvert quelque chose d'épouvantable.

J'ai ressenti comme un chatouillement désagréable.

— D'épouvantable?

— Une autre petite fille va mourir.

# Chapitre 13

— Les dates, Tempe, les dates! (Presque à bout de souffle.) Comme j'étais à court d'idées, je me suis concocté un tableau avec les dates.

— Quelles dates?

— Certaines que tu m'avais indiquées, d'autres que j'ai trouvées sur des sites d'information en ligne.

— Je ne te suis pas, maman.

— Les dates où les enfants ont été enlevés! Je ne les ai pas toutes, bien sûr, mais j'en ai assez.

— Quels enfants? (En m'efforçant de conserver une voix neutre.)

— Ceux de Montréal. Et les plus récents. Tu as de quoi écrire? C'est trop dangereux d'utiliser le Net pour transmettre ce genre d'information. (Dit sur le ton excessivement dramatique des apartés dans les pièces de boulevard.)

J'ai changé de place pour m'asseoir au bureau. M'étant munie des papier et stylo réclamés, j'ai branché le haut-parleur et posé l'appareil sur la table.

— C'était quoi, ce déclic? Tu m'as mise sur haut-parleur?

— C'est correct, maman.

— Tu es seule?

— Oui.

Ryan est apparu sur le pas de la porte. Du geste, je lui ai indiqué d'avancer et de ne pas souffler mot.

— J'ai récupéré beaucoup d'informations sur la situation à Montréal.

— Comment ça?

— Pour commencer, j'ai pris les noms «Annick Pomerleau», «Andrew Ryan», «Temperance Brennan», et je les ai mis en paires avec des mots clés tels que «SQ», «Montréal» ou «squelettes». D'un résultat à l'autre, on couvre un assez grand territoire. C'est toujours comme ça. D'autant qu'en l'occurrence la presse avait fait les choses en grand. Tant en anglais qu'en français.

C'était un euphémisme.

— Est-ce que je t'ai dit combien j'étais fière d'avoir...

— Où veux-tu en venir avec tout ça, maman?

Une pause, puis:

— Tu as identifié trois filles à partir d'ossements retrouvés dans une cave. C'est bien ça? Angela Robinson, Marie-Joëlle Bastien et Manon Violette.

— Oui.

— Écris ces noms.

Je me suis exécutée.

— Angela Robinson a disparu le 9 décembre 1985; Marie-Joëlle Bastien le 24 avril 1994; Manon Violette le 25 octobre 1994.

J'ai inscrit les dates à côté des noms.

— C'est fait?

— Oui.

— Est-ce qu'il y en avait d'autres?

— Il y avait une jeune fille dont le nom était écrit dans le journal intime de Pomerleau qu'on a retrouvé chez elle. Mais nous n'avons rien de plus sur elle : ni restes ni renseignements.

— J'ai bien toute ton attention?

— Oui.

Coup d'œil à Ryan: aussi décontenancé que moi.

— Nellie Gower a été enlevée dans le Vermont le 18 octobre 2007. Lizzie Nance à Charlotte, le 17 avril 2009. Tia Estrada à Salisbury, le 2 décembre 2012. Ajoute ça à ta liste.

J'ai fait une deuxième liste de deux colonnes.

— Maintenant, lis ce que tu as écrit.

Ryan et moi avons pigé en même temps.

— Enfant de chienne! me suis-je exclamée, incapable de me retenir.

— Il n'est jamais indispensable d'être vulgaire, ma chérie. Mais je pense que tu as compris ce que je veux dire.

— Les victimes de la deuxième liste ont toutes disparu exactement une semaine avant la date à laquelle les victimes de la première liste avaient été enlevées.

— Oui. (Suffoquant à moitié.)

— Tu veux dire que Pomerleau réédite ses précédents kidnappings ?

— Je n'ai aucune idée des motivations qui peuvent être les siennes. Ni pourquoi elle tue ces pauvres petits agneaux.

— Maman, je…

— Il y avait une survivante, n'est-ce pas ? Une fille qui a tenu cinq ans enfermée dans la cave. C'est bien ça ?

— Oui.

— Elle était mineure, par conséquent son identité n'a pas été dévoilée. Mais ce genre de secret n'est pas difficile à découvrir. (Une pause.) Elle s'appelait Tawny McGee.

J'ai gardé le silence.

— En remontant en arrière, j'ai réussi à établir la date de sa disparition. Le 13 février 1999.

Coup d'œil à Ryan. Qui a confirmé d'un hochement de tête.

Le bourdonnement d'une voix étouffée m'est parvenu en bruit de fond. Maman a fait chut à quelqu'un, probablement son infirmière.

— Écoute, maman, je viens te voir demain, et nous discuterons de…

— Pas question ! Tu poursuis ton enquête.

De nouveau, la voix étouffée. Puis un changement de son sur la ligne, comme si maman avait recouvert l'appareil de la main ou qu'elle le tenait pressé contre sa poitrine. Puis trois bips m'ont appris que la communication était coupée.

J'ai regardé Ryan. Il avait les yeux rivés sur la feuille de papier.

J'ai relu les noms et les dates. Me suis représenté les squelettes disposés sur les tables d'examen dans mon laboratoire de Montréal.

Angela Robinson avait été la première victime de Neal Wesley Catts. Enlevée en Californie en 1985, bien avant que ne débute son association mortelle avec Annick Pomerleau. Il avait transporté les restes de Robinson sur la côte Est, les avait enterrés dans le Vermont, puis les avait exhumés et réenterrés à Montréal, dans la cave d'une pizzeria.

Marie-Joëlle Bastien, Acadienne du Nouveau-Brunswick, avait seize ans quand elle était allée à Montréal pour sa semaine de relâche. Elle avait disparu rue Sainte-Catherine, dans l'est de la ville, après avoir vu un film et soupé avec des cousins. L'analyse de son squelette permettait d'estimer qu'elle était morte peu après avoir été enlevée.

Manon Violette avait quinze ans quand elle avait été vue pour la dernière fois à Montréal, dans le réseau piétonnier souterrain. Elle s'était acheté une paire de bottes, avait mangé de la poutine, téléphoné à sa mère, puis avait disparu. Ses ossements suggéraient qu'elle avait vécu encore plusieurs années.

Tawny McGee était la seule prisonnière encore en vie en 2004, au moment où l'affaire avait éclaté. Elle avait été enlevée en 1999, à l'âge de douze ans.

Après sa libération, McGee m'avait rendu visite une fois. Bien que réticent, le psychiatre des services sociaux avait fini par accéder à sa demande de me rencontrer.

Un petit visage grave sous un béret posé de travers, des mains serrées, une voix tendue. J'ai réussi à ne pas broncher au souvenir de cette entrevue.

— Sans blague, ta mère est douée.

La voix de Ryan a interrompu le fil de mes pensées.

— Tu crois vraiment que ce parallèle est crédible ?

— Trois correspondances, ça fait une fichue coïncidence.

— Shelly Leal a disparu le 21 novembre. Si la théorie de maman est juste, Pomerleau agit en commémoration d'une enfant dont nous ignorons jusqu'à l'existence.

Visiblement, cette idée troublait Ryan autant que moi. J'ai poursuivi :

— Selon une déclaration qu'elle a faite aux urgences en 2004, Pomerleau aurait été kidnappée par Catts quand elle avait quinze ans.

— Difficile de dater précisément son enlèvement. Elle vivait loin de sa famille, et sa disparition n'a jamais été signalée.

— Même chose pour Colleen Donovan. Et pour mon squelette inconnu, le ME107-10.

— Du nouveau, de ce côté-là ?

— Rien. J'ai enregistré les descripteurs dans les banques de données habituelles. Aucun résultat.

— Ça me sidère toujours. Un enfant si jeune qui disparaît et personne qui le recherche !

— C'est l'âge qui te dérange ?

— Qu'est-ce que tu veux dire ?

— Pomerleau et Catts choisissaient des filles âgées de quinze à dix-neuf ans. Les dernières victimes sont plus jeunes. Ou paraissent plus jeunes, dans le cas de Donovan.

— Les psychoses peuvent évoluer avec le temps, a répondu Ryan.

Birdie a choisi ce moment pour sauter sur le bureau et se rouler sur le dos.

Je lui ai gratté le ventre. Il s'est mis à ronronner.

— Tu crois qu'on devrait prévenir Slidell ?

Ryan s'est contenté de me regarder.

Je suis bien allée à Heatherhill le dimanche. Mon sentiment de culpabilité de ne pas venir en visite surpassait largement celui que j'éprouvais de ne pas me consacrer à l'enquête.

J'ai trouvé maman assise en tailleur sur son lit, le visage éclairé par son petit ordinateur. Sa porte était fermée et la télé hurlait.

J'ai d'abord eu droit à une leçon de morale, puis maman a poussé un soupir et admis qu'elle était ravie de me voir.

Pas de terrasse à cause du temps couvert et froid. De plus, maman insistait pour que nous restions dans sa chambre. Elle était tendue, agitée. Au cours de ma visite, elle s'est précipitée plusieurs fois vers la porte pour coller son oreille contre le battant.

J'ai tenté d'orienter la conversation sur des sujets plus légers. Peine perdue. Maman, à son habitude, ne s'est pas laissé faire.

Par malheur, ou par bonheur, elle n'avait rien découvert d'autre sur les enlèvements et les meurtres. Je lui ai conseillé de prendre les choses calmement. En usant de tournures qui pouvaient lui donner à penser que l'enquête avançait plus vite qu'en réalité.

Elle a voulu un état des lieux complet de la situation à ce jour. Je lui ai donné un vague aperçu des progrès obtenus dans mon domaine.

Elle a posé des questions sur Ryan. J'ai su admirablement rester dans le flou.

Lorsque j'ai voulu aborder la chimiothérapie, je me suis fait rabrouer. Quand j'ai voulu savoir ce que devenait Goose, Maman a levé les yeux au ciel et balayé la question du revers de la main.

Je suis rentrée à la maison sur le coup de neuf heures du soir. Entre deux cuillerées de glace au chocolat et nougat Ben & Jerry's, Ryan m'a relaté sa journée. Resté à Charlotte, il s'était plongé dans les dossiers qu'il n'avait pas eu le temps d'ouvrir le samedi. De son côté, Slidell avait fait les boutiques de prêteurs sur gages, à la recherche de la bague de Leal.

Ryan avait l'air découragé. Son ton de voix l'était tout autant. Il s'était concentré sur les chronologies des différentes enquêtes, les dates des mesures prises par les détectives, des coups de téléphone et des demandes émanant du public.

— Pour Donovan et Koseluk, pas grand-chose à explorer. Rien ne s'est passé dans les semaines qui ont suivi leur disparition à l'une et à l'autre, et personne n'a appelé. J'ai laissé tomber.

La morgue avait dû recevoir de nouveaux cadavres à cette époque, et les flics étaient passés à autre chose. Mais cela, je ne l'ai pas dit.

— Pour Estrada, l'enquête était plus approfondie. Les interrogatoires ont été menés à la fois à Salisbury et dans le comté d'Anson. Tout le monde y est passé : les délinquants sexuels répertoriés, les amis et la famille, les enseignants, les propriétaires de terrains de camping, les gens qui habitaient le long de la route.

Il aurait aussi bien pu parler de Nance ou de Gower. De n'importe quelle enquête sur un meurtre d'enfant. Là non plus, je n'ai rien dit.

— Plusieurs interrogatoires ont nécessité un suivi. Mais ça n'a débouché sur aucun suspect sérieux.

— Tout le monde avait un alibi ?

— Oui. Après la découverte du corps d'Estrada, il y a eu la vague habituelle des appels téléphoniques. Parmi ceux que la foule accusait, un propriétaire de magasin de sport, un jeune qui faisait trop de bruit avec sa Harley et roulait trop vite, un fermier qui avait abattu son colley.

— Ceux qui haïssent les motards et ceux qui adorent les toutous.

— Exactement. Les appels se sont espacés peu à peu, pour cesser complètement au bout d'un mois.

— Il y a eu aussi le fameux scandale, ai-je rappelé. Quand le détective en chef a dû prendre sa retraite et que Hull a finalement hérité du dossier.

— Le tout dernier appel a été passé par une journaliste du *Salisbury Post*. Six mois après la disparition d'Estrada.

— Plus rien ensuite.

Ryan a reposé son bol et sa cuillère. S'est tapoté la poitrine. Puis se rappelant où il se trouvait, a laissé retomber sa main.

— Tu peux fumer, ça ne me dérange pas.

Gros mensonge. Je déteste que ça sente la cigarette chez moi.

— Ah bon.

Un coin de sa bouche est remonté un petit peu. Il a laissé passer un temps avant de reprendre :

— Ce n'est pas que les flics n'ont pas voulu résoudre ces affaires, c'est qu'ils n'avaient aucun élément de départ. Pas d'ex-prisonnier travaillant à la ferme, pas d'enseignant psychotique, pas de parent violent. Vu leur jeune âge, ces victimes ne pouvaient pas avoir de petit ami enragé contre elles. Et, à l'exception de Donovan, aucune d'entre elles n'était une fille à problèmes.

— Donovan et Estrada n'étaient pas le genre de victimes que la presse adore, ai-je dit sans parvenir à dissimuler mon amertume. Au moment où les corps ont été retrouvés, personne n'a jugé bon de se déranger. Pas un témoin, pas un médecin légiste.

— Rien qui puisse désigner un suspect.

— Jusqu'à ce que Rodas découvre cet ADN.

Vision éclair d'une silhouette à contre-jour s'élançant à travers les flammes, un bidon de cinq litres dans les mains.

Assortie d'un souvenir olfactif : l'odeur de kérosène mêlée à celle de mes cheveux en train de brûler. Assortie aussi du souvenir de la terreur ressentie en me réveillant dans une maison en flammes. La colère m'a contractée à la façon d'un muscle, et j'ai lâché :

— Pomerleau me déteste.

— Elle nous déteste tous les deux.

— C'est à cause de moi qu'elle sévit en Caroline, ai-je dit tout en ayant bien conscience de faire dans le mélodrame. Je l'ai laissée s'échapper. Elle me nargue. Elle veut se rappeler à mon souvenir.

— C'est notre faute à tous, si elle a réussi à s'enfuir.

— C'est à cause de nous que ces petites filles sont mortes et qu'une autre va mourir bientôt.

Deux yeux bleus au regard furieux se sont plantés dans les miens.

— Cette fois, le papillon vole trop près de la flamme.

— Oui. Elle va se brûler les ailes.

C'est idiot, mais on s'est tapé dans la main.

Le lendemain matin, il ne restait plus rien de notre belle confiance en nous.

# Chapitre 14

Ma chambre donne sur la terrasse. Quand j'ai ouvert les volets le lendemain matin, j'ai vu Ryan en bas. Il était assis sur l'un des bancs en fer forgé, penché en avant, les coudes sur les genoux. J'ai cru qu'il fumait. Mais sa tête est tombée et ses épaules se sont mises à tressauter. Petites secousses irrégulières.

J'ai eu l'impression qu'on m'aspirait les entrailles de l'intérieur. L'impression aussi d'être une voyeuse, et je me suis vite éloignée.

Un brin de toilette et direction la cuisine.

Le café était en train de percoler. Birdie grignotait ses croquettes. La télé était allumée, le son coupé.

À l'écran, une succession de plans représentant un camion en portefeuille. À côté, une présentatrice avec des dents anormalement blanches et pas un cheveu qui dépasse de la coiffure. Dans l'expression, un dosage savamment équilibré d'effarement et d'inquiétude.

Je m'offrais un yogourt agrémenté de granola en lisant l'*Observer* quand la porte de derrière s'est ouverte sur Ryan. Il s'était repris en mains, mais ses yeux rouges et gonflés trahissaient son état intérieur.

— Délicieux, ton café ! (En soulevant ma tasse.)

Il s'est assis en face de moi.

— Tu as vu ça ?

Je lui ai fait voir le gros titre. En dessous de la pliure, mais quand même en première page. *Pas d'arrestation dans l'affaire Shelly Leal.*

— Slidell va être vert de rage, a réagi Ryan.

— Surtout que tout l'article donne l'impression que c'est Tinker et le SBI qui sont aux commandes.

— Tu le connais, celui-là... Leighton Siler? a précisé Ryan en plissant les yeux pour déchiffrer le nom de l'auteur de l'article.

— Non. Probablement un nouveau venu à la section des affaires criminelles. (Avec un mouvement du menton en direction de Miss Dents banches:) Ils en parlent à la télé.

Génial. Une caméra avait immortalisé mon doigt d'honneur dans le stationnement du MCME.

— Daisy n'aimerait pas du tout cette vulgarité.

— On se retape les dossiers?

Il a fait oui de la tête.

— Pour l'heure, il n'y a aucun lien évident entre toutes ces filles. Médecin, bibliothèque, école, passe-temps, colonies de vacances, concours de beauté, profs, pasteurs, curés, animaleries, allergies ou bouton de fièvre, rien en commun. On en est toujours au degré zéro pour les renseignements sur Nance et Leal. Je vais me pencher sur les détails, voir s'il n'y en a pas un qui aurait pu être négligé ou sous-estimé. Parce qu'il y a forcément quelque chose qui relie toutes ces victimes.

Un jour, Ryan m'a exposé sa théorie du big bang. Appliquée à une enquête, c'est une idée, ou un éclairage, qui tout d'un coup vous propulse dans la bonne direction. C'est le moment synaptique où la compréhension de ce qui se passe explose comme un coup de tonnerre et où les recherches se retrouvent subitement orientées vers la bonne trajectoire. Ryan est persuadé que dans toutes les affaires criminelles il se cache au moins un big bang. Dans le cas de ces «pauvres petits agneaux», et malgré sa douleur personnelle, il était déterminé à découvrir où il se cachait. Sa force de conviction m'a redonné du cœur au ventre.

J'étais en train de faire la vaisselle quand le téléphone a sonné. Larabee. Pour me rappeler que le procureur venait spécialement au MCME ce matin pour revoir avec nous nos conclusions dans un procès qui devait s'ouvrir prochainement.

Son entretien avec lui était programmé pour huit heures, le mien pour neuf heures.

L'affaire concernait un acteur de Los Angeles venu à Charlotte pour tenir le rôle d'un lapin dans un long métrage. Après deux jours de tournage, l'homme s'était volatilisé. Quatre semaines plus tard, il avait été retrouvé dans une canalisation près du champ de courses de Chantilly. Un de ses ex petits amis avait été arrêté et accusé de meurtre au premier degré.

Pendant que je discutais avec Larabee, Ryan m'a indiqué par signes l'étage du dessus. J'ai fait oui de la tête. J'avais bien autre chose à l'esprit, et j'étais énervée : dorloter un avocat n'était pas du tout ce que j'avais prévu de faire dans la journée.

Dix minutes plus tard, Ryan est revenu, ses cheveux mouillés plaqués en arrière sous sa casquette du Costa Rica. Jeans et polo à manches courtes sur un chandail à manches longues.

Nous ne nous sommes pas dit grand-chose pendant le trajet. Grâce à lui, la voiture sentait à plein nez la merveilleuse odeur de musc de mon savon noir égyptien hors de prix. Mon passager déposé au quartier général de la police, j'ai continué jusqu'au MCME.

Je passais en revue mon dossier sur M. Lapin quand Larabee s'est matérialisé sur le pas de ma porte.

— Tu as passé un bon week-end ?

— Oui, et toi ?

— Je ne peux pas me plaindre. Il paraît que Ryan prolonge son séjour.

— Mmm.

Qui pouvait bien le lui avoir dit ? Slidell, probablement.

— Tu ne devineras jamais de qui j'ai reçu un message ce matin.

Larabee aime me faire dire moi-même ce qu'il a à me dire. Je trouve ça d'un ennui sidéral.

— Une limace de mer géante.

— Très drôle.

— Et elle joue toute la semaine chez nous.

— Marty Parent.

Il m'a fallu un moment pour remettre une tête sur ce nom.

— Ah oui, la nouvelle analyste du labo de la police, spécialiste de l'ADN.

— C'est une fonceuse doublée d'une lève-tôt. À sept heures quatre, son message pour que je la rappelle.

J'ai attendu la suite.

— Ce que je compte faire dès que j'en aurai fini avec le Vinny Gambini qui est déjà en place. (Avec un mouvement de la tête vers la petite salle de conférences.)

— C'est qui ?

— Connie Rossi.

Constantin Rossi travaille au bureau du procureur depuis aussi longtemps que je me souvienne. Il est malin, organisé et ne vous fait pas perdre votre temps. Il n'essaie pas non plus de vous faire dire des choses qui vont au-delà des faits sur lesquels vous basez vos conclusions.

— C'est un type bien, Rossi.

— Oui, a renchéri Larabee.

À onze heures, l'entretien était achevé. Je suis partie à la recherche de Larabee. Il était en salle d'autopsie n° 1, occupé à découper un cerveau.

— Qu'est-ce qu'elle te voulait, Parent ?

Il m'a dévisagée, un couteau dans une main, le tablier et les gants couverts de sang. Il m'a répondu à travers les trois épaisseurs de son masque en papier accroché à ses oreilles.

— Je ne sais pas si c'est une bonne ou une mauvaise nouvelle.

Je lui ai fait signe d'accoucher. Il a déposé son couteau et baissé son masque.

— Elle a passé tout le week-end à analyser le frottis sur la veste de Leal.

— Tu rigoles.

— Elle est divorcée et son enfant était avec son ex.

— Quand même.

— L'enfant, c'est une petite fille de dix ans.

— Je vois. (J'aurais fait pareil quand Katy était petite si un maniaque s'en était pris aux enfants de son âge.)

— Tu as visé dans le mille. Ce que la lumière bleue a fait apparaître, c'est bien une empreinte de lèvre. Sur le coton-tige, il y avait de la cire d'abeille, de l'huile de tournesol, de l'huile de noix de coco, de l'huile de soja.

— Un baume à lèvres.

— Exactement.

J'ai senti mon pouls s'accélérer.

— De la salive ?

Le sourire de Larabee m'a fourni la réponse.

— *Shit.* Dis-moi maintenant qu'elle a recueilli de l'ADN.

— Elle a recueilli de l'ADN.

— *Yes !*

J'ai accompagné mon cri de ce mouvement de pompe avec le bras qui signifie la victoire.

— Elle va l'enregistrer dans le système aujourd'hui.

— Au Canada aussi ?

— Peut-être.

— Qu'est-ce que ça veut dire, peut-être ? Ça va forcément nous ramener à Pomerleau.

Parce qu'il était là, le big bang de Ryan ! J'en sautais déjà de joie. Slidell aurait son groupe de travail.

— Tu sais ce que c'est, l'amélogénine ?

Larabee parlait d'un groupe de protéines qui interviennent dans la formation de l'émail selon un processus nommé amélogénèse. Les amélogénines sont considérées comme des éléments absolument indispensables dans la formation des dents.

Les gènes de l'amélogénine, l'AMEL-X et l'AMEL-Y, sont situés sur les chromosomes sexuels, la version X étant légèrement différente de la version Y. Comme dans l'espèce humaine, les femelles sont XX et les mâles XY, cette différence étant utile pour déterminer le sexe. Deux pointes, et votre auteur des faits est un gentleman. Une pointe, il appartient à la gent féminine.

— Oui ? ai-je répondu en élevant la voix, intriguée que Larabee me pose une telle question.

— L'amélogénine a indiqué que cette salive avait été déposée par un homme.

— Parent en est certaine ? (Évidemment qu'elle l'était. Sinon elle n'aurait pas téléphoné.)

— Absolument.

— Ça n'arrive jamais que l'amélogénine se trompe ?

— Il y a eu des cas de mauvaise interprétation du résultat avec des féminins positifs. Probablement parce que l'allèle spécifique de l'Y manquait. Mais je n'ai jamais entendu parler d'une erreur dans l'autre sens.

Je le savais bien. C'est la stupéfaction qui me faisait poser des questions aussi bêtes.

— Je te préviendrai si Parent obtient un résultat avec la base de données locale ou avec le CODIS, a conclu Larabee, et il a remonté son masque avant de reprendre en main son couteau.

Retour dans mon bureau où je suis restée à écouter le silence, abasourdie. Déçue. Mais surtout en pleine confusion.

Les chefs de Slidell auraient-ils raison, et le meurtre de Leal n'aurait-il rien à voir avec celui de Gower et de Nance ? Ni avec les autres ? L'assassin serait-il un homme ?

Mais la récurrence en matière de victimologie et de mode opératoire ? Les similitudes en âge, les ressemblances physiques. Les enlèvements pratiqués en plein jour. Les corps non dissimulés, laissés dans des poses identiques. C'était forcément l'œuvre d'un seul et même auteur. C'était forcément Pomerleau.

Le nom a déclenché un sursaut d'activité parmi mes neurones. Vision d'un trou de la taille d'une pièce de dix cents et de sang coulant le long de la ligne de cheveux, de la tempe, de la joue. Un salon mal éclairé au mur éclaboussé de cervelle.

Doux Jésus. Serait-ce possible ?

J'ai appelé Ryan et lui ai transmis la nouvelle.

— Ça peut très bien ne rien être du tout. Juste quelqu'un qui a frotté son visage contre cette veste accidentellement.

— L'empreinte présentait des bords nets.

— Ce qui veut dire ?

— Qu'elle n'est pas due à un glissement résultant du hasard.

— On n'a aucune idée du temps depuis lequel cette empreinte est sur cette veste. Ça peut faire une semaine, comme ça peut faire un mois.

— Sur du nylon ? Et dehors ? Impossible. Il y avait trop de détails. Le contact s'est produit à un moment proche de l'heure à laquelle Leal a été tuée.

Ryan a gardé le silence un long moment. Je savais que ses pensées suivaient le même cheminement que les miennes tout à l'heure. Il a fini par demander :

— Tu crois qu'elle a un complice ?

— Un autre tordu comme Catts ?

Une longue pause, de nouveau. Il y avait des hommes dans la pièce où se trouvait Ryan. J'entendais leurs voix. Très clairement. Il m'a coupée la parole juste au moment où j'allais lui demander à quoi correspondait ce bruit de fond.

— Et ces cheveux que Larabee a trouvé dans la gorge de Leal ?

— Il n'en a pas parlé.

Et moi, j'avais été trop branchée sur l'amélogénine pour lui poser la question.

— Slidell va en chier dans son caleçon, a dit Ryan.

— Où est-il ?

— Ici. Sa recherche sur la plaque d'immatriculation a produit douze cents possibilités. Il vient de réinterroger le gros malin qui a vu la petite dans Morningside.

— Dans l'espoir de quoi ?

— D'obtenir plus de détails sur les chiffres, peut-être, l'ordre dans lequel ils étaient, la couleur du véhicule, un quatre-portes ou un deux-portes, ce genre de chose. Pour avoir une meilleure idée des indices qui sont les bons.

— Et le résultat ?

— La voiture était bleue ou noire. Et le dernier chiffre de la plaque pourrait être un 1.

— Skinny ne doit pas être content.

— C'est un euphémisme. Surtout que Tinker n'a rien trouvé de mieux que de pointer le bout de son nez. Depuis qu'il est là, c'est le concours de quéquettes.

— Il fait quoi, Tinker ?

— Réétudie le dossier Leal et répond à la tribune téléphonique.

— Des appels intéressants ?

— Les zozos habituels. Un prof qui critique la mode impudique des jeunes d'aujourd'hui. Un homme qui déblatère sur les musulmans. Une femme qui met ça sur le compte de la baisse de fréquentation dans les églises.

— Admirable. Et tes recherches à toi ?

— J'en ai fini avec Gower. Ce Rodas, il va au fond des choses.

— Umpie.

— Quoi ?

— Son nom est Umpie.

J'ai ensuite passé en revue Koseluk et Estrada. Rapports, dépositions, messages téléphoniques, tuyaux. Rien. J'ai abandonné Donovan pour prendre ton appel.

— Et maintenant?

— Je braque la lumière sur Pomerleau. J'ai adressé des requêtes au Québec, dans le Vermont et ici pour tout l'État leur demandant de vérifier de fausses identités possibles. J'ai joint une liste.

— Comment tu l'as établie?

— Les gens ne sont pas tous créatifs. Ils ont tendance à utiliser des noms faciles à retenir, généralement une variante de leur propre nom, et avec les mêmes initiales. Ann Pomer. Ana Proleau. Un truc dans le genre.

— Ça vaut le coup d'essayer.

— Ensuite, je vais interroger le service des immatriculations, la sécurité sociale, les impôts. Ça vaut ce que ça vaut, on verra bien.

— C'est mieux que rien.

Combien de fois Ryan et moi nous étions-nous répété ces phrases au fil des ans?

La querelle en bruit de fond a augmenté de volume. Une porte a claqué. Je me suis demandé qui de Slidell ou de Tinker avait foutu le camp.

Imperméable au drame, Ryan a continué:

— Quand Pomerleau nous a échappé en 2004, on a envoyé sa photo à travers le continent.

— Ouais, ai-je ricané, une photo d'elle à quinze ans!

— C'est vrai. N'empêche qu'on a reçu des douzaines d'appels.

Je m'en souvenais. Pomerleau avait été vue à Sherbrooke, Albany, Tampa, Thunder Bay.

— Où veux-tu en venir?

— On manque de pistes, ici.

— Et?

— Peut-être qu'il y en a là-bas.

J'ai hoché la tête. Bien inutilement, puisque Ryan ne pouvait pas me voir.

— Il faut aller à Montréal.

# Chapitre 15

J'ai vérifié avec Larabee : pas de problème pour que je m'absente quelques jours.

Avant de quitter le bureau, j'ai réservé deux billets sur le vol direct de 20 h 25 jusqu'à Montréal-Pierre-Elliott-Trudeau. Quelques coups de fil aussi pour la garde du chat.

Mon voisin n'était pas disponible, mais peut-être que sa petite-fille… Elle vivait à quelques pâtés de maison de Sharon Hall.

J'ai appelé. Mary Louise Marcus acceptait de s'en charger au prix colossal de dix dollars par jour. Elle a promis de venir à sept heures faire ma connaissance et celle de Birdie.

En route vers le quartier général, arrêt chez Bojangles, le resto préféré de Slidell. J'ai acheté de quoi nourrir six personnes.

Il était plus de deux heures quand je suis arrivée. Slidell, assis à l'ordi, les lèvres serrées, remuait lentement la tête d'un côté à l'autre.

Tinker enfonçait des épingles dans une carte de Caroline du Nord étalée sur un panneau en liège qui n'était pas là auparavant. Aujourd'hui, il avait tout d'une carte de mode signée WiseGuys R US : veste noire, chemise noire, cravate brillante de couleur lavande.

Ryan parlait dans son cellulaire. En l'entendant prononcer le prénom Manon, j'ai compris qu'il essayait de localiser la famille Violette. Son calme français planait sur une atmosphère d'hostilité en suspens.

J'ai jeté ma veste sur une chaise et attendu. Son coup de fil achevé, Ryan m'a mise au courant.

En ce qui concernait la plaque d'immatriculation, Slidell faisait du surplace.

Pour l'ordinateur de Leal, le spécialiste informatique avait récupéré seulement des bribes de données sans intérêt pour l'enquête. Quant à celui de Nance, Barrow essayait toujours de le localiser.

Restait le vieillissement de la photo de Pomerleau : ça demanderait plusieurs jours, peut-être même une semaine.

Même chose pour le séquençage ADN des cheveux extraits de la trachée de Leal.

Côté recherches toxicologiques : néant.

J'ai déposé mes sacs de nourriture sur la table.

— Comment Slidell a réagi au résultat de l'amélogénine ?

— Par un commentaire tout sauf constructif.

— Lunch ! ai-je lancé à la ronde.

Les yeux de Slidell se sont relevés au-dessus de son écran. J'aurais pu suivre sur son visage le trajet de l'odeur de friture depuis mes sacs jusqu'à ses lobes olfactifs.

Il s'est hissé sur ses pieds pendant que je commençais à disposer assiettes en carton et couverts en plastique. Dans mon dos, j'ai entendu Tinker traverser la pièce dans un bruit de clés secouées au fond d'une poche ou cognant contre une boucle de ceinture.

— Nous devons réfléchir aux autoroutes, a déclaré ce dernier en se servant une bonne cuillerée de pommes de terre en purée. (Il a ajouté de la sauce, de la salade de chou et un biscuit.) Nance a été abandonnée à Latta Plantation, près de l'autoroute I-485. (À Slidell :) Tu vas tripoter tous les morceaux ?

Slidell a continué de soulever ailes et pilons. Il a peut-être même ralenti sa fouille. Il a fini par extraire deux cuisses et deux ailes de la boîte.

Au tour de Tinker de se servir. Il a pris un morceau de poitrine, a mordu dedans et a continué sur sa lancée :

— Gower a été laissée juste à côté d'une route nationale, d'après Rodas. La Vermont 14, si je ne me trompe.

— Un vrai génie ! a lâché Slidell en rongeant son pilon. Maintenant qu'on a établi que les victimes avaient été transportées en voiture, on va pouvoir laisser de côté tous les hélicoptères et autres bateaux de plaisance.

À quoi bon poursuivre dans le sarcasme ? Mieux valait calmer le jeu.

— Koseluk a été enlevée à Kannapolis, Estrada à Salisbury. Ces deux villes se trouvent le long de l'autoroute I-85.

Tinker m'a dévisagée de ses petits yeux de poisson frit. A pris le temps d'avaler sa bouchée.

— Ces deux-là, je vais avoir du mal à leur trouver un rôle dans le spectacle.

— Quant à Leal, elle a été découverte près de l'I-485, ai-je ajouté néanmoins.

— L'amélogénine dit qu'elle n'entre pas non plus dans la troupe.

— Pas sûr.

Tinker a fait un mouvement dont le sens combinait à la fois l'indifférence du haussement d'épaules et l'intérêt exprimé par le geste de la main pour signifier d'accélérer.

— Pomerleau a pu avoir un complice. Ou...

Slidell m'a interrompue pour lancer à Tinker, sur un ton dégoulinant de mépris :

— Un petit nombre de victimes, c'est plus facile pour remonter son nœud papillon, hein ? Pour redorer son image ?

— Vous parlez de vous, détective ? a rétorqué Tinker. Vous faites des projections personnelles ?

Coup d'œil à Skinny. Ses paupières inférieures, contractées, étaient secouées de tremblements. De la graisse mousseuse dégoulinait de sa lèvre supérieure jusque sur son menton. Dans cinq minutes, il allait entarter Tinker au gras de poulet, et l'autre ne l'aurait pas volé avec ses petits airs prétentieux.

— De quoi tu parles, *fuck* ?

Maintenant, c'est Slidell qui a eu droit au regard de merlan frit de Tinker. Pendant un moment, leurs deux paires d'yeux se sont vrillées l'une à l'autre. Slidell s'est détourné le premier.

— J'en ai ma claque. Je travaille pas avec ce nain.

Et de quitter la salle en emportant son poulet dans une serviette en papier.

Son assiette terminée, Tinker s'est essuyé les mains, un doigt après l'autre, puis s'en est retourné à sa carte et à ses punaises.

Échange de regards avec Ryan, les sourcils levés haut sur le front. J'ai désigné le poulet. Il a fait non de la tête.

La pensée m'est venue que je n'avais jamais répondu à une question de Slidell à propos d'un téléphone cellulaire qu'aurait possédé la petite Nance. J'ai donc demandé à Ryan s'il en était fait mention dans son dossier. Non, rien à ce sujet.

Tout en débarrassant la table, j'ai informé Ryan que j'avais réservé les billets d'avion.

Il a marqué un temps d'hésitation avant de me remercier. Et de me demander combien de temps nous avions devant nous. J'ai proposé de quitter les lieux aux alentours de six heures. Sur un hochement de tête, il a attrapé son cellulaire et s'est mis à enfoncer des touches brutalement.

Il n'était pas revenu à Montréal depuis la mort de Lily. Quelle tempête pouvait bien tourbillonner en lui ? J'ai gardé pour moi mes questions.

Entre les panneaux consacrés à Nance et à Koseluk, il y en avait plusieurs de vides. J'ai punaisé sur l'un d'eux diverses informations concernant le cas ME107-10 dont j'avais le dossier sur moi. Profil biologique. Heure estimée du décès. Date de la découverte. Localité. Photos du corps et de l'environnement.

Tinker a abandonné ses punaises pour venir reluquer mon état des lieux. Pas grand-chose à se mettre sous la dent, à vrai dire.

— C'est une idée fixe !

— Il y avait encore des bouts de vêtements sur certains groupes d'os. Ce qui manque a probablement été emporté par des charognards.

Tinker a eu un petit assentiment du chef qui ne l'engageait guère.

— Un bon nombre de détails sont conformes au modèle.

— Elle était où, cette enfant ?

Je lui ai montré l'endroit sur sa carte. Il y a planté une épingle jaune. Pour me faire plaisir.

Il m'a fallu un moment pour déchiffrer son codage. Le vert marquait le croisement où Nance avait été vue pour la dernière fois, le rouge l'endroit où son corps avait été retrouvé. Couleurs des feux de la circulation pour les meurtres solidement reliés entre eux par ADN.

Le bleu indiquait les endroits où les filles «qui ne faisaient pas partie du spectacle» avaient été vues pour la dernière fois, le jaune les endroits où Estrada et Leal avaient été découvertes.

Un flot arc-en-ciel de punaises s'écoulait du nord au sud, le long de l'autoroute I-85, encerclait Charlotte par l'I-485 c'est-à-dire le périphérique, et filait vers la frontière avec la Caroline du Sud.

Une punaise rouge et deux bleues dans des quartiers défavorisés.

Une jaune, toute seule, dans le coin sud-est de la carte.

Tinker a lu dans mes pensées.

— Le corps d'Estrada n'était nulle part à proximité de l'I-85.

— Le camping où elle a été retrouvée, près de la réserve naturelle Pee Dee, n'est pas loin de la NC-52, ai-je fait remarquer, voulant à tout prix voir un modèle surgir de cette configuration. Quant à la Latta Plantation où était Nance…

Je réfléchissais à voix haute, retournant les pièces du puzzle dans tous les sens dans l'espoir de les voir s'imbriquer les unes dans les autres.

— Le ME107-10, mon inconnue, a été retrouvée au jardin botanique Daniel Stowe ; Gower dans une carrière.

— Mettez le champagne au frais ! Notre criminel est un amant de la nature !

Sur un sourire frisquet à l'adresse de Tinker et de son cynisme, j'ai repris mon affichage du ME107-10.

Les deux heures suivantes, nous avons travaillé sans quasiment parler. Mon tableau de l'inconnue achevé, je suis passée à la fille dont nous ne savions presque rien, Colleen Donovan.

Ryan avait raison. Les efforts déployés pour la retrouver étaient bien pauvres. Et visiblement, la paperasserie n'était pas le fort de Pat Tasat.

Parmi les gens interrogés : sa tante, Laura Lonergan, une accro à la meth qui faisait des passes à l'occasion ; le directeur d'un centre pour sans-abri ; une douzaine de jeunes itinérants ; une pute appelée Sarah Merikoski, également connue sous le nom de Crystal Rose. C'était elle qui avait signalé la disparition.

À un certain moment, j'ai entendu Slidell rentrer dans la salle en traînant les pieds et s'installer à l'ordinateur.

J'ai continué à lire les résumés des interrogatoires.

Ils illustraient parfaitement le cliché selon lequel ou bien une affaire se résout dans la frénésie des premiers jours, quand les souvenirs des témoins sont encore vifs, les indices tout frais et les théories abondantes, ou bien elle traîne en longueur et se dessèche peu à peu jusqu'à devenir un cas non résolu. Et plus la période de sécheresse se prolonge, plus le gel s'installe profondément.

Cliché, disais-je? Parce que les circonstances viennent constamment les valider. Mais tel n'était pas le cas pour Colleen Donovan.

Il aurait pu s'écouler vingt-quatre heures, quarante-huit heures ou dix-huit mois depuis sa disparition, cela n'aurait fait aucune différence. Parce que depuis l'instant où elle avait franchi le seuil de chez elle, aucun indice d'aucune sorte ne signalait ce qui lui était arrivé. Ni quand. Ni pourquoi.

Au cas où il lui serait effectivement arrivé quelque chose. Car il n'existait pas non plus de preuve qu'elle puisse avoir été tuée. Pas d'éclaboussure de sang sur le mur d'une chambre d'hôtel. Pas d'objet chéri oublié dans un centre pour sans-abri. Pas de portefeuille ou de sac découvert dans une poubelle. Pas de craintes confiées tout bas à quelqu'un à propos d'un souteneur ou d'un proxénète. Tous les témoins s'accordaient à dire que la vie dans la rue, c'est dur et imprévisible. Les jeunes, ça va, ça vient. Et tout le monde sauf Merikoski pensait que Colleen avait pris la clé des champs de son propre gré. Merikoski, une prostituée de la vieille école, qui avait pris Donovan sous son aile pour tout ce qui touchait à l'industrie du sexe. Et encore, elle aussi avait des doutes.

En l'absence de preuves et d'indices, pas de récit possible. Or l'absence de récit signifie: pas de suspect.

Dans ces cas-là, pas de big bang à attendre. Je me suis donc concentrée sur la chronologie.

À un moment, j'ai eu vaguement conscience que Slidell quittait son clavier. Il y a eu des éclats de voix du côté des tableaux en liège.

Quelques bonnes âmes avaient quand même contacté la police, pas beaucoup. Un enfant, dénommé Jon Sapuppo, disait avoir vu Donovan dans un bus, boulevard Wilkinson, deux semaines après que Merikoski avait signalé sa disparition.

L'employé d'une station-service dans Freedom Drive certifiait lui avoir vendu des cigarettes.

La dispute près des tableaux gagnait en volume. Mon cerveau l'a parfaitement enregistré, mais j'ai décidé de l'ignorer.

Peu à peu, les appels de témoins avaient baissé en nombre jusqu'à cesser complètement aux alentours de la fin février. En août, la tante avait contacté le quartier général pour savoir où en était l'affaire. Depuis, plus rien.

— … tu mets en doute mon intégrité ?

— Je mets en doute tes efforts.

Slidell et Tinker, encore.

— Tu t'en tiens aux cas non résolus, a jeté Slidell sèchement. Je me réserve Leal.

— Chat échaudé, Skinny ?

— Qu'est-ce que diable t'entends par là ?

Je me suis retournée sur ma chaise. Slidell fixait Tinker, les bras baissés le long du corps, les poings serrés.

— Tu te fatigues pas trop ? T'as choisi de la jouer en toute sécurité ?

— Je me donne à fond. C'est juste qu'y a pas grand-chose à ronger.

— T'as enquêté sur le gars qui a repéré la voiture ?

— Il a des cataractes et une prostate de la taille d'une citrouille.

— Et ta recherche à l'ordi, ça va ?

— Très bien ! (Slidell, sur un ton dangereux.)

— T'as obtenu le dossier de Donovan de la cour juvénile ?

— Ouais. Elle a piqué une montre chez Kmart. A été prise dans une descente avec trente grammes d'herbe dans son sac. Oh, et le meilleur : elle est tombée quand elle était complètement gelée et elle a dû se faire recoudre la gueule.

Ça a calmé Tinker un bref instant.

— Cette Pomerleau, cinq ans qu'elle se balade dans ton secteur et t'arrive toujours pas à lui mettre le grappin dessus ?

— J'ai suivi toutes les pistes, espèce de tas de m…

— Vraiment ?

— Qu'est-ce que tu sous-entends ?

— Je me pose juste des questions, vu que l'autre affaire, ça t'a pris du temps pour la mettre derrière toi. Peut-être que ce coup-ci, t'as décidé de la jouer pépère. De faire les choses comme il faut, comme ça tout le monde oublie et, très vite, tu redeviens une vedette.

— T'es rien qu'un foutu crétin !

— À moins que ça soit autre chose, ton problème ? (La bouche de Tinker s'est rétrécie en un rictus doucereux.) Autre chose de plus personnel.

Slidell, le visage presque violet, a posé un regard dur sur Tinker.

— Tu le savais forcément que Verlene finirait par trouver mieux, a poursuivi Tinker en remuant ses sourcils à la façon de Groucho Marx.

— Bordel de bordel !

J'ai bondi sur mes pieds.

— Faut vous rafraîchir au tuyau d'arrosage, tous les deux ?

Slidell m'a dévisagée en secouant la tête d'un air dégoûté signifiant que je n'y pigeais rien du tout.

— Je dépose une plainte contre ce trou de cul.

Il a tourné les talons et quitté la salle.

Coup d'œil à ma montre. Ryan avait fini d'examiner les dossiers et se concentrait sur Montréal. Je suis retournée près des panneaux. Brusquement, un pssst à l'intérieur de ma tête m'a signalé un détail passé inaperçu. À ce moment-là, j'avais les yeux fixés sur la photo de classe de Shelly Leal.

De quoi s'agissait-il ?

Les punaises de Tinker ne semblaient pas créer de modèle particulier. Ni faire apparaître de profil géographique susceptible d'être à l'origine d'un acte spécifique.

Les dates, avait dit maman. Celles auxquelles les victimes avaient été vues pour la dernière fois. À l'en croire, c'était cela l'important. Mon inconscient me soufflait-il qu'il y avait quelque chose d'intéressant sur ce panneau à ce sujet ?

Cela faisait maintenant dix jours que Leal avait disparu, le vendredi 21 novembre. J'ai fait apparaître le calendrier 2009 à l'écran de mon iPhone.

Légère excitation en découvrant que Nance avait disparu un vendredi, elle aussi.

Vite, l'année 2007. L'excitation est retombée. C'était un jeudi que Gower avait été vue pour la dernière fois.

Même chose pour Koseluk. Alors qu'Estrada avait disparu un dimanche.

J'ai noté les dates sur un papier et suis retournée à ma table étudier cette liste.

Le pssst était de plus en plus insistant.

À tout hasard, j'ai fait des soustractions.

Je suis restée un temps sans bouger, à fixer les chiffres issus de mes calculs.

Une sensation de boule au bas de ma gorge.

— Ryan?

Il a relevé les yeux.

— Gower a disparu le 18 octobre 2007, Nance le 17 avril 2009.

Il a hoché la tête. À l'évidence, il ne comprenait pas pourquoi je m'exprimais sur un ton aussi froid.

— Entre ces deux enlèvements, l'intervalle est de dix-huit mois.

Nouveau hochement de tête de Ryan.

— Un peu plus de deux ans et demi entre Nance et Koseluk.

— Vingt-neuf mois, a-t-il précisé, après un rapide calcul mental.

— Justement. Si on intercale au milieu de cette période mon squelette inconnu, le ME107-10, les intervalles ont alors une durée d'à peu près quinze mois.

Ryan a voulu dire quelque chose. Je lui ai coupé la parole.

— Koseluk a disparu le 8 septembre 2011. Estrada le 2 décembre 2012.

Ryan a vu où je voulais en venir.

— Oui, quinze mois entre les deux.

— Merikoski a signalé la disparition de Donovan le 1er février 2014.

— Selon sa déposition, elle ne l'avait pas vue de toute la semaine.

— Et Leal disparaît neuf mois plus tard.

— Tu te rappelles la théorie de maman?

— Toutes les dates des disparitions récentes correspondent à des dates où une victime a disparu à Montréal.

Nous avions accepté l'idée que les dates puissent être liées. Maman, elle, était allée plus loin dans son décryptage du modèle. Nous n'avions pas fait de calcul ce jour-là. Résultat, nous n'avions pas compris. Peut-être que nous nous étions bêtement concentrés sur la différence d'âge entre la victime la plus ancienne et la victime la plus récente.

À présent, une même idée s'emparait de nous, et elle était terrifiante.

— Les intervalles commencent à décroître. La prochaine petite fille pourrait être enlevée le 6 février prochain. Dans à peu près deux mois.

II

# Chapitre 16

Nous avons quitté le quartier général de la police avec vingt minutes de retard. Heureusement, la fille qui devait garder mon chat s'est pointée à sept heures précises. Une enfant dégingandée, coiffée d'un chapeau cloche comme en portaient les garçonnes durant les Années folles. Birdie l'a tout de suite prise en amitié. Quand on est partis, Ryan et moi, ils jouaient à cache-cache avec une souris en tissu écossais rouge dans le bureau.

Je fréquente beaucoup les aéroports. Si l'on excepte le retrait des bagages qui y est long comme un jour sans pain, celui de Charlotte-Douglas est sans doute mon préféré. Chaises longues. Piano à queue. Bar à sushis. Mais ce soir-là, pas question de flâner. Nous avons tout juste eu le temps d'attraper un casse-croûte avant de nous ruer vers la porte d'embarquement.

L'avion a décollé pile à l'heure. Deux mille kilomètres de côte Est à parcourir, ça nous laissait de la marge pour avaler notre grillade-frites tiédasse et dresser un plan d'attaque.

Nous savions que nous ne pourrions compter que sur nous-mêmes. Les détectives du Service de police de la Ville de Montréal qui avaient travaillé sur l'affaire, Luc Claudel et Michel Charbonneau, étaient absents. Claudel en France, Charbonneau en congé maladie après une opération du genou. Pas plus mal finalement. Vu les rivalités juridictionnelles qui opposaient les polices provinciale et municipale, nous n'attendions guère d'assistance de la part de Charbonneau sur un dossier vieux de dix ans.

Angela Robinson avait disparu à Corning, en Californie, en 1985. Elle était âgée de quatorze ans. Son squelette était l'un des trois qui avaient été déterrés en 2004 dans la cave d'une pizzeria de Montréal. À force de tomber sur des impasses, Slidell s'était décidé à aller à la pêche aux renseignements. Il allait contacter le bureau du shérif du comté de Tehama. Sans grand espoir. Trente ans étaient passés depuis l'enlèvement de Robinson.

Les autres squelettes appartenaient à Manon Violette et Marie-Joëlle Bastien, toutes les deux disparues en 1994. La première à quinze ans, la deuxième seize.

Ryan s'était renseigné par téléphone. Pour Bastien, résultat nul. Elle était originaire de Bouctouche, au Nouveau-Brunswick. Au cours des vingt années qui avaient suivi sa disparition, sa famille nucléaire s'était dispersée. Il ne restait que quelques lointains cousins dans la région qui n'avaient aucun souvenir, à part qu'elle avait été assassinée et qu'elle était enterrée au cimetière Saint-Jean-Baptiste.

Il avait eu plus de succès avec Manon Violette. Ses parents habitaient toujours à la même adresse, boulevard Édouard-Montpetit à Montréal. Ils avaient accepté, non sans réticence, de nous recevoir le lendemain.

Dans la matinée, après relecture de nos dossiers respectifs, nous irions interroger papa et maman Violette. Ensuite, il nous faudrait tenter de localiser Tawny McGee, seule survivante de la barbarie Pomerleau-Catts. Nous n'espérions pas retirer grand-chose de nos entretiens. Eh bien, au diable. On avait déjà tout essayé.

Autre miracle de l'aviation. Notre avion a atterri en avance. Une telle précision chirurgicale dans la ponctualité me mettait vaguement mal à l'aise.

À la sortie de l'aéroport, un vent glacial, tout droit descendu de la toundra, a fondu sur nous. Oui, j'admets, ça m'a coupé le souffle. Je n'arriverai jamais à m'habituer à cette gifle qu'on prend en débarquant.

Ryan et moi avons partagé un taxi. Il a insisté pour me déposer d'abord. C'était logique. Mon appartement se trouve au centre-ville. Le sien dans une sorte d'empilement de Lego en béton assez bizarre, appelé Habitat 67, au milieu du Saint-Laurent.

Il m'a également proposé de passer me chercher le lendemain matin. J'ai accepté, trop heureuse d'échapper au métro et à la morsure du froid.

Pendant que je cherchais mes clés, le taxi a attendu au bord du trottoir en crachant un petit nuage de fumée blanche contre le scintillement rouge des feux arrière des voitures. Touchant. Même si nous n'avions plus d'avenir ensemble, c'était réconfortant de constater que Ryan se préoccupait encore de ma sécurité.

Il faisait froid et sombre dans l'appartement. Avant d'enlever ma veste de demi-saison bien trop légère, j'ai poussé le thermostat. Au max. Le cliquetis du calorifère a meublé le silence.

Débarbouillage rapide et brossage de dents. Pyjama et au lit.

J'ai rêvé de neige.

À mon réveil, le soleil encadrait les volets d'un filet lumineux. Froid polaire en vue.

Le garde-manger était vide. Pas même un grain de café. Au lieu de faire un saut au *dépanneur** du coin, j'ai préféré me passer de petit-déjeuner.

Ryan a appelé à 7 h 55, en arrivant dans ma rue. J'ai attrapé mon Kanuk, une écharpe et des mitaines. Chaussé des bottes et suis sortie.

J'avais raison. Le froid était tellement intense que j'avais l'impression de respirer des cristaux de glace. Le soleil, cercle tout blanc, flottait dans un ciel bleu immaculé.

J'ai couru jusqu'à la Jeep et j'ai vite grimpé à bord.

Ryan a toujours adoré me taquiner sur mon inadaptation aux climats polaires. Aujourd'hui, rien. Il avait le teint gris et des cernes sombres sous les yeux. Une goutte de sang séché sur son menton trahissait un dérapage de rasoir. Je me suis demandé s'il avait dormi. Si oui, cela avait dû être d'un sommeil hanté par le vide à jamais laissé par Lily dans sa vie.

Je me demandais aussi s'il avait prévenu son équipe de son arrivée ou s'il comptait débarquer à l'improviste. Dans un cas comme dans l'autre, il devait redouter les retrouvailles.

* Les mots en italique suivis d'un astérisque sont en français dans le texte. (N.d.T.)

Vous avez tout compris : je n'ai pas posé de question.

Incroyable mais vrai, pas d'embouteillage dans le *centre-ville\** ni dans le tunnel Ville-Marie. À huit heures et quart, nous nous garions devant l'Édifice Wilfrid-Derome, une tour en forme de T fichée au milieu d'un quartier ouvrier à l'est du centre-ville.

Voici comment l'endroit fonctionne.

Pendant près de vingt ans, j'ai exercé mon métier d'anthropologue judiciaire au sein du Laboratoire de sciences judiciaires et de médecine légale, principal labo du Québec dans ce domaine. Les allers-retours avec Charlotte et la Caroline du Sud ? L'enfer. Mais je vous raconterai ça une autre fois.

Le LSJML occupe les deux derniers étages de l'Édifice Wilfrid-Derome, le douzième et le treizième. Le Bureau du coroner est installé aux dixième et onzième. La morgue et les salles d'autopsie sont reléguées au sous-sol.

La SQ a le reste du bâtiment pour elle. Ryan, lui, est *lieutenant-détective\** de la police provinciale, la Sûreté du Québec.

Une fois passée la porte d'entrée, nous avons présenté nos cartes et franchi des portillons de métal. Tonk, tonk. Ryan a pris l'ascenseur conduisant à la Section des crimes contre la personne, basée au deuxième étage. J'ai attendu l'ascenseur réservé au secteur LSJML et au Bureau du coroner.

Je suis montée dans un concert de « *Bonjour\** » et de « *Comment ça va ?\** » grommelés en français. Bourrus comme il se doit à cette heure matinale, quelle que soit la langue employée.

Une femme de l'unité balistique m'a demandé si j'arrivais de Caroline du Sud. J'ai répondu par l'affirmative. Elle s'est informée de la météo. Ma réponse a déclenché une rafale de murmures mécontents.

Nous avons été cinq à sortir au douzième étage. Un hall au sol en marbre, présentation d'un autre laissez-passer, et encore une fois pour accéder à l'aile médico-légale. D'après le panneau d'affichage, seuls deux pathologistes étaient présents, Jean Morin et Pierre LaManche, le patron. Les autres étaient en train de témoigner, d'enseigner ou en congé.

Dans le couloir, j'ai laissé les labos de pathologie et d'histologie sur ma gauche, les bureaux des pathologistes sur ma droite. Derrière les baies vitrées et les portes ouvertes, je voyais des secrétaires allumer leurs ordinateurs, des techniciens feuilleter des fichiers, des experts revêtir des blouses de laboratoire. En ingurgitant des cafés, tous autant qu'ils étaient.

Le labo d'anthropologie-odontologie était le dernier. J'y suis entrée à l'aide d'une bonne vieille clé à l'ancienne.

Ma dernière visite datait d'un mois. Mon bureau disparaissait sous un empilement de lettres, tracts et prospectus. Un paquet d'empreintes envoyé par un photographe de l'Identité judiciaire. Un exemplaire de *Voir Dire*, la gazette des potins du LSJML. Un formulaire de *demande d'expertise en anthropologie\**.

Après m'être débarrassée de tout mon attirail antifroid, j'ai parcouru la demande de consultation d'anthropologie. On avait trouvé des ossements dans un champ près de Saint-Chrysostome. S'il s'avérait qu'il s'agissait de restes humains, LaManche voulait le profil biologique complet, la date approximative de la mort et un examen des lésions et traumatismes.

Je me suis dirigée vers l'étagère en pestant intérieurement et j'ai ouvert l'enveloppe portant la référence de la SQ. Elle contenait un morceau de tibia, une phalange et une côte. Rien d'humain là-dedans. Raison pour laquelle LaManche ne m'avait pas téléphoné à Charlotte. Il s'en doutait. Mais en incurable perfectionniste, il avait préféré avoir mon avis.

Petit café et retour au labo pour extraire trois dossiers d'un meuble de classement en métal gris planté à côté de mon bureau. LSJML-38426, LSJML-38427 et LSJML-38428. Si le système de numérotation était différent, les couvertures arboraient la même couleur jaune fluo qu'au MCME.

J'ai commencé par examiner les photos. Et replonger dans cette cave infestée de rats, d'ordures et qui puait la pourriture.

Les os de Manon Violette étaient entassés dans une caisse estampillée *Dr. Energy's Power Tonic*. Le squelette de Marie-Joëlle Bastien gisait nu dans une fosse peu profonde. Celui d'Angela Robinson était enveloppé dans un linceul de cuir moisi.

Les clichés. Mes constatations. Les rapports à la SQ et à la police municipale. Les résultats du labo. La confirmation définitive des identités. Les noms des responsables. Pomerleau. Catts, alias Menard.

À un moment, je me suis attardée sur une photo de la maison de la rue de Sébastopol. J'ai pensé aux propriétaires d'origine, les grands-parents de Menard, les Corneau. Me suis demandé si l'accident dans lequel ils avaient trouvé la mort avait fait l'objet d'une enquête.

Éplucher ce dossier, c'était comme recevoir un courrier vieux de dix ans.

Deux heures plus tard, je levais le nez, déçue, découragée. Je n'avais rien appris que je ne savais déjà. À part qu'Angela Robinson s'était cassé le poignet en tombant d'une balançoire à l'âge de huit ans. J'avais oublié ce détail.

10 h 40 à la pendule.

J'ai rédigé un bref rapport sur les ossements de Saint-Chrysostome. *Odocoileus virginianus.* Le cerf de Virginie. Après quoi je suis allée rendre compte à LaManche. Il n'était pas dans son bureau. J'ai laissé un mot.

Comme convenu, j'ai retrouvé Ryan dans le hall du rez-de-chaussée à onze heures.

André et Marguerite Violette habitaient à Côte-des-Neiges, un quartier qui ne doit pas sa réputation à ses curiosités architecturales, mais à la présence de l'Université de Montréal et à l'étendue de ses cimetières. Comme le Westmount des Anglais nantis et l'Outremont de leurs homologues français, il est perché sur les hauteurs dominant le *centre-ville*\*. Il abrite une population disparate d'étudiants, de représentants des classes moyennes et d'ouvriers, et quelques lieux assez animés pour le rendre intéressant.

Vingt minutes après avoir quitté le stationnement de Wilfrid-Derome, Ryan se garait le long d'un trottoir du boulevard Édouard-Montpetit, à un jet de pierre du campus de l'université. Nous avons d'abord observé les alentours.

Des duplex et des immeubles bas en briques rouges, simples, fonctionnels. Pas de tourelles, de toits mansardés, d'escaliers en colimaçon. Rien de la fantaisie qui fait le charme de Montréal.

La bâtisse où logeaient les Violette se fondait dans le décor. Un cube en briques à deux étages accolé à un autre cube en briques à deux étages, garnis chacun d'un escalier en fer raide comme une échelle.

— Dis-moi. (Besoin de me rafraîchir la mémoire). Que faisait André ?

— Il était poseur de canalisations. Il l'est toujours.

— Et Marguerite ?

— Elle repasse ses shorts.

— D'après mes souvenirs, ce n'était pas un caractère facile.

— C'était un petit con arrogant.

— Tournure de phrase charmante.

— C'est inné chez moi.

Le métal faisait un bruit d'enfer sous nos pieds quand nous avons gravi les marches qui menaient à la porte.

Ryan a sonné. Ding dong amorti, puis jappement d'une voix humaine qui avait tout de l'aboiement d'un chien de garde. Quelques secondes plus tard, un cliquetis de serrures et la porte s'est ouverte vers l'intérieur.

André Violette était moins baraqué que dans mon souvenir, plus petit et plus mince. Il avait les cheveux teints, d'un noir terne absolument uniforme. La coiffure à la Elvis n'avait pas changé depuis 2004. Pas plus que l'attitude chiante de petit chef.

— Vous vous souvenez peut-être de nous. Je suis le détective Ryan. Et voici le docteur…

— Je sais qui vous êtes.

— Merci de nous recevoir.

— Pffft ! Est-ce que vous m'avez laissé le choix, à moé ?

Le joual est l'un des styles de français en usage au Québec. Certains le parlent par manque d'instruction, d'autres pour revendiquer leur statut de francophones. J'avais oublié qu'André avait un accent aussi marqué. Je ne pensais pas qu'il avait choisi cette langue pour des raisons politiques.

— Nous sommes vraiment désolés…

— … de la perte que j'ai subie. J'ai déjà entendu ça y a dix ans.

— Nous sommes toujours à la recherche de celle qui vous a pris votre fille.

Pas de réponse.

— Pouvons-nous entrer ? (Demande de Ryan, formulée sur un ton qui n'admettait clairement pas de refus).

André s'est écarté. Il nous a conduits par un petit couloir dans un salon surchargé de canapés, de fauteuils bedonnants et de meubles en acajou sculpté. Des lampes surmontées d'abat-jour trônaient sur toutes les tables. Des petits napperons protégeaient le dos des sièges. De part et d'autre de la cheminée en briques peintes, des étagères abritaient tout un bric-à-brac d'objets hétéroclites, de statues religieuses et de photos encadrées.

André s'est laissé tomber lourdement dans un fauteuil, et a posé une cheville sur un genou. Le pied surélevé paraissait surdimensionné dans sa botte tachée d'humidité.

Au moment où Ryan et moi prenions place chacun à un bout du canapé, une femme a surgi par une porte sur notre gauche. Ses cheveux, autrefois bruns, grisonnaient fortement. Elle ne tentait rien pour y remédier. Ce qui me l'a rendue immédiatement sympathique.

— Tout va bien…?

André l'a interrompue d'un geste impatient de la main. Elle a trottiné vers un fauteuil, les mains pressées contre sa poitrine.

Je n'avais jamais rencontré Marguerite Violette. En 2004, je n'avais eu affaire qu'à André. C'était lui qui m'avait fourni les renseignements sur sa fille. À lui que j'avais rapporté les résultats de l'identification criminelle.

J'avais trouvé sa réaction curieuse. Il n'avait pas pleuré, pas posé de questions, pas piqué de crise de nerfs. Il avait pris une barre chocolatée dans sa poche, en avait croqué la moitié, s'était levé et était sorti de mon bureau.

En voyant les deux parents Violette ensemble, je comprenais mieux le fonctionnement du couple.

— Est-ce que quelqu'un voudrait…? a tenté Marguerite.

— Y sont pas là pour faire du social. (À Ryan:) Alors, vous avez fini par attraper le monstre?

— Désolé, nous n'en sommes pas encore là. Pour le moment. Mais nous avons de nouvelles pistes.

André a soupiré. Marguerite s'est tassée sur elle-même.

— Nous avons tout lieu de penser que la femme qui est impliquée dans l'enlèvement de votre fille…

— Le meurtre de ma fille. (En balançant son pied d'avant en arrière sur son genou.)

154

— Oui, monsieur. Nous pensons que la personne qui a enlevé votre fille se trouve actuellement aux États-Unis.

— Annick Pomerleau. (Murmure à peine audible de Marguerite.)

Ryan a confirmé d'un hochement de tête.

— De nouveaux indices la situent dans le Vermont en 2007 et en Caroline du Nord cette année.

— Quels indices?

— De l'ADN.

Marguerite a écarquillé les yeux. Elle les avait bleus, piquetés de points brun caramel.

— A-t-elle fait du mal à un autre enfant?

— Je regrette. (Ryan, avec douceur.) Je ne peux pas révéler les détails de l'enquête.

— Eh ben, arrêtez-la, la salope. (André, virulent.) C'est très bien qu'elle soit aux États-Unis. Là-bas, au moins, ils peuvent l'écraser.

— Nous mettons en œuvre tous les moyens en notre pouvoir pour la retrouver.

— Ah ouais? Au bout de dix ans, tout ce que vous avez à nous dire, c'est que celle qui a tué notre fille a laissé sa salive par-ci par-là? *Fuck*, tout un exploit! Vous êtes que des bons à rien. Dans deux minutes, vous allez nous dire que c'est le Bonhomme Sept Heures qui a fait le coup.

— Vous avez eu le temps de réfléchir, ai-je dit sur un ton qui se voulait apaisant. L'un de vous deux s'est peut-être souvenu d'un détail auquel vous n'aviez pas pensé au moment de la disparition de Manon. Ou qui ne vous avait pas paru important. La moindre information peut se révéler utile.

— Me souvenir? Ouais, je me souviens. Tous les jours. (Visage dur, du venin dans la voix.) Je me souviens comment mon bébé repoussait ses couvertures et dormait en travers de son lit. Comment elle adorait la crème glacée trois couleurs. Comment je lui mettais des pansements sur le genou quand elle tombait de vélo. Je me souviens que ses cheveux sentaient l'orange quand elle venait de les laver. Qu'un jour, elle a pris le foutu métro et n'est jamais revenue.

Soudain, sa mâchoire s'est crispée. Ses joues se sont couvertes de marbrures rouge vif.

Ryan a accroché mon regard. J'ai compris le message. Je me suis tue.

Aucun des deux Violette ne semblait disposé à rompre le silence gêné qui s'éternisait. André était muet. Aux prises avec l'afflux d'émotions qui brouillaient l'expression de son visage, Marguerite respirait avec difficulté et de plus en plus bruyamment.

J'observais André, ses yeux, son langage corporel. J'ai vu un homme qui cachait sa peine sous des airs de macho.

Il s'est écoulé une grande minute. Ryan s'est lancé le premier.

— C'est précisément le genre de souvenirs qui pourraient nous servir.

— Un souvenir me revient. C'est aujourd'hui que mon club de tricot se réunit. (Le pied d'André s'agitait à nouveau sur son genou.) On a fini.

— Monsieur Violette…

— J'ai le droit de garder le silence, non ?

— Vous n'êtes pas suspect.

— C'est quand même ce que je vais faire.

— Merci de nous avoir accordé de votre temps. (Ryan s'est levé. Je l'ai imité.) Encore une fois, nous sommes désolés de la perte que vous avez subie.

André est resté assis, absorbé dans des pensées qui n'avaient manifestement rien à voir avec des histoires d'aiguilles et de pelote de laine.

Marguerite nous a raccompagnés. Arrivée à la porte, elle m'a posé une main sur l'épaule.

— Il ne faut pas mal juger mon mari. C'est un homme bon.

Son regard bleu-caramel trahissait un chagrin sans fond.

# Chapitre 17

De retour à la Jeep, j'ai demandé à Ryan :

— C'est quoi, le Bonhomme Sept Heures ?

— Comment ?

— André en a parlé tout à l'heure.

— Ah oui. Le Bonhomme Sept Heures est un croque-mitaine québécois qui enlève les enfants après sept heures du soir.

— Quel est son mode opératoire ?

Ryan a ricané, en faisant jaillir de son nez deux petits cônes de vapeur blanche.

— Il porte un masque, trimballe un grand sac et se cache sous les balcons en attendant que sept heures sonnent.

— Une légende pour inciter les enfants à aller se coucher.

— Terrifiante quand elle se réalise.

— En effet.

— Nous avons perdu notre temps, a enchaîné Ryan en chaussant des lunettes d'aviateur.

— Au moins, les Violette savent que nous n'avons pas renoncé.

— Oh, ils sont sûrement déjà en train de déboucher le champagne.

— Tu as passé une mauvaise nuit ?

Ryan a mis son clignotant.

— Au fond d'un cachot sombre et humide ?

Mes efforts pour le dérider sont restés vains. Ryan a tourné à droite, deux fois, puis à gauche. C'était clair. Il voulait qu'on lui fiche la paix.

J'ai essuyé la buée de ma fenêtre avec une mitaine. Un flot de piétons déambulaient sur les trottoirs du chemin Queen-Mary et s'amassaient aux carrefours en attendant de traverser. Des étudiants portant des sacs à dos. Des gens chargés de sacs de courses en plastique et de cabas. Des mères avec des poussettes. Tous habillés comme pour une expédition en Antarctique.

Sans me laisser démonter, j'ai continué :

— Tu as pu localiser Tawny McGee ?

— J'y travaille.

— Sa famille est toujours à Maniwaki ?

— Non.

— La mère vivait seule, non ? Avec deux enfants ?

— Oui.

— Sa sœur habitait dans l'Ouest, il me semble ?

— Sandra Catherine. En Alberta.

— Elle y est toujours ?

— Non.

— Quoi d'autre ? (Parce qu'il n'était pas très loquace.)

— Sabine Pomerleau.

— La mère d'Annick ? Elle vit encore ? (En me mettant de biais pour le regarder.)

Un éclair de soleil reflété par les lunettes d'aviateur a jailli brièvement quand il s'est tourné vers moi avant de se concentrer à nouveau sur la route. Sans se donner la peine de répondre. Ma question était idiote, en effet. Même à cours de solutions, on n'interroge pas une morte.

J'étais quand même un peu surprise. Les Pomerleau s'étaient mariés tardivement et avaient mis très longtemps à procréer. Après des années d'espoir déçu et d'intense prière, Annick, leur enfant miracle envoyée par Dieu, était venue au monde en 1975, alors que maman avait quarante-trois ans et papa quarante-huit. C'est ainsi que Sabine racontait la naissance de sa fille.

J'ai fait le calcul. Sabine devait désormais avoir quatre-vingt-deux ans et son mari quatre-vingt-sept.

— Et Jacques ? Il vit toujours ?

— Crevé en 2006.

Je me suis demandé si l'ignominie survenue à l'enfant miracle n'avait pas précipité le trépas du papa. Mais j'ai gardé ça pour moi.

Nous venions de nous garer devant un petit bâtiment d'un étage en pierre grise dans le quartier Notre-Dame-de-Grâce quand mon iPhone a sonné. Pendant que je le récupérais au fond de mon sac, Ryan a mimé le geste du fumeur et est sorti. J'ai répondu.

— Brennan.

— J'aurais mieux fait de m'occuper de mes dents.

L'idée de Slidell en train de se curer les molaires devant une glace n'avait rien de réjouissant.

— Vous avez eu le comté de Tehama?

— Le grand shérif en personne. Willis Trout. Ce type a une cervelle de…

— Il se souvenait d'Angela Robinson?

— Y se souviendrait pas comment éternuer sans les instructions.

J'ai attendu.

— Non. Une fois que j'ai réussi à le convaincre que c'était pas un canular, l'ami Willy a bien voulu rechercher le dossier. Il vient de me rappeler. Vous allez adorer. (Nouveau silence mélodramatique.) Il n'est plus là.

— Plus là?

— En 1985, à l'époque où Robinson a disparu, tout se faisait sur papier. Quand l'affaire a été classée, le dossier a atterri dans un sous-sol. Une très mauvaise idée, car le fleuve Sacramento s'énerve de temps en temps et inonde toute la région.

— Le dossier a été détruit?

— Le sous-sol a été sous l'eau deux fois, en 1999 et en 2004.

— Vous avez interrogé Trout au sujet de Menard et Catts?

— Eh bien, voilà comment il a présenté la chose: étant donné qu'y sont morts tous les deux et qu'y a pas de raison pour que ça change, il a pas de temps à perdre à rechercher leur biographie.

Silence sur la ligne, pendant un long moment. À travers le pare-brise, je voyais Ryan parler dans son cellulaire. Slidell m'a alors annoncé la première bonne nouvelle depuis longtemps.

— On va peut-être arriver à sortir quelque chose de l'ordinateur de Leal. L'informaticien utilise un logiciel de récupération magique qui lui restitue des fragments, même si je sais pas trop ce que ça veut dire.

— Des éléments de l'historique du navigateur.

— Ouais. D'après lui, celui qui a effacé a fait un travail d'amateur. Il pense pouvoir identifier quelques-uns des sites visités par la petite.

— Super !

— Ou parfaitement inutile.

— Je suis persuadée qu'il y a quelque chose à en tirer. Sinon, pourquoi faire disparaître l'historique du navigateur de l'enfant ?

— An-han.

J'ai expliqué à Slidell ce que nous faisions, Ryan et moi.

— Les médias ont soif de sang par ici. Pour l'instant, ça reste au niveau local.

— Comment ça se passe avec Tinker ?

— Vous tenez vraiment à me bousiller ma journée ?

— Tenez-moi au courant.

J'ai rejoint Ryan sur le trottoir. Il avait rangé son téléphone et scrutait l'environnement. C'était un lieu paisible agrémenté de grands arbres, actuellement dénudés, et bordé de maisons individuelles. Devant chacune d'elle, une pelouse rase, brune en cette saison, et des buissons et arbustes recouverts de grosses toiles d'hivernage. Et aussi ces abris d'auto en plastique qu'on appelle communément «abris Tempo».

J'ai désigné du regard le petit ensemble qui se trouvait derrière nous.

— L'endroit a été transformé en centre pour les vieux dans les années 80, m'a informée Ryan.

— Le terme politiquement correct est «résidence pour personnes autonomes».

— Pour personnes mourantes, tu veux dire.

Rien ne vaut une pointe d'humour pour vous mettre un peu de baume au cœur.

Au bout d'une courte allée, quelques marches permettant d'accéder à une porte en bois située à l'extrémité gauche d'une véranda qui faisait toute la longueur du bâtiment. Çà et là des fauteuils Adirondack de couleurs différentes, datant sans doute de la réaffectation du lieu. Le balcon du premier étage protégeait la véranda des intempéries. Il était lui aussi doté de quatre chaises usées. Sur l'une d'elles, un vieil homme emmitouflé comme un Inuit tendait son visage vers le soleil.

Nous sommes entrés.

À l'intérieur, une chaleur étouffante et des odeurs de désinfectant, d'urine et de nourriture d'hôpital. À droite, une petite salle d'attente dans ce qui avait dû être autrefois un salon, à gauche un escalier. En face, une salle à manger et un couloir menant à ce qui ressemblait à une serre. Le long du couloir, des portes, toutes fermées.

Ryan avait dû déclencher un signal en ouvrant la porte, car à peine l'a-t-il eu refermée qu'une femme s'est avancée à notre rencontre. Une peau couleur chocolat, des cheveux argentés tirés sur le sommet du crâne. Vêtue de l'inévitable uniforme blanc, taille grande. Une petite plaque en cuivre fixée à droite sur sa poitrine indiquait : *M. Simone, LPN.*

— *Puis-je vous aider ?**

Elle nous a gratifiés d'un large sourire, révélant des dents trop blanches pour être vraies.

— Nous venons voir Sabine Pomerleau, a répondu Ryan en français.

— Vous êtes de la famille ?

Ryan lui a montré son badge. Simone l'a regardé.

— Je crains qu'elle ne soit en train de dormir.

— Je crains qu'il ne faille la réveiller.

Où était passé Ryan le charmeur ?

— Ce n'est pas bon pour elle de troubler son sommeil.

— Pourquoi ? Elle se pointe à l'usine aux aurores demain matin ?

J'ai vu naître une once d'agacement sous l'apparente sérénité qu'affichait Simone. Mais le sourire a tenu bon.

— C'est au sujet de sa fille ?

Ryan a soutenu son regard sans répondre.

— Je dois vous avertir. Il est devenu difficile d'avoir une conversation avec madame Pomerleau. Elle souffre d'Alzheimer et elle a eu récemment une attaque qui affecte son élocution.

— C'est noté.

— Attendez ici, je vous prie.

Simone est revenue au bout de cinq minutes et nous a conduits à l'étage, jusqu'à une chambre minuscule équipée de deux lits, deux placards et deux fauteuils. Le papier peint fleuri qui tapissait les murs accentuait l'impression de claustrophobie.

L'unique occupante de la chambre était assise dans son lit, serrant dans ses bras un chat en peluche usée qu'elle caressait. Le geste laissait deviner, sous les manches et l'encolure de son peignoir rose, des os aussi frêles et légers que ceux d'un oiseau.

— Vous avez de la visite. (Simone, à tue-tête.)

Sabine avait le visage ridé, parcouru de petits vaisseaux rouges et bleus. Des yeux verts larmoyants. Regard vide, sans réaction.

— Je reviens dans dix minutes, a dit Simone à Ryan.

— Nous veillerons à ne pas la perturber, ai-je assuré.

— Vous ne risquez pas.

Sur cette étrange remarque, Simone s'est éclipsée.

Nous avons rapproché les deux fauteuils du lit et nous sommes assis.

— *J'espère que vous allez bien\**.

N'obtenant pas de réponse, Ryan a répété sa question en anglais.

Toujours rien.

— Nous voudrions vous parler d'Annick.

Pas un battement de cil.

Ryan est revenu au français, en augmentant le volume.

— Vous avez des nouvelles d'Annick ?

Sabine continuait à caresser son chat, d'une main sillonnée de veines bleues serpentant entre les tâches de vieillesse.

Au bout d'une longue minute, Ryan a fait une nouvelle tentative, sans plus de succès.

D'un signe, je lui ai indiqué que j'allais prendre la relève.

— Madame Pomerleau, nous espérions que vous pourriez nous dire où se trouve votre fille. (D'une voix forte, mais avec douceur.) Vous avez des nouvelles d'Annick ?

Silence. J'ai remarqué que le chat n'avait plus de moustaches à gauche.

— Vous savez peut-être où est allée Annick après tous ses ennuis ?

J'aurais pu aussi bien m'adresser à la gargouille de mon jardin.

J'ai encore posé quelques questions, avec insistance et en articulant.

Inutile.

J'ai regardé Ryan. Air déconfit.

En entendant des pas dans l'escalier, j'ai consulté ma montre. Dernière tentative.

— Nous avons peur qu'il arrive quelque chose à Annick si nous ne la retrouvons pas très vite.

C'était comme si nous n'existions pas.

Simone a passé la porte, l'air de proclamer «Je vous l'avais bien dit» sous son sourire immuable. Ryan et moi avons remis les fauteuils à leur place et nous sommes dirigés vers la sortie.

Une voix grave et éraillée. Si je l'avais entendue au téléphone, je l'aurais prise pour une voix d'homme.

— *Avec les saints. Saint-Jean.* (Puis elle a ajouté en anglais, avec un fort accent:) *Buried.*

Nous nous sommes retournés. La main fripée s'était immobilisée sur la peluche.

— Annick est avec les saints? Enterrée avec Saint-Jean?

Mais c'était fini. La main a repris son va-et-vient sur le jouet rembourré. Le regard humide restait fixé sur un souvenir invisible aux autres.

Dehors, de longs rubans de nuages blancs tamisaient le soleil. L'atmosphère semblait encore plus glaciale. J'ai levé les yeux. Le vieil homme n'était plus sur le balcon.

— Qu'est-ce que tu en penses? ai-je demandé à Ryan en enfilant mes mitaines.

— Sœur Sourire a dû prévenir sa patiente qu'il y avait des flics dans la maison.

— Elle croit vraiment que sa fille est morte? (Une idée soudaine.) Marie-Joëlle Bastien est enterrée au cimetière Saint-Jean-Baptiste de Bouctouche. Sabine a peut-être confondu Annick et Marie-Joëlle?

Haussement d'épaules et de sourcils de Ryan.

— Ou est-ce qu'elle restait volontairement évasive?

— Si elle jouait la comédie, elle mérite un Oscar.

— Sais-tu qui paye son hébergement?

— Un neveu de Mascouche. L'argent vient de la succession, donc il ne se ruine pas.

Nous avons regagné la Jeep. Au moment où Ryan mettait le contact, son téléphone a sonné. Il a pris l'appel. Après un certain nombre de « oui » et de questions monosyllabiques, il a conclu par un « envoyez-moi l'adresse par texto ».

— L'adresse à qui ?

— De qui.

— Vraiment ?

Même si j'étais heureuse de constater que Ryan retrouvait un peu de son esprit de répartie, après nos deux visites de la matinée, je n'étais pas d'humeur à plaisanter.

— De Tawny McGee.

# Chapitre 18

Pendant le trajet, Ryan m'a rapporté ce que ses collègues et lui avaient appris sur Tawny McGee. Je connaissais son histoire mais j'ignorais ce qu'elle était devenue depuis 2004.

Voici ce que je savais : sa mère, Bernadette Higham, avait vécu pendant cinq ans avec un dénommé Harlan McGee. Elle travaillait comme réceptionniste dans un petit cabinet dentaire de Maniwaki. Il était camionneur.

Quoique n'étant pas mariés, ils avaient eu deux filles : Sandra, en 1985, quand Bernadette avait dix-neuf ans et Harlan vingt-neuf ; et Tawny en 1987.

Une semaine après le deuxième anniversaire de Tawny, Harlan était parti en tournée à Vancouver et n'était jamais revenu. Quatre mois plus tard, Bernadette avait reçu une lettre dans laquelle il lui annonçait qu'il ne reviendrait pas. L'enveloppe contenait aussi quatre cents dollars.

En 1999, la petite Tawny s'était volatilisée alors qu'elle jouait dans un parc. Elle avait douze ans. L'enquête sur sa disparition était restée au point mort pendant des années. En 2004, Tawny avait été libérée de la chambre de torture où Annick Pomerleau la retenait captive.

Voici ce que m'a appris Ryan : quatre mois après le retour de Tawny, le dentiste de Maniwaki a pris sa retraite et fermé son cabinet. En reconnaissance des bons et loyaux services de Bernadette pendant toutes ces années, il lui avait trouvé une place de réceptionniste et commis-comptable dans l'entreprise d'extermination de son frère à Montréal. À condition qu'elle accepte de se relocaliser. Espérant trouver pour

Tawny un meilleur suivi psychologique que celui qui lui était dispensé et qui ne la satisfaisait pas, Bernadette avait fait ses bagages et déménagé.

Au bout d'un an, elle épousait Jacob Kezerian, le fils de l'exterminateur. Les Kezerian vivaient désormais en banlieue de Montréal, à Dollard-des-Ormeaux.

Bernadette avait accepté de nous rencontrer. C'est pourquoi nous nous rendions chez elle à trois heures de l'après-midi.

La ville de Montréal se déploie sur une étendue de terre posée au milieu du Saint-Laurent. L'Ouest-de-l'Île, ou le West Island en anglais, regroupe les quartiers à l'extrémité ouest.

L'Ouest-de-l'Île offre un paysage d'espaces verts, de pistes cyclables, de pistes de ski de randonnée, de terrains de golf et d'éco-fermes, coincé au milieu de résidences-dortoirs. L'endroit grouille de financiers, d'avocats, de banquiers et de chefs d'entreprise.

Historiquement, les Montréalais se répartissaient selon leur langue, les Français à l'est, les Anglais à l'ouest. La séparation n'est plus aussi nette de nos jours. Néanmoins, l'Ouest-de-l'Île reste majoritairement anglophone. Ironie des temps. Jusque dans les années 1960, la région était surtout composée de terres agricoles essentiellement habitées par *les Français**.

Une demi-heure après notre visite à Sabine Pomerleau, Ryan engageait la Jeep dans une rue qui aurait pu servir de décor à un feuilleton télévisé des années 60. Des pelouses de forme et de taille identiques, toutes traversées par une allée centrale bordée d'arpents de terre dépouillés de leur végétation pour l'hiver ou d'arbustes enveloppés dans de la toile.

Les bâtiments étaient tout aussi uniformes. Des variations sur le modèle de base du bungalow de *la belle province**, façade en pierre ou en crépi, moulures de bois bleues ou brunes, lucarnes à l'étage, petite véranda au rez-de-chaussée.

— Tawny vit avec sa mère et son beau-père ?

— J'ai pensé qu'on verrait ça plus tard. Qu'on commencerait par tâter le terrain.

— Ton collègue n'a pas demandé ?

— Je n'ai pas dit ça.

— Mais il a posé la question ?

— Non.

Je l'ai regardé d'un air perplexe.

— La petite a peut-être encore des problèmes.

— Ce n'est plus une enfant. Elle a vingt-sept ans.

— Je ne voulais pas que Bernadette s'énerve.

— Elle sait que tu as largement contribué à retrouver sa fille.

— En effet.

— Comment a-t-elle réagi quand tu l'as appelée ?

Ryan a réfléchi avant de répondre.

— Elle a eu l'air méfiant.

— Tu lui as donc laissé entendre que tu venais seulement pour lui parler.

— Je ne lui ai rien laissé entendre. Mais elle l'a peut-être compris ainsi.

Un peu déconcertée, j'ai suivi Ryan entre les rangées de fleurs emmaillotées qui conduisaient à la maison. La porte et les fenêtres adjacentes étaient encadrées de guirlandes lumineuses multicolores. Un père Noël en plastique était accroché au heurtoir en forme de fleur de lys. Ryan a frappé deux coups et s'est reculé.

La porte nous a été ouverte par une femme svelte et brune qui se donnait beaucoup de mal pour paraître plus jeune que son âge. Des yeux d'un bleu turquoise étincelant qui ne pouvait être produit que grâce à des lentilles de contact. Maquillage exagéré, des mèches trop blondes pour être naturelles. Elle portait un chemisier à fleurs rouge et vert ouvert sur un débardeur rouge. Jeans moulants. Fausses bottes d'équitation.

Je n'avais jamais rencontré la mère de Tawny. Mais je savais grâce à son dossier qu'elle avait quarante-huit ans. L'homme qui se tenait derrière elle avait au moins dix ans de moins qu'elle. Il avait des cheveux et des yeux noirs, et son ombre, en cette fin d'après-midi, était plus noire encore. Ses sourcils épais formaient un V désolé au-dessus de son nez.

— Je suis Bernadette Higham. C'est du moins le nom qu'a employé le policier au téléphone. (Elle a levé la main pour nous la tendre, a suspendu son geste.) Mais vous le savez, bien-sûr. Maintenant, je m'appelle Kezerian. Mais ça aussi, vous le savez.

— Je suis très heureux de vous voir, madame Kezerian.

— Je m'attendais à voir l'autre détective. Celui qui est toujours bien habillé.

— Luc Claudel.

— Oui. Où est-il ?

— En France.

— Ah bon.

Sa main à moitié tendue a battu en retraite contre sa poitrine, comme gênée de balloter inutilement dans le vide. Elle arborait de faux ongles, couleur bœuf cru.

— Voici ma collègue, le docteur Temperance Brennan. (Ryan ne s'est pas étendu.)

— Un docteur ?

— Le docteur Brennan travaille au laboratoire médico-légal.

Elle a écarquillé ses yeux turquoise. Serré le poing. D'où venait cette peur ? Je la sentais mal à l'aise.

— Ma femme a des problèmes de santé. Vous avez quelque chose à nous dire ?

Bernadette s'est tournée vers son mari en entendant le son de sa voix.

— Ça va, Jake.

Jake a posé la main sur l'épaule de sa femme. Il avait une musculature et une carrure d'athlète que je ne me serais pas attendue à trouver chez un exterminateur d'insectes. Son avant-bras s'ornait d'un tatouage, un dessin asiatique compliqué. Je me suis demandé s'il fallait voir dans ce geste une marque de soutien envers sa femme ou un avertissement à notre attention.

— Pourrions-nous discuter à l'intérieur ? a suggéré Ryan.

— Bien sûr. Je vous en prie, a répondu Bernadette.

Jake s'est écarté sans se montrer plus aimable. Il est resté derrière nous pour fermer la porte.

Bernadette nous a précédés dans un large couloir donnant, par une ouverture en arcade à droite, sur un petit salon bordé latéralement par une grande baie vitrée et équipé d'une cheminée au fond. Le décor ne correspondait pas à ce que j'avais imaginé.

Des murs blancs, une moquette blanc cassé. Un canapé et des fauteuils recouverts de coton ivoire bordé de passepoil clair. Seuls les coussins et les tableaux apportaient un peu de couleur. Avec des dessins géométriques aux teintes vives dans les deux cas.

Des sculptures en bronze de forme indéterminée sur le manteau de cheminée. Devant le foyer, une peau de renne.

La table basse et les tables d'appoint étaient en verre et cuivre ancien. Une unique photo trônait sur l'une d'elles. Le cliché ne valait pas en qualité le cadre en nacre et argent qui le contenait. Il avait dû être pris avec un cellulaire ou un appareil médiocre et agrandi au-delà de la capacité des pixels.

On y voyait une jeune femme de dix-neuf, vingt ans, sur un bateau dans un port ou une baie. Elle portait une veste sur un col roulé et un collier de perles avec une sorte de pendentif. Le vent relevait le col de sa veste et lui plaquait les cheveux en travers du visage. Elle n'avait pas l'air heureux. Elle n'avait pas l'air triste. Elle était jolie, avec un air d'indifférence un peu dérangeant.

Elle avait les joues moins creuses, la poitrine plus ronde que lorsque je l'avais vue. Mais j'ai reconnu Tawny McGee.

Fidèles à notre rituel, Ryan et moi nous sommes installés chacun à un bout du canapé. Bernadette a pris un fauteuil, les mains recroquevillées sur ses genoux comme des griffes aux pointes rouges. Jake est resté debout, bras croisés.

— Puis-je vous offrir quelque chose? Thé? Café? (Une proposition pour la forme, dénuée de sincérité.)

— Non merci, avons-nous répondu en chœur.

Un chat a surgi, gris à rayures noires, des yeux vert jaune. Une oreille écornée. Une cicatrice à l'épaule. Un bagarreur.

Bernadette l'a vu.

— Oh, non, non, Murray. Chouou!

Le chat n'a pas bougé.

Bernadette s'est levée.

— Je vous en prie, laissez-le, ai-je dit.

— Fais-le sortir, a dit Jake.

— J'ai un chat. (J'ai souri.) Il s'appelle Birdie.

Bernadette a regardé Jake. Il a haussé les épaules.

Après nous avoir copieusement observés, Murray s'est allongé, a tendu une patte et entrepris la toilette de ses orteils. L'une de ses canines avait une inclinaison bizarre. Ce chat me plaisait.

Bernadette s'est rassise, droite comme un i, les muscles du cou tendus comme des arcs. Elle nous a regardés, Ryan et moi, l'un après l'autre. Espérant que nous avions des nouvelles. Redoutant que nous en ayons.

Je comprenais que notre appel de la veille ait pu la surprendre après tant d'années. Mais son inquiétude semblait exagérée. Les mains tremblantes. Le regard terrifié. J'avais une mauvaise impression.

— C'est très joli chez vous. (Pour tenter de la rassurer.)

— Tawny aime les tons lumineux.

— C'est Tawny sur cette photo ? (En tendant la main vers le cadre de nacre.)

Elle m'a jeté un drôle de regard de ses yeux trop bleus.

— Oui.

— Elle est devenue une ravissante jeune femme.

— Vous êtes sûre pour le chat ?

— Absolument. Vous avez d'autres photos ?

— Tawny avait horreur qu'on la prenne en photo.

Comme avec les Violette, Ryan a laissé durer le silence dans l'espoir que l'un des Kezerian se sentirait obligé de le combler. Mais non.

Murray a changé de patte. Derrière lui, une arche symétrique ouvrait, de l'autre côté du couloir, sur une salle à manger de même taille que le salon, avec une baie vitrée identique. La table était en verre. Les chaises en plastique blanc moulé me rappelaient les dessins animés *The Jetsons*.

Quand Bernadette s'est décidée à parler, elle a dit quelque chose de très inattendu. Tout l'était ici, depuis le début.

— Elle est morte ?

— Nous n'avons aucune raison de le penser.

Ryan ne paraissait pas surpris par la question.

Bernadette s'est un peu détendue, son expression a changé. Soulagement ? Déception ? Difficile de la cerner.

Jake a écarté les jambes. Froncé les sourcils.

— Mais nous avons de nouvelles informations, a ajouté Ryan.

— Vous l'avez retrouvée ?

— Nous ne savons pas exactement où elle se trouve. Pas encore.

Les mains de Bernadette se sont crispées.

Ryan s'est penché vers elle.

— Croyez-moi, madame Kezerian. Nous touchons au but.

— Vous touchez au but ? (Jake, énervé.) À vous entendre, on dirait que vous parlez d'un match de qualification.

— Pardonnez-moi. Les termes étaient mal choisis.

Cela m'a frappée. Contrairement aux Violette, les Kezerian ne posaient aucune question sur les « nouvelles informations » dont nous disposions. Ni sur les faits et gestes de Pomerleau au cours des dernières années.

Jake s'est pincé l'arête du nez. A recroisé les bras.

— Si vous n'avez rien à nous dire, qu'est-ce que vous faites ici ?

— Nous espérions pouvoir nous entretenir avec Tawny.

Une exclamation étouffée. J'ai regardé Bernadette. Son visage était devenu aussi blanc que les murs qui nous entouraient.

Du coin de l'œil, j'ai vu Jake laisser retomber ses bras le long de son corps. Je l'ai ignoré pour concentrer mon attention sur sa femme. Bernadette essayait de dire quelque chose mais ne parvenait qu'à toussoter, la gorge nouée.

Je lui ai pris les mains.

— Qu'y a-t-il ? Qu'est-ce qui ne va pas ?

— Je croyais que vous étiez venus nous annoncer que vous aviez retrouvé Tawny. (Voix étranglée.) D'une façon ou d'une autre.

— Je suis désolée. Je ne comprends pas. (C'était vrai.)

— De qui sommes-nous en train de parler ? a martelé Jake. Qui est-ce que vous recherchez ?

— Annick Pomerleau, a répondu Ryan.

— Enfant de chienne.

J'ai demandé à Bernadette :

— Tawny n'est pas ici avec vous ?

— Je n'ai pas vu ma fille depuis huit ans.

# Chapitre 19

— Oh mon Dieu.

Bernadette a étouffé un sanglot.

— Je suis désolée, ai-je dit. De toute évidence, le détective Ryan et moi ne nous sommes pas bien fait comprendre.

— Vous êtes venus pour parler de la femme qui avait enlevé ma fille ?

— Oui. Annick Pomerleau.

Dégageant ses mains, Bernadette en a tendu une derrière elle vers son mari. Qui ne s'est pas déplacé pour la prendre.

— Vous vouliez interroger Tawny ?

— Lui parler.

Bernadette a posé sa main inutilement tendue sur l'accoudoir de son fauteuil. Elle tremblait.

— Nous espérions…

— Elle n'est pas ici.

Un ton sec, comme si une porte s'était brutalement fermée en elle. Elle s'est mise à tripoter un fil qui dépassait du galon de son siège.

— Où est-elle ?

— Tawny a quitté la maison en 2006.

— Vous savez où elle habite ?

— Non.

Un coup d'œil à Ryan. Infime hochement de tête pour m'inciter à poursuivre.

— Depuis tout ce temps, vous n'avez plus eu de nouvelles de votre fille ?

— Elle a téléphoné une fois. Plusieurs mois après son départ. Pour dire qu'elle allait bien.

— Elle ne vous a pas dit où elle était?

— Non.

— Vous le lui avez demandé?

Bernadette continuait à tirer sur le fil égaré. Qui avait doublé de longueur.

— Avez-vous signalé sa disparition?

— Tawny avait presque vingt ans. Les policiers ont dit qu'elle était adulte. Libre de faire ce qu'elle voulait.

Donc, rien dans le dossier. J'ai attendu que Bernadette reprenne la parole.

— Je sais, c'est idiot. Mais je croyais que vous veniez pour ça. Pour me dire que vous l'aviez retrouvée.

— Pourquoi est-elle partie?

— Parce qu'elle est folle.

Nos regards se sont tournés vers Jake. Il a ouvert la bouche pour ajouter quelque chose, mais en voyant nos expressions, il l'a refermée.

Sans quitter des yeux le fil qu'elle enroulait et réenroulait indéfiniment autour de son doigt, Bernadette a répliqué:

— Tawny a vécu un cauchemar pendant cinq ans. N'importe qui aurait des problèmes à sa place.

Un regard à Ryan. Il m'a fait un signe discret de la main. Traduction: Vas-y.

— Vous voulez bien nous en parler? ai-je donc demandé à Bernadette avec la plus grande douceur.

— De quoi?

— Des problèmes de Tawny.

Elle a hésité. Réticence ou difficulté à trouver les mots.

— Quand elle est revenue, elle avait changé.

— Changé dans quel sens?

— Elle avait une peur panique.

— De quoi?

— De la vie.

— Pour l'amour du Christ, Bee! (Jake, levant les bras au ciel.)

Bernadette s'est tournée d'un coup vers son mari.

— Toi, c'est pas la compassion qui t'étouffe! (Puis, s'adressant à moi:) Tawny avait ce qu'on appelle des problèmes d'image corporelle.

— Que voulez-vous dire ?

— Ma fille a vécu dans des conditions dont on ne voudrait pas pour un chien. Sans voir le jour. Sans nourriture correcte. Ça a laissé des traces.

Je revoyais Tawny dans mon bureau, empaquetée dans un imper trop grand pour elle, serré à la taille.

— Elle n'a pas eu de croissance normale. Elle n'a pas eu de puberté.

— Ça peut se comprendre.

— Et puis, je sais pas trop pourquoi, son corps a rattrapé son retard de développement d'un coup. Elle a grandi très vite. S'est retrouvée avec une abondante poitrine. (Un haussement d'épaule.) Elle n'était pas bien dans sa peau.

— Elle était ridicule. (Jake.)

— Ah oui ? (Bernadette, furieuse.) Parce qu'elle ne voulait pas qu'on la voie nue ? J'ai un scoop : c'est le cas de la plupart des adolescents.

— Mais ils ne pètent pas les plombs parce que leur mère les surprend involontairement aux chiottes.

— Elle faisait des progrès. (Ton glacial.)

— Vous voyez à quoi je suis confronté ? a lancé Jake à l'adresse de Ryan.

— Tu savais pour Tawny quand nous nous sommes rencontrés, a répliqué Bernadette à son mari d'une voix acrimonieuse.

— Ça, c'est bien vrai. Et depuis, on ne fait que parler d'elle.

— Elle suivait une thérapie.

— Avec une crétine de psy qui n'a pas arrangé les choses.

Bernadette a ricané.

— Mon mari, expert en psychologie.

— Cette imbécile l'a emmenée dans le cachot où elle avait été séquestrée. *Fuck !* De mon point de vue, c'était une connerie monumentale.

J'ai trouvé ça surprenant.

— Tawny est retournée dans la maison de la rue de Sébastopol avec sa psy ?

— C'était peut-être un peu radical, a admis Bernadette, radoucie. Mais Tawny allait mieux. Elle allait au collège. Elle voulait aider les gens. Soigner le monde entier. La fois où elle a téléphoné, après son départ, elle m'a dit qu'elle avait repris des études.

— Mais elle n'a pas dit où.

— Non.

Ryan observait Jake.

— Comment étaient vos relations ? lui a-t-il demandé.

— Qui ? Tawny et moi ?

Ryan a acquiescé. Jake a répondu d'une voix égale, mais sa mâchoire crispée dénotait une exaspération qui ne concernait plus seulement sa femme.

— On s'engueulait parfois. Elle était pas facile.

— Parfois ? (Bernadette.) Vous vous détestiez, tous les deux.

Jake a soupiré. Agacé par le reproche qu'il avait dû entendre plus souvent qu'à son tour.

— Je ne détestais pas Tawny. J'essayais de l'aider. De lui faire comprendre qu'il y a des limites dans la vie.

— Reconnais-le, Jake. Elle est partie à cause de toi.

— Elle ne m'a jamais accepté comme son père, si c'est ce que tu veux dire.

— Tu l'as poussée à s'en aller.

Les Kezerian ont échangé un regard chargé de rancœur. Puis Bernadette s'est à nouveau tournée vers moi.

— Tawny est partie après une violente dispute avec mon mari. Elle a foncé dans sa chambre, elle a emballé ses affaires et elle a quitté la maison.

— C'était quand ?

— En août 2006.

— Vous vous êtes disputés à propos de quoi ?

— C'est vraiment nécessaire d'en parler ?

Jake était toujours aussi calme en apparence, avec une lueur indéchiffrable dans les yeux.

J'ai demandé à Bernadette :

— Où pensez-vous qu'elle est allée ?

— Elle parlait souvent de la Californie. Et de l'Australie. Et aussi de la Floride, des Keys en particulier.

— Elle est allée là où elle avait envie d'aller. Ça peut être n'importe où, pas vrai, Bee ? (Jake, avec un sourire amer.)

Bernadette a rougi. Des taches écarlates sur la peau claire de son visage. Elle n'a rien dit.

— En guise d'adieu, Tawny s'est servie dans la réserve d'argent liquide que ma femme rangeait dans son placard.

— Combien elle a pris? (J'ai demandé ça sans trop savoir pourquoi.)

— Près de trois mille dollars. (Jake a esquissé un salut, la main sur le front.) Adieu et *fuck you.*

Ryan a encore posé une série de questions. Est-ce que Tawny parlait parfois d'Annick Pomerleau? S'était-elle fait des amis pendant les deux années qu'elle avait passées à Montréal? Y avait-il quelqu'un à qui elle aurait pu se confier au collège? Avaient-ils les noms et numéros de téléphone de personnes avec qui elle avait travaillé, suivi des cours ou été en contact d'une façon ou d'une autre? Serait-il utile de parler à sa sœur, Sandra? La chambre de Tawny était-elle restée en l'état et méritait-elle une visite? Réponse: un non catégorique à toutes les questions.

En dernier lieu, Ryan leur a demandé de l'appeler si Tawny les contactait. S'ils se souvenaient de quelque chose qu'elle aurait dit au sujet de sa ravisseuse ou de sa captivité. La routine.

Nos cartes déposées sur la table basse, nous nous sommes levés pour partir.

Madame Kezerian nous a raccompagnés. Monsieur n'a pas bougé.

À la porte, nous avons redit à Bernadette que nous faisions tout notre possible pour retrouver celle qui avait enlevé sa fille.

— Et Tawny?

Ryan a promis de lancer des recherches.

Pas un mot sur Pomerleau. Pas une question pour demander où elle se trouvait. Ni pour savoir comment ou pourquoi elle avait refait surface.

Et voilà.

Je ne me suis jamais sentie aussi découragée de ma vie.

Il était quatre heures et demie quand nous avons quitté Dollard-des-Ormeaux. Les lumières allumées dans presque toutes les maisons découpaient de chauds rectangles de clarté sur fond d'obscurité grandissante. Çà et là, des stalactites de glace et des ampoules de couleur annonçaient l'arrivée d'une fête porteuse de joie pour certains, de solitude pour d'autres.

La circulation était dense et ralentie sur l'autoroute Métropolitaine. Nous roulions tout doucement vers l'est entre une fourmilière de feux arrière et un enchevêtrement de faisceaux de phares, éclairés d'en haut par les lampadaires inclinés sur la route.

Ryan apparaissait et disparaissait entre ombre et lumière, comme sur une vieille pellicule de film. Pas un commentaire. Dans la Jeep, le silence se faisait de plus en plus pesant. J'ai fini par craquer.

— Pas vraiment la joie.

— À la place de Tawny, j'aurais fait comme elle, je serais parti.

— Tu crois que Jake a pu se montrer physiquement violent ?

— Le gars est un crétin arrogant.

— Tu ne réponds pas à ma question.

— C'est possible.

C'était aussi mon avis. Une autre éventualité déplaisante m'est venue à l'esprit.

— Tu penses qu'il a essayé de se la faire ?

— Ça ne sert à rien de spéculer sur la question.

— Tu vas essayer de la retrouver ?

— Oui. Mais ce n'est pas ma priorité.

— Tu ne crois pas qu'elle pourrait nous aider ?

Ryan m'a jeté un regard en coin.

— À quel prix ? (Dans la voix, une amertume qui m'est allée droit au cœur.)

Encore un long silence et je suis revenue à la charge.

— Tu n'as pas trouvé ça bizarre que les Kezerian s'intéressent si peu à Pomerleau ?

— Non.

— Non ?

— Ils sont trop obsédés par leur propre mélodrame familial.

— Oui, mais…

— Nous n'apportions pas ce qu'ils attendaient.

Je me suis renfoncée dans mon siège. Derrière le pare-brise, le ciel était pur, débarrassé de sa couche de nuages. Pas une lueur là-haut. Devant, les feux de freinage des voitures éclaboussaient le capot d'éclats écarlates.

À côté de nous, une Mini jaune avançait et freinait en même temps que nous. Le conducteur tenait son volant avec un coude en pianotant sur son téléphone. Texto, courriel, tweet pour décrire le hamburger qu'il avait eu pour dîner. Impressionnant. Un homme multitâche.

J'ai fermé les yeux. Je revoyais mentalement une jeune fille au teint blafard et aux vertèbres saillantes, témoins d'années de privation. Une autre image l'a remplacée, celle d'une enfant aux cheveux noirs en béret et imper. Puis d'une jeune femme dans un bateau près d'un port balayé par le vent.

Tawny McGee avait dix-sept ans quand elle avait été libérée. Je l'imaginais en train de manger gaiement avec des femmes de son âge quelque part au soleil. De marcher avec une poussette. De promener un golden retriever ou un Saint-Bernard. Loin de l'acrimonie à laquelle nous venions d'assister. Des chamailleries perpétuelles.

Bernadette avait-elle raison d'être optimiste ? De penser que sa fille allait bien ? Ou était-ce Jake qui voyait juste en pensant que Tawny était définitivement brisée ?

Je comprenais que Ryan veuille se concentrer sur la traque pour laquelle je l'avais ramené du Costa Rica. Pomerleau était l'auteure du cauchemar qui avait privé Tawny de son enfance. Peut-être de sa raison.

Pourtant. Je me demandais où était Tawny et ce qu'elle faisait.

Ryan m'a déposée à mon appartement. Pas un au revoir. Juste la promesse de m'appeler dans la matinée.

J'ai commandé une petite pizza chez Angela, avec tout sauf des oignons. Ensuite je suis allée chercher du café et de quoi déjeuner au *dépanneur*\* du coin. Inutile de faire des provisions. Je n'allais pas rester longtemps. Mes emplettes en main, je suis passée prendre ma pizza et je suis rentrée chez moi.

J'ai mangé ma pizza en regardant *The Situation Room* avec Wolf Blitzer sur CNN. La pizza était bonne. L'émission n'était pas faite pour me remonter le moral.

Et tout à coup, la fatigue m'est tombée dessus. L'équipée éprouvante au Costa Rica, les journées épuisantes à Charlotte.

Le vol tardif d'hier, à l'issue d'une journée interminable. Aujourd'hui, la plongée dans des dossiers macabres et les allers-retours d'un bout à l'autre de l'île pour rendre visite à des gens qui n'avaient aucune envie de nous voir.

Avions-nous appris quelque chose d'utile? Ou simplement perdu notre temps?

Allongée sur le canapé, je me suis repassé mentalement tous les entretiens de la journée.

Les Violette, échec total. Pas grave. Nous n'attendions pas grand-chose d'eux.

Madame Pomerleau, même chose. À peine lucide. Qu'est-ce qu'elle avait dit, la seule fois où on avait entendu le son de sa voix? Que sa fille était au cimetière Saint-Jean-Baptiste. C'était Marie-Joëlle Bastien qui y était enterrée, pas Annick. Annick était vivante.

Tawny McGee était la seule sur qui je comptais, mais nous ne l'avions pas vue. Bernadette et Jake n'avaient pas la moindre idée de l'endroit où elle se trouvait. Ils étaient pathétiques.

La psychothérapeute, peut-être? Quel était son nom? Facile à trouver. Mais Tawny n'étant pas morte, elle invoquerait le secret médical. Enfin, peut-être accepterait-elle de transmettre un message à Tawny si elles étaient restées en contact.

À la télévision, Wolf expliquait que les incendies empiraient en Australie.

Ryan a dit que Pomerleau était dans le Vermont. Furieux, Jake Kezerian s'est approché et lui a jeté un journal à la figure. Ryan l'a rattrapé et rangé dans une chemise en carton jaune vif.

Wolf a parlé d'indicateurs économiques.

Kezerian a croisé les bras. Écarté les jambes.

— *Grand-mère et grand-père\*.*

Derrière Ryan, le ciel s'est transformé en une grande toile végétale. Du lierre, accroché à rien, serpentant librement dans l'espace.

Ryan a ouvert la chemise en carton.

Le lierre tournicotait et se tordait.

Ryan a relevé la tête. Son visage a peu à peu pris les traits de sœur Sourire. Simone.

— *Qu'est-ce que vous voulez ?** a demandé Kezerian.

— Saint John, a répondu Simone.

C'était l'inverse. L'infirmière parlait anglais et Kezerian français.

— *Maladie d'Alzheimer**. (Kezerian.)

— Elle n'est pas enterrée. (Simone, en anglais.)

— Qui est avec les saints ?

Simone a dodeliné de la tête.

J'ai ouvert grand les yeux.

Anthony Bourdain avait remplacé Wolf.

J'ai repensé à mon rêve.

Rassemblé les pièces du puzzle qui s'étaient entassées dans mon inconscient.

Ça collait.

Mon Dieu ! Était-ce possible ?

Je me suis jetée sur mon téléphone.

# Chapitre 20

En composant le numéro, j'ai regardé l'heure. 23 h 15. Petit sentiment de culpabilité. Tant pis.

— Umpie Rodas.

— C'est le D$^r$ Brennan. Tempe.

Une courte pause, le temps qu'il me situe.

— Oui.

— Je suis à Montréal. Avec Ryan.

Il a attendu la suite.

— C'est peut-être sans importance.

— Vous n'appelleriez pas à une heure pareille si c'était sans importance. (Un reproche?)

— Au cours de vos enquêtes, avez-vous par hasard rencontré le nom de Corneau?

— Non. Pourquoi?

— Quand on a épinglé Pomerleau en 2004, elle avait un complice, un dénommé Stephen Menard. C'est une histoire compliquée, alors je vous la fais courte. La maison qu'ils occupaient rue de Sébastopol appartenait à l'origine à un couple du nom de Corneau, les grands-parents de Menard. Les Corneau sont morts dans un accident de voiture au Québec en 1988. Vous me suivez?

— Je vous écoute.

— La mère de Menard s'appelait Geneviève Rose Corneau. Elle était Américaine. Elle et son mari, Simon Menard, possédaient une maison près de St. Johnsbury, dans le Vermont. L'acte de propriété était au nom de Simon. Stephen Menard y a vécu quelque temps avant de déménager à Montréal.

— Pour créer son petit monde des horreurs.

Rodas avait dû apprendre l'existence de Menard récemment, par Ryan ou Honor Barrow, ou lorsque l'ADN prélevé sur le corps de Nellie Gower avait conduit à Annick Pomerleau.

— C'est ça. Cet après-midi, Ryan et moi sommes allés voir Sabine Pomerleau, la mère d'Annick. Elle a quatre-vingt-deux ans et souffre de démence. Mais elle a dit quelque chose. J'y vois peut-être davantage que des divagations de vieille femme sénile…

— Qu'est-ce qu'elle a dit?

— Qu'Annick est *avec les saints\**. *Saint Jean*. En français. Et elle a ajouté en anglais, «*buried*», enterrée.

Un silence bourdonnant pendant que Rodas réfléchissait.

— Ryan et moi avons compris qu'elle croyait Annick au cimetière Saint-Jean-Baptiste, là où Marie-Joëlle Bastien est enterrée.

— Une des victimes de Pomerleau.

— Oui. Mais en y repensant, elle a peut-être dit «Jean» également en anglais. Et nous avons interprété de travers.

Rodas a pigé immédiatement.

— *Saint John. Buried.* St. Johnsbury. La maison de St. Johnsbury dans le Vermont.

— C'est un peu tiré par les cheveux, je sais. Mais s'il y a là-bas une autre propriété familiale au nom de Corneau…

— Je n'aurais jamais fait le lien.

— Annick a pu entendre parler de cette propriété par Menard. Ils comptaient peut-être s'en servir comme planque. Ou comme lieu de rendez-vous.

— Le Vermont est à deux tours de roue du Québec.

Un tintement m'a tirée d'un sommeil abyssal. Aussitôt suivie d'un autre. Complètement endormie, j'ai cru que c'était mon alarme qui me signalait un cambriolage ou un incendie.

Et puis, j'ai compris. J'ai attrapé mon téléphone.

Le texto était d'une remarquable concision: «Vous aviez raison. En route. Vous appellerai pour infos. UR. »

Je me suis redressée. Bien réveillée. Que diable…? Rodas avait vraiment trouvé une maison au nom des Corneau? Il était en train de s'y rendre? Mais où, précisément?

La chambre était plongée dans la pénombre. 8 h 42 au réveil. *Christ.* Comment avais-je pu dormir aussi longtemps?

Calant un oreiller derrière mon dos, j'ai appuyé sur une touche de composition automatique.

Je n'ai pas eu à attendre longtemps.

— Ryan.

J'ai commencé à lui expliquer ma théorie. Et à lui parler de Rodas.

— Je sais.

— Tu sais?

— Il m'a appelé.

— Quand?

— Il y a une heure. Pas mal, Brennan.

J'ai senti une bouffée d'irritation. Je n'ai rien dit.

— Où est-il?

— Sur la route, il se rend sur place.

— C'est où, sur place?

— Tu as vu juste. Les Corneau possèdent une maison et des bâtiments sur cinq hectares un peu au sud de St. Johnsbury. C'est à une trentaine de kilomètres de la ferme où Menard s'était terré avant d'aller s'installer à Montréal.

— Rodas ne pouvait pas attendre?

— Il a trouvé préférable d'aller jeter un œil.

— Il a du renfort?

— Il est flic depuis longtemps. (Un peu de condescendance?)

— Il a emmené une équipe en scènes de crime? (Question idiote. Que j'ai quand même posée.)

— C'est un peu prématuré.

— Quel est son plan?

— Observer. Voir si quelqu'un habite les lieux.

— Il ne pouvait pas vérifier avant de partir? (Sur un ton sec.)

— Rodas a quelqu'un qui fait les recherches pour lui. Impôts. Factures de téléphone et autre. Tu connais la routine.

Bien sûr.

— Il lui faut combien de temps pour arriver à St. Johnsbury par la route?

— D'après lui, à peu près quarante minutes.

Un coup d'œil au réveil. 8 h 57.

— Tu l'as eu au téléphone il y a une heure. Pourquoi n'a-t-il pas rappelé ?

— Sans doute parce qu'il n'a rien à nous apprendre.

— Qu'est-ce qu'on est censés faire ?

— Attendre.

— Très bien. Je vais attendre. Pendant que Rodas et toi vous vous magnez le cul pour protéger et servir.

Sur cette élégante répartie, j'ai coupé et jeté au loin mon téléphone.

Rage puérile, sans doute, mais il fallait qu'elle sorte. C'était tombé sur Ryan. N'empêche que Rodas m'avait tenue à l'écart. Et Ryan aussi. Pas même un texto. J'étais furieuse.

J'ai viré les couvertures et me suis levée. J'ai enfilé un sweatshirt. J'ai piétiné dans la salle de bains en me brossant les dents.

9 h 08.

Direction cuisine pour attraper un café et un bagel. La table de la salle à manger. Détour par la chambre pour récupérer mon téléphone sur le lit. Retour à la table de salle à manger.

Derrière les portes-fenêtres, le ciel avait des tons de vieil étain. Les arbustes de la cour pendouillaient lamentablement, sombres et tristes, comme déprimés par la perspective de mois de neige et de boue glacée.

À 9 h 29, le téléphone a sonné. En me précipitant pour le prendre, j'ai renversé mon café. J'ai répondu en m'emparant d'un torchon dans la cuisine.

Slidell a commencé à parler avant que j'aie eu le temps de dire un mot.

— Pastori a récupéré une partie de l'historique du navigateur de Leal. (Prenant mon silence pour de l'incompréhension, il s'est cru obligé de préciser.) Pastori, c'est l'expert en informatique.

— Oui, je sais qui c'est.

— Wow. On a un pet de travers ce matin ?

— Qu'est-ce qu'il a trouvé ? (En détournant le cours du liquide brun qui coulait vers le bord de la table.)

— Je vous épargne les histoires d'URL, d'adresses abrégées, de contenu intégré et tout le tralala. Au bout du compte, y a pas grand-chose.

Un bruit de succion. Slidell s'humectant le pouce pour tourner une page avant de poursuivre.

— Pas d'achats sur eBay, Amazon ou autres sites du même style.

— Pas étonnant. Shelly Leal avait treize ans.

— C'était plutôt le genre jeux en ligne: elle a habillé des personnages de dessins animés. Vous savez: mettre un bustier à Barbie et lui tresser les cheveux.

Le téléphone coincé au creux de l'épaule, j'épongeais.

— Il y avait un site sur lequel on se transforme en aviateur pour parcourir des mondes virtuels.

Sachant que Slidell ignorait tout de l'usage des avatars, je n'ai pas pris la peine de rectifier.

— C'est quoi un monde virtuel? Un lieu imaginaire où tout le monde est gentil?

— Dans ce cas, ce serait un monde vertueux. Et les forums de discussion?

— Elle n'allait pas sur les sites porno, si c'est ça la question.

— Vous savez bien que non. (En essuyant la chaise.)

— Elle s'est connectée à un site appelé allodoc.com. On pose des questions sur sa prostate et quelqu'un qui se prétend médecin vous répond.

— C'est ce qu'elle a fait?

— Quoi?

— Poser des questions sur sa prostate? (Mon minuscule capital de patience s'épuisait.)

— Vous devriez essayer avec des pinces.

— Quoi?

— Pour sortir le pet…

— Quelles questions Shelly a-t-elle posées?

— Pastori n'a pas réussi à le savoir. (Un froissement de papier.) Mais il est tombé sur une autre adresse dans un forum à propos d'une maladie appelée dysménorrhée. (Prononcé «dis-menne-no-ré-euh».)

— C'est pas une maladie. Le terme désigne de fortes douleurs associées aux menstruations.

— OK. J'me passerai des détails.

— Qu'est-ce qu'elle a fait sur ce site?

— Là non plus, il n'a pas pu en savoir plus.

— Comment ça ? (Sur un ton plus rude que je ne voulais.)

Slidell a laissé passer quelques secondes, une façon de m'encourager à me ressaisir.

— D'abord, faut avoir un identifiant. Or y a des flopées de membres sur ce forum. Pastori a écrémé près de deux cents messages. Mais y savait pas ce qu'y devait chercher. Et même s'il avait réussi à identifier Leal, elle pouvait être un observateur passif. C'est-à-dire quelqu'un...

— Merci, je sais ce que c'est. Il a essayé d'imaginer ce que pouvait être son identifiant ? (J'ai failli dire « aviateur ».)

— Ouais, avec le peu que j'ai pu lui fournir. Noms des membres de la famille, des animaux de compagnie, initiales, dates d'anniversaire, numéros de téléphone. Ça n'a rien donné.

Une idée m'est venue.

— Est-ce qu'il a pu voir quel personnage de dessin animé elle avait choisi sur les sites de jeux ?

— Mmm.

J'ai roulé le torchon et suis allée le mettre dans l'évier. Le café dégouttait sur le sol et cheminait lentement vers la cuisine.

— Tout ce bidouillage Internet mène sans doute à un cul-de-sac.

— À moins qu'elle ait rencontré quelqu'un sur ce forum.

— C'est un site pour les gens qui se plaignent de leurs petits bobos.

Non mais je rêve !

— Eh, vous ne croyez pas que ces pleurnichards sont surtout de jeunes adolescentes ?

— Vous pensez que notre tueuse fréquente cet espace de discussion dans l'espoir d'attraper des enfants ? En se faisant passer pour un médecin ou quelque chose du genre ?

— Médecin, professeur, une fille ayant aussi des règles douloureuses. Les gens mentent sur Internet.

— Sans blague.

— Sans blague. Dites à Pastori de continuer à fouiller. Si quelqu'un a incité Leal à effacer son historique de navigation, c'est qu'il y avait une raison.

Slidell a poussé un long soupir tragique. Mais il n'a pas protesté.

— Parlez-en aussi à sa mère. Voyez avec elle si elle a une idée des mots de passe ou des pseudos qu'a pu utiliser sa fille. Demandez-lui combien de temps de navigation Internet elle lui accordait. Et pourquoi Shelly s'intéressait à la dysménorrhée.

— Bon, bon.

— Ce serait peut-être bien aussi de retourner faire un tour dans sa chambre. Pour voir ce qu'elle lisait. Quelles poupées ou quels animaux elle avait. Voyez ce que vous pouvez trouver pour Pastori.

— Vous savez que ce gars-là est un vrai moulin à paroles ? Ça dure, ça dure. Pour flatter son petit ego de *geek*, je suppose. Quand je l'appelle, ça me prend la moitié de ma journée.

J'imaginais les échanges entre Slidell et Pastori. Avec beaucoup de compassion pour ce dernier.

— Les médias continuent à s'agiter ?

— Un trou de cul nous a filmés pendant qu'on travaillait sur le corps de Leal, sous le viaduc. Pas croyable ! Y voulait son quart d'heure de gloire, *fuck*.

Changement de sujet.

— Où en est le vieillissement facial d'Annick Pomerleau ?

— J'ai le résultat.

— Vous comptiez m'en parler ?

— Je vous en parle.

— Qu'est-ce que ça donne ?

— Elle paraît plus vieille.

— Envoyez-le-moi sur mon iPhone. S'il vous plaît.

Je lui ai alors fait le compte rendu de nos activités de la veille. Les visites décevantes. Ma déduction intuitive après avoir étudié les dossiers de 2004 et rencontré Sabine Pomerleau. La maison du Vermont.

— Pas mal, doc.

— Si elle s'est effectivement planquée dans cette maison des Corneau, elle en est sûrement partie depuis longtemps.

— Quand irez-vous explorer les lieux ?

— Dès que j'aurai le feu vert de Rodas.

— Il a demandé un mandat ?

Je n'y avais pas pensé.

— Je dois y aller.

Et j'ai coupé.

9 h 46.

Après avoir nettoyé le café répandu sur le carrelage de la cuisine, j'ai déballé les plats tout prêts que j'avais rapportés de Charlotte. Une douche, un coup de séchoir, et j'ai enfilé un jeans, des chaussettes en laine et un gros pull.

10 h 38.

Petite inspection de mon téléphone, dans l'espoir d'y trouver un texto qui y serait arrivé pendant mes ablutions. Rien.

Trop excitée pour rester assise, je me suis mise à marcher de long en large. Pourquoi cette appréhension ? Qu'est-ce qui m'arrivait ? La stupéfaction d'avoir eu raison ? Enfin, peut-être raison. L'exaltation à l'idée que nous avions peut-être trouvé la planque de Pomerleau ? Enfin, peut-être. La fureur d'avoir été mise à l'écart par Rodas et Ryan ? Certainement.

À 11 h 10, le téléphone a enfin sonné. 802, l'indicatif du Vermont.

— Brennan. (Ton aussi froid que la neige locale.)

— Ryan est en route pour passer vous prendre.

— Vraiment ?

— Il faut que vous rappliquiez. En vitesse.

# Chapitre 21

La neige a commencé à tomber pendant que nous traversions le pont Champlain, pour se transformer en grésil au moment où nous atteignions Stanstead, tout près de la frontière.

Les essuie-glaces avaient d'abord chassé du pare-brise de gros flocons flasques, puis du grésil. De temps à autre, une feuille emportée par le vent s'écrasait sur la vitre jusqu'à ce qu'un bon coup de balai caoutchouté lui redonne sa liberté, brillante d'humidité et prête à se déchiqueter.

À l'intérieur de la voiture, une odeur de cuir et de laine mouillée. De vieille fumée de cigarette.

— Ouvre l'œil. On cherche le cimetière Passumpsic.

Les premiers mots de Ryan en presque deux heures. Ça ne me dérangeait pas, il m'avait retransmis tout ce qu'il savait, c'est-à-dire pratiquement rien. Après cela, nous nous étions l'un et l'autre enfouis tout au fond de nos propres pensées.

Parfois, je consultais mon iPhone. Tout juste passé midi, un courriel de Slidell avec une pièce jointe. Je l'ai téléchargée.

Vous avez déjà vu des photos de Charles Manson. À n'importe quel âge, ses yeux expédient un vent glacial qui vous coupe l'âme en deux, comme un couteau. Il peut avoir les cheveux hirsutes ou coupés ras, les joues rondes ou creuses, vous avez l'impression de plonger le regard au cœur du Mal, avec un grand M.

Pareil avec Annick Pomerleau. Sur l'unique photo d'elle dont nous disposions, elle était encore dans l'adolescence.

Aujourd'hui, elle avait dans les trente-neuf ans et, à en croire l'ordinateur, une ligne de menton plus douce, des paupières un peu tombantes, des lèvres et un contour du visage plus larges. En un mot, un visage de femme et non plus celui d'un enfant.

Mais toujours ces yeux froids au regard de pierre, ces yeux de reptile dénués d'émotion.

Comme la dernière fois où je l'avais vue. Quand elle m'avait aspergée d'essence avant de frotter l'allumette.

J'ai fait ce que Ryan me demandait. Nous venions juste de traverser St. Johnsbury, et ce qui s'étendait maintenant sous nos yeux, c'était essentiellement des champs, des arbres et des groupes de maisons.

— Là-bas.

Un vieux cimetière, avec des pierres tombales et des piliers plutôt que des plaques au ras du sol, pour simplifier la tâche des tondeuses.

Illustration parfaite d'une œuvre de Poe, dans cette obscurité hivernale.

Quatre cents mètres plus loin peut-être, Ryan a ralenti, mis son clignotant et tourné à gauche de l'autoroute 5 dans Bridge Street. Une église, un bureau de poste, un bâtiment gris avec un vieux siège d'auto rouge sur la véranda et un kayak en plastique rouge suspendu en haut, sous le débord du toit.

Écrit en blanc sur le côté du kayak : *Passumpsic.* Au-dessus de la porte, un panneau en bois indiquant : *Pourvoirie de la rivière Passumpsic, LLC.*

Juste derrière, un pont fait d'un treillis resserré de poutres métalliques et de poutres en bois peintes en vert. Rien à voir avec le pont couvert façon Nouvelle-Angleterre que je m'étais représenté. La rivière Passumpsic semblait sombre et menaçante quand nous l'avons franchie. Sur une berge, une ancienne centrale électrique en brique.

Bientôt Bridge Street a changé de nom pour s'appeler Hale. La forêt a repris ses droits sur les deux côtés. Des pins très hauts, des épicéas plus petits. Des feuillus aux branches dénudées, leur écorce noire et brillante d'humidité.

Encore un peu et il n'y a plus eu ni maison ni grange. Juste la Forêt des rêves bleus de Winnie l'ourson.

Sept minutes de silence. Je le sais, je regardais ma montre tout le temps. Puis Ryan a tourné à droite à côté d'un poteau déglingué qui avait dû soutenir une boîte aux lettres dans une vie antérieure. Un panneau cloué à un arbre avec des lettres bleues décolorées jusqu'à devenir de la teinte d'un vieux jeans. *ORNE.* En-dessous de ce nom visiblement tronqué, la représentation d'une fleur de lys, tout aussi défraîchie.

La piste était plutôt une trouée dans les arbres creusée de deux longues ornières incapables de choisir entre boue et glace. La Jeep s'est mise à faire des sauts de cabri. Je me suis raccrochée des deux mains au tableau de bord. Quand Ryan a fini par s'arrêter, mes plombages dentaires étaient à deux doigts de foutre le camp.

Une clairière d'une dizaine de mètres de long. De l'autre côté, une petite maison à ossature de bois qui avait connu des jours meilleurs. Un seul étage. Probablement peinte en jaune autrefois, avec le tour des fenêtres et des portes blanc, mais la peinture avait disparu depuis longtemps. Comme pour la boîte aux lettres.

La porte d'entrée, accessible par une marche en béton, était maintenue ouverte à l'aide d'une pierre. Les fenêtres qui nous étaient visibles, celles de la façade avant et du côté droit, étaient bouchées de l'intérieur avec du contreplaqué. À gauche, une légère élévation de terrain et un bosquet de grands pins sous lesquels se nichaient trois hangars, un grand et deux petits.

Des sentiers reliaient ces hangars les uns aux autres, puis à la maison.

Garée en face de la maison, une voiture de patrouille de la police de Hardwick. Appartenant à Umpie Rodas, vraisemblablement. En plus de la voiture, un camion de scènes de crime et, à côté, une camionnette noire avec double porte à l'arrière. Un véhicule qui avait des liens avec une morgue de la région, m'a soufflé mon instinct.

— *Tabarnac!** s'est exclamé Ryan.

Je me suis tournée vers lui, prête à piquer une colère dès que je saurais ce qu'il m'avait caché. Mais il avait l'air aussi surpris que moi.

— Qu'est-ce qui se passe ?

— Aucune idée.

— Rodas ne t'a rien dit?

— Juste qu'ils avaient trouvé quelque chose qui risquait de nous intéresser. D'après sa voix, il avait l'air distrait.

— Forcément. Avec tous les coups de téléphone qu'il devait avoir à passer.

J'ai remonté le capuchon de mon parka sur ma tête. Enfilé des gants. Et suis descendue de voiture.

Direction : la maison. Les violentes rafales de vent écrasaient le grésil sur mon visage, me laissant l'impression que de petites pastilles de feu m'avaient dynamité les joues. L'esprit en ébullition, j'échafaudais déjà toutes sortes de possibilités. Complètement ridicule, puisque je saurais tout dans cinq minutes. Dans mon dos, les bottes de Ryan émettaient des bruits de glissade sur l'herbe et les feuilles.

Les miennes aussi.

Un flic en uniforme montait la garde à la porte d'entrée, les pouces accrochés dans un ceinturon qui disparaissait à moitié sous un épais rouleau de lard. Sur son chapeau et sa veste, des insignes de la police de Hardwick.

En nous voyant, il s'est redressé.

— D$^r$ Temperance Brennan. (En présentant rapidement ma carte du LSJML.) Nous sommes ici à la demande de Rodas.

Ryan m'a imitée. Le flic a à peine regardé nos cartes. De l'intérieur nous parvenaient des sons de tiroirs qu'on ouvre et qu'on referme.

— Il est dans le grand hangar.

— Merci.

— Sécurité sévère, a fait remarquer Ryan, une fois passé le coin de la maison.

— C'est le Vermont rural.

Nous avons suivi le chemin vers la petite élévation. Ajouté nos empreintes de bottes aux dizaines d'autres qui parsemaient la boue à demi gelée.

Le hangar était un amas de planches en bois brut qui tenaient à peine ensemble. Le toit de tôle était rouillé et, au fond, les lattes en fer blanc gondolaient, n'étant plus tenues par les clous de fixation.

La double porte, semblable à celle d'une grange, était grande ouverte, et l'intérieur du hangar visible dans tous ses détails. Une scène surréaliste éclairée comme un décor de film par un technicien débordant de zèle. Des lampes portatives partout.

Dans quel but?

Dans un coin tout au fond, deux silhouettes en partie dans l'ombre discutaient à côté d'un tonneau en plastique bleu. L'une était Umpie Rodas, l'autre une femme de haute taille avec une tuque en tricot rouge baissée au ras de ses sourcils et un long manteau noir qui dissimulait ses formes. Au bruit de nos pas, ils se sont retournés.

Rodas n'avait pas de chapeau et la fermeture Éclair de son blouson n'était pas remontée. Il portait une chemise rouge. Celle-là même qu'il avait à Charlotte, peut-être. À moins qu'il n'en possède toute une collection.

— Content que vous ayez pu venir. Et désolé pour la météo.

Nous sommes entrés à l'intérieur. L'endroit sentait la fumée, la terre humide et le sucre, comme dans une crêperie un dimanche matin.

Pour les lumières, j'avais raison. Trois lampadaires standard, sur trépied, comme on en utilise souvent sur les scènes de crime. Une génératrice alimentée au gaz, le genre qui se vend dans n'importe quel Home Depot.

Rodas a fait les présentations. La femme, Cheri Karras, appartenait au Bureau du médecin examinateur en chef de Burlington. Au lieu de mitaines, elle portait des gants chirurgicaux. Rodas aussi.

Un nœud s'est formé au niveau de mes tripes.

Derrière Karras, un homme en grosse veste molletonnée en train de prendre des photos, dont l'haleine ressortait en blanc chaque fois que la lumière du flash s'éteignait.

Coup d'œil autour de moi. Un sol en terre battue, compact, jonché d'un bric-à-brac d'ustensiles. Des chaudrons énormes, noircis par le feu. Une boîte ouverte contenant des sacs en plastique bleu. À côté, des dizaines de boîtes identiques, mais fermées. Tout autour, le long des murs, des seaux rouillés, des casseroles de différentes tailles, des tamis, des cartons de lait et de jus de fruit, des bassines de vingt litres en plastique blanc empilées de manière à former des tours branlantes d'un mètre cinquante de haut.

Sur des étagères, des boîtes en bois remplies de petits instruments en métal avec une pointe à un bout et un tuyau à l'autre. D'autres avec des crochets métalliques. Deux perceuses. Un assortiment de marteaux. Une demi-douzaine de bobines de tube bleu. Des bidons d'eau de Javel.

Au centre de cette cabane, juste en dessous de la partie ventilée du toit, une fosse d'un mètre sur un mètre cinquante, tapissée de briques réfractaires. Sur la longueur, des barres de fer supportant une cuve en métal rectangulaire à fond plat, vide, mais jaunie à l'intérieur par une sorte de résidu. Les briques et les barres étaient noires et couvertes de suie. Pareil pour l'extérieur de la cuve.

Le spectacle m'a laissée perplexe. Sauf sur un point : à savoir que cet endroit, quel que soit son usage, ne servait plus depuis des lustres, à en juger par la crasse et les toiles d'araignée.

— Comme j'avais entendu dire que personne n'occupait les lieux, j'ai décidé d'y jeter un coup d'œil, histoire de m'assurer qu'il n'y avait pas eu de vandalisme. On a parfois des squatters. Les gens trouvent une maison d'été vide et ils y emménagent pour l'hiver.

Mon attention s'est recentrée sur Rodas. Sur Karras. Sur ce sinistre tonneau bleu entre eux.

— Il y avait eu effraction, c'est sûr. La serrure a été forcée. Pour moi, c'était un feu vert. Aucun dommage à l'intérieur, il n'y avait rien à voler. Alors, je suis venue voir ici.

— *Une cabane à sucre\**, a dit Ryan, s'exprimant en français pour je ne sais quelle raison.

Évidemment. Ce hangar était une cabane à sucre, un endroit où l'on transforme l'eau d'érable en sirop.

J'ai baissé les yeux sur le tonneau. Le nœud à l'intérieur de moi s'est resserré.

— Un Québécois voit ça tout de suite, a dit Rodas.

Le téléphone de Karras a émis un bourdonnement. Sans un mot, elle est sortie. Je l'ai regardée pendant que Rodas continuait à parler. Elle n'avait pas l'air troublé. Qu'y avait-il dans ce tonneau ? Un raton laveur ? Ou était-ce seulement une journée de plus en compagnie de la mort ?

— La propriété appartient à Margaux et Martin Corneau, d'après l'acte notarié. Quatre hectares en tout. Un pour l'érable à sucre et l'érable rouge mélangés. Jusqu'à la fin des années 1980, les Corneau produisaient dans leur petite exploitation entre quarante et quatre-vingt litres par an et livraient à une entreprise qui mettait en bouteille et vendait localement. Tous ces vieux trucs, c'est à eux, a fait Rodas en décrivant du bras un arc de cercle qui englobait l'attirail autour de nous. Les chaudrons, les seaux et les couvercles en aluminium. Maintenant, les sacs en plastique pour la collecte et les tuyaux en polyéthylène, c'est une autre affaire.

— Ce qui veut dire ? a demandé Ryan.

— Qu'ils sont tout neufs.

— Ce qui laisse supposer une utilisation plus récente ?

Rodas a hoché la tête d'un air sinistre. Mais il y avait autre chose. Éprouvait-il aussi une sorte d'excitation ? D'impatience ?

— Utilisé par qui ? a insisté Ryan.

— Je creuse ce point en ce moment.

— Qu'est-ce qu'il y a dans ce tonneau ? ai-je lancé en essayant de toutes les forces de cacher mon impatience.

— Nous ferions mieux d'attendre le D$^r$ Karras.

— Où est-ce qu'on achète ce genre d'équipement pour récolter le sirop ? a poursuivi Ryan.

— Partout. Ces fûts sont largement utilisés pour stocker la nourriture. Quant aux tuyaux, ils ont mille et un emplois.

— Les robinets et les sacs ?

— Fournis par les distributeurs. Les sacs pour la récolte ne coûtent pas cher, dans les quarante cents chacun. De nos jours, la plupart des petits producteurs les préfèrent aux seaux. C'est facile de les passer sur un collier, de faire entrer le tuyau branché au robinet, de vider la sève dans un point de collecte, et de jeter le sac. Après on répète l'opération jusqu'à ce que l'arbre soit tari. Les sacs sont également bien plus commodes pour éviter insectes et débris.

— Il ne doit pas s'en vendre tant que ça.

— Bien plus que tu ne le penses.

— Ça s'achète sur Internet ?

Rodas a fait signe que oui.

— J'ai quelqu'un qui passe les coups de fil.

Karras était toujours au téléphone.

J'ai croisé les bras contre mon corps et glissé les mains sous mes aisselles pour les tenir au chaud. Le froid s'insinuait à travers les semelles de mes bottes et se propageait en moi d'os en os. Un froid qui ne venait pas que de la météo.

— C'est un évaporateur? a voulu savoir Ryan en désignant du menton la fosse pour le feu.

— Ouais. C'est mieux que les chaudrons. Ça nécessite seulement beaucoup de carburant.

— C'est pas sérieux! les ai-je interrompus sur un ton exaspéré. On s'est tapé toute la route pour discuter des progrès dans l'art de produire du sirop?

Rodas a poursuivi imperturbablement:

— Le bois pour le feu est conservé dans la cabane derrière. Il n'en reste plus beaucoup. Les voisins ont dû se servir au fil des ans. (Se tournant vers moi:) Vous en savez beaucoup sur le sirop d'érable?

— On a assez perdu de temps!

Réponse donnée sur un ton désagréable. J'étais gelée et angoissée. Et surtout, j'en avais plein le dos de cet échange entre mâles esseulés.

— Autant en profiter pour apprendre quelque chose, a répliqué Rodas, prenant mon absence d'objection pour une invitation à continuer ses explications. Pendant la période de croissance, l'amidon s'accumule dans les racines et le tronc des érables. Sous l'effet de différents enzymes, l'amidon se transforme en sucre, puis l'eau absorbée par les racines transforme ce sucre en sève.

«Au printemps, l'alternance entre gel et dégel force la sève à monter. La plupart des gens récoltent une fois, à partir du moment où il fait plus de 4 °C dans la journée. Par ici, c'est généralement vers la fin avril.

«La sève doit alors être traitée pour que l'eau s'évapore et ne laisse que le concentré de sirop. Cela suppose de faire bouillir entre vingt et quarante litres de sève pour obtenir un litre de sirop. On peut réaliser toute l'opération à partir d'une seule source de chaleur. (Avec un geste en direction de la fosse pour le feu.) Ou on peut prélever au fur et à mesure des quantités plus petites de sève et les faire bouillir dans des pots. (En désignant les ustensiles.)

— Est-ce que tout cela est vraiment pertinent?

Grand sourire de Rodas :

— Vous voulez un café ? J'ai un thermos.

— Non, ça va.

— Tout ça pour dire que le sirop d'érable est fait de sucre, à environ soixante-six pour cent. Juste du saccharose avec de l'eau, et les petites quantités de glucose et de fructose qui se sont créées pendant le processus d'ébullition. Quelques acides organiques, de l'acide malique, par exemple. Une teneur en minéraux relativement faible, la plupart du temps du potassium et du calcium, du zinc et du manganèse. Une variété de composés organiques volatils, tels que la vanilline, l'aldéhyde propionique, et l'hydroxybutanone.

— Alléluia. Une leçon de chimie.

J'en croyais pas mes oreilles.

— Saccharose, glucose et fructose. Quelque chose de doux et gluant. Ça ne vous dit rien ?

Nom de Dieu, j'avais compris !

Je n'ai pas eu le temps de répondre, les yeux de Rodas s'étaient relevés vers les portes ouvertes. Au moment où je me retournais, Karras est entrée dans la lumière. Des gouttelettes brillaient sur ses épaules et sa tuque.

— On peut y aller, doc ? a demandé Rodas.

— Que le spectacle commence.

Rodas a inséré ses doigts gantés sous le levier de métal servant à bloquer le couvercle du tonneau. L'a soulevé vers l'extérieur.

Le couvercle a bougé facilement, sans nécessiter de gros efforts. Ce qui n'avait pas dû être le cas la première fois, à en juger par les entailles et les marques sur le bord.

Rodas s'est reculé pour laisser le couvercle se lever entièrement.

Ryan et moi, nous nous sommes approchés.

# Chapitre 22

Au-dessus de nos têtes le grésil a crissé sur le toit de tôle.

La génératrice s'est mise à bourdonner.

La caméra du technicien en scènes de crime a cliqueté doucement.

Le cadavre flottait juste en dessous de la surface, la tête relevée et inclinée sur le côté, le sommet du crâne appuyé contre un flanc du tonneau. De longs cheveux blonds enveloppaient le visage, moulant ses traits comme un costume de plongée moule le corps du surfeur.

Non, le cadavre ne flottait pas. Il était immergé dans une épaisse bouillie brune.

Un souvenir, en flash. Une exposition au Centre des sciences de Montréal. Des corps conservés grâce à des polymères en remplacement de l'eau et de la graisse des tissus.

Plastination. Ici, le processus était différent, mais l'effet étrangement similaire.

C'est Karras qui a rompu le silence. D'une voix nette et froide. Elle était là pour effectuer son boulot, pas pour se faire des amis.

— J'ai pris les dispositions nécessaires pour que le tonneau soit emporté.

— Depuis combien de temps est-elle là-dedans ? a demandé Rodas.

— J'en saurai plus après avoir examiné le corps. Et je pourrai vous dire si c'est un homme ou une femme.

— C'est noté.

— Je serai heureuse de vous aider, ai-je dit.

— Notre établissement est fermé au public. (Comme si elle s'adressait à un amateur.)

J'ai fait état de mes compétences.

— Compte tenu de l'état de conservation, nous ne devrions pas avoir besoin d'une anthropologue.

— Les apparences sont parfois trompeuses.

— Vraiment?

— Je sais que je suis hors de ma juridiction... (Pour essayer d'adoucir ce que ma phrase pouvait avoir de vexant, et ma grossièreté de tout à l'heure...) Et je comprends...

— Non, probablement pas.

*Du calme, Brennan.*

— Est-ce que je pourrais au moins assister en tant qu'observatrice?

— Le D$^r$ Brennan et le détective Ryan travaillent sur des homicides qui sont potentiellement liés à celui de Nellie Gower, est intervenu Rodas.

— Et c'est ce dont il s'agit ici? a fait Karras, en tapotant le bord du tonneau de sa main gantée.

— C'est possible.

Karras m'a dévisagée d'un air dépourvu d'expression.

— Vous y connaissez quelque chose en autopsie?

— Oui.

— Une fois extrait du sirop, le corps va se désagréger rapidement.

— En effet.

— Je vais travailler toute la nuit.

— C'est ce que je ferais si j'étais à votre place. (En soutenant son regard.)

— À Burlington.

— Prends la Jeep, a lancé Ryan. Je vais rester ici pour aider de mon côté.

Et c'est ce que nous avons fait.

Le médecin examinateur en chef du Vermont a ses locaux dans le complexe médical Fletcher Allen, lequel se trouve dans la banlieue ouest de Burlington. Et Burlington est situé dans l'ouest du Vermont, c'est-à-dire exactement à l'autre bout de l'État quand on vient de St. Johnsbury. Heureusement qu'il s'agit d'un petit État.

Trajet difficile jusque là-bas. D'abord, la Jeep de Ryan, que je n'ai pas l'habitude de conduire ; ensuite, la météo des plus défavorables. À la tombée du crépuscule, la température a chuté et le grésil s'est transformé en une neige mouillée qui collait aux essuie-glaces, ce qui réduisait la visibilité. Sans parler des routes plus que glissantes.

Il était 18 heures 40 quand je suis arrivée à destination. Karras et le camion étaient déjà là.

Des locaux pas très différents d'un grand nombre de ceux où j'ai travaillé, y compris le MCME et le LSJML. Plusieurs salles d'autopsie, toutes avec du carrelage au sol, un tableau effaçable, des armoires métalliques ou en verre, des plans de travail en inox et une grande table au centre de la pièce.

Débarrassée de ses vêtements d'extérieur, Karras apparaissait comme une femme costaude et solide, avec des seins qui pendaient. Le genre de détail dont elle devait se ficher complètement. À tout croire, son style, c'était plutôt les petites culottes en coton et les chaussures à talons plats.

Une fois tous les branchements effectués, le tonneau a été radiographié à l'aide d'un scanner Lodox qui permet de visionner en temps réel un objet à l'intérieur d'un autre, sur des moniteurs vidéo.

En l'occurrence un corps humain.

Examen réalisé de concert avec Karras, une section du corps après l'autre. En blanc : les os, le crâne et les dents. En gris, les tissus mous. En noir, l'air emprisonné dans les intestins et les divers passages.

Des jambes fléchies au niveau des genoux, des bras repliés contre le ventre. Rien d'opaque à la radio. Autrement dit : pas de boucle de ceinture, de fermeture Éclair, de montre ou de bijou. Pas de restaurations dentaires et pas non plus de balle. Le squelette ne semblait présenter aucun traumatisme évident.

Les radios achevées, un technicien a poussé le chariot supportant le tonneau jusqu'à une salle d'autopsie et a prélevé des échantillons de sirop pendant que Karras enregistrait au magnétophone ses observations sur l'état du contenant et ses caractéristiques.

Après avoir pris un million de photos, le technicien a placé un tamis au-dessus d'un tuyau d'évacuation dans le sol. Puis, en nous y mettant tous les trois, nous avons renversé le fût sur le flanc et réussi à en extraire le corps et à le transférer sur la table. Le tout, avec de gros efforts et une quantité considérable de jurons bien sentis.

Cette partie du travail achevée, nous étions recouverts d'une sueur sirupeuse, et des feuilles d'arbre nous collaient à la peau un peu partout.

Karras s'est remise à dicter et à prendre des photos. Le technicien en a profité pour placer d'autres tamis sur les grands pots en acier dans lesquels le reste de sirop allait être transvasé. Un élément végétal, du pollen ou un insecte permettrait peut-être d'identifier l'époque de l'année à laquelle cette personne était décédée.

Ces examens préliminaires terminés, Karras a renvoyé le technicien chez lui. Parce que les routes étaient dangereuses ? Parce qu'elle avait confiance en moi ? Quoi qu'il en soit, elle avait dû prendre bonne note des commentaires que j'avais faits pendant la séance de radiologie. Et remarquer que je ne manquais pas d'expérience pour ce qui était de déloger et de manipuler les cadavres.

De notre côté, nous sommes allées prendre une douche et passer des tenues propres.

À 20 h 40, retour dans la salle d'autopsie avec lunettes, gants et tablier. Malgré mon rapide shampooing, j'avais la peau du crâne qui me démangeait sous mon bonnet de chirurgien enfoncé de manière à couvrir entièrement mes cheveux.

La victime du tonneau, de sexe féminin, était allongée sur la table. Elle avait les cheveux collés au visage. Le sirop dégoulinait de son corps et s'écrasait au sol avec de petits flocs. Elle était nue et sa peau paraissait curieusement bronzée, du fait d'avoir été conservée dans ce liquide ambré.

J'ai attendu que Karras enregistre sa taille, son poids et son sexe. L'âge serait laissé de côté jusqu'à ce qu'on en arrive aux dents. Pour examiner le cuir chevelu, elle devait déplacer les cheveux qu'elle parvenait à décoller, une poignée après l'autre.

Au bout de plusieurs minutes :

— Regardez ça !

Je suis venue me placer à côté d'elle. La bâche en plastique bleu censée protéger le sol était toute collante de sirop d'érable et, à chacun de mes pas, engluait les bottes en papier qui recouvraient mes chaussures.

La victime était blonde, mais avec des racines foncées sur un centimètre et demi de longueur. Teinture faite à domicile avec un produit du commerce. Travail d'amateur.

En soulevant une grosse poignée de cheveux, Karras a fait apparaître une lésion de forme ovale d'environ cinq centimètres de long sur deux et demi de large. Le cuir chevelu avait disparu, et dans cette ouverture en forme d'œuf, on distinguait l'os jauni.

— Qu'est-ce que c'est?

Pas de réponse. Décidément pas une bavarde, cette Karras. J'ai avancé une possibilité:

— Une abrasion résultant du contact avec le tonneau?

— Sa tête était appuyée de l'autre côté.

— Des rongeurs? (Dit sans y croire.)

— Pas de stries de dents sur l'os ou les tissus. Et elle était trop loin sous la surface. D'ailleurs, comment les souris seraient ressorties du tonneau après avoir grignoté son cuir chevelu?

— Y a-t-il d'autres lésions?

— Deux. Passez-moi la loupe.

Je me suis exécutée.

— Les bords ne sont pas nets, mais ramollis. Ça pourrait être dû à l'immersion dans le sirop.

Dans mon for intérieur, j'ai passé en revue différentes possibilités.

— Quelque chose d'externe? Une brûlure? Le contact avec un produit chimique caustique?

— Rien à côté n'est affecté, ni les cheveux ni les tissus.

— Des acariens? Des tiques? Des punaises? Des poux? Des araignées brunes recluses?

— Je n'ai pas repéré d'œufs ou d'excréments. Mais je suppose que des zones ont pu être infectées jusqu'à se nécroser.

— Une affection auto-immune? Quelque chose comme le pemphigus? (J'avais en tête un type de maladie dermatologique qui se manifeste par l'apparition de petites bulles sur la peau et les muqueuses.)

— Mmm.

— Un processus infectieux? Une leishmaniose? Un SARM?

Un staphylocoque doré résistant à la méthicilline.

Marmonnement de Karras tout aussi peu convaincue.

— De l'eczéma ? Un psoriasis pustuleux ? L'un et l'autre peuvent conduire à des abcès de la peau.

— Nous aurons une meilleure vue de la situation quand j'aurai retiré le cuir chevelu.

Fin de la discussion.

Karras a pris des mesures, les a enregistrées, a inscrit des choses sur un diagramme.

Puis, de l'index, elle a essayé d'écarter les cheveux du visage. Ils tenaient bon.

Je me suis éloignée de la table pour la laisser procéder à l'examen du corps à la loupe : le cou, les épaules, les seins, le ventre, et le haut des deux jambes, à la recherche de grains de beauté, de marques de naissance, de tatouages, de cicatrices, de blessures récentes.

— Coucou ! (En tenant le bras droit levé.)

Elle est passée au bras gauche. M'a fait signe d'approcher.

Sous grossissement, on remarquait au creux du coude droit un petit groupe de décolorations ponctuelles.

— Pareil à gauche ?

— Trois marques.

— Des sites d'injection ? (Ça n'y ressemblait pas vraiment.)

— Si c'est le cas, le motif est atypique.

Karras a poursuivi son examen du corps. La peau de l'intérieur des mains était sèche et crevassée, les ongles mal soignés. Des mains qui travaillaient, me suis-je dit.

— Autour des deux poignets, une bande rouge.

— Des ligatures ?

— Peut-être.

Plusieurs battements de cœur ont passé et Karmas a demandé :

— Vous avez déjà travaillé sur un cas comme celui-ci ?

— Un cadavre plongé dans du sirop d'érable ? Jamais. Plongé dans du goudron, oui. Une fois.

— Une idée du temps écoulé depuis qu'elle est dans ce truc ? (Tout en auscultant l'aisselle droite.)

— Le corps est en bon état, ai-je répondu. Le bout du nez pèle un peu. Les tibias aussi, et plusieurs orteils, mais c'est à peu près tout.

— Des points de contact, probablement.

D'autres battements de cœur dans le silence, et Karras a fait sa première remarque qui n'était pas en rapport avec l'autopsie.

— J'habite près d'un tout petit cimetière. Très vieux. Quelques tombes seulement. Sur une pierre tombale, il est inscrit qu'est enterré ici un enfant mort en Angleterre en 1747 et ramené au pays dans un tonneau de miel.

— On n'embaumait pas à l'époque.

— Comme Alexandre le Grand, a-t-elle ajouté en se penchant sur l'aisselle gauche. Il est mort en 323 avant J.-C. et a été conservé dans un cercueil rempli de miel.

— C'est vrai, ai-je renchéri sans montrer ma surprise qu'elle connaisse ce fait historique.

— Sauf que je ne me souviens plus du tout pourquoi ils ont fait ça.

— Alex a passé l'arme à gauche à Babylone. Il fallait le faire revenir en Macédoine.

Pas l'ombre d'un sourire en réponse à mon explication. Or j'ai pour règle de ne pas insister quand on ne comprend pas mon humour. J'ai donc enchaîné :

— Les Assyriens se servaient de miel pour embaumer les corps. Les Égyptiens aussi.

— De quelle façon ? a voulu savoir Karras en se déplaçant vers le bas de la table pour examiner les pieds et les espaces entre les orteils.

— Le miel est composé principalement de monosaccharides et de $H_2O$. Comme la plupart des molécules d'eau s'associent avec les sucres, il n'en reste que quelques-unes à la disposition des micro-organismes, ce qui fait que l'environnement est peu favorable à la croissance bactérienne.

— Pas d'accès à l'extérieur du corps, et pas d'activité anaérobique à l'intérieur de l'intestin. Résultat : pas de décomposition. Le sirop a le même effet ?

— À l'évidence. (C'est ce que Rodas voulait nous expliquer avec son petit cours sur les érables et les sucres.)

Mon cellulaire a sonné. Je suis allée vers le comptoir et, sans toucher le téléphone, j'ai lu le nom de l'appelant. Slidell.

— Il faut que je le prenne.

Aucune réponse de Karras.

J'ai retiré un gant et accepté l'appel.

— La mère de Leal dit qu'elle avait un problème avec ses périodes mensuelles.

Slidell et ses euphémismes. J'ai roulé les yeux au plafond.

— Je suis pas rentré dans les détails, mais y semblerait que la petite souffrait vraiment d'affreux maux de ventre. Sa mère l'a même emmenée aux urgences, une fois. Elle pense que c'est la raison pour laquelle elle allait sur ces sites Internet.

— Est-ce qu'elle a une idée des mots de passe utilisés ?

De l'autre côté de la pièce, Karras recueillait les saletés sous chacun des ongles.

— Quelques-uns. Je les ai refilés à Pastori.

— Est-ce qu'elle imposait des limites à sa fille quand la petite utilisait Internet ?

— Elle dit que oui, mais c'est pas mon impression.

Karras s'est avancée vers le comptoir pour y prendre le kit d'empreintes digitales. Craignant de divulguer des informations confidentielles, j'ai pivoté sur mes talons et parlé un ton plus bas :

— Est-ce que vous avez fait circuler le portrait-robot de Pomerleau ?

— Ouais, juste après vous l'avoir envoyé.

— Un résultat quelconque ?

Karras est retournée à la table d'autopsie.

— L'animateur de l'émission *Geraldo* a rappelé *pronto*. Y paraît que Pomerleau veut faire partie du *show*.

Je n'ai pas fait de commentaire.

— Quoi de neuf du côté de chez vous ? a voulu savoir Slidell.

Il y a eu un mouvement derrière moi. Probablement Karras en train d'appuyer les doigts enduits d'encre de la victime à tour de rôle sur une feuille de papier.

— Je vous le dirai plus tard.

— Où est Ryan ?

— En train de remuer une cabane à sucre.

— Qu'est-ce que ça veut dire ?

— Je vous expliquerai plus tard.

Un crissement métallique, puis de l'eau tombant sur de l'inox. Je me suis retournée.

Karras pulvérisait de l'eau sur les cheveux à l'aide d'une buse afin de les décoller du visage. Les mèches cédaient peu à peu et retrouvaient leur place sur le crâne.

Les traits de la morte me sont enfin apparus.

À leur vue, je suis restée bouche bée.

# Chapitre 23

— Oh mon Dieu !

Karras m'a dévisagée, statue de la désapprobation.

J'ai retrouvé une photo dans mon téléphone et me suis avancée vers elle en brandissant l'appareil. Ses yeux ont fait des allers et retours entre mon iPhone et le visage luisant sur la table. Un très long moment a passé.

— Qui est-ce ?

— Annick Pomerleau.

Regard vide d'expression.

— Pomerleau a peut-être assassiné Nellie Gower et d'autres petites filles.

— Je vous écoute.

Je lui ai donné la version abrégée.

— Vous êtes sûre que c'est elle ? (En scrutant le cadavre.)

— Sans aucun doute.

— On va prendre les empreintes et prélever des échantillons pour les tests d'ADN.

— Parfait.

— Comment votre suspecte a-t-elle pu finir à l'intérieur d'un tonneau de sirop d'érable ?

— Je compte sur vous pour m'aider à clarifier ça.

\* \* \*

À deux heures quarante-cinq du matin, Karras a sectionné à petits coups de ciseaux le fil qui refermait le Y sur la poitrine de Pomerleau.

Entre-temps, les bactéries longtemps interdites de séjour à l'intérieur de ses chairs avaient commencé à y tracer leur chemin. L'air était devenu lourd de l'odeur fétide de la putréfaction mêlée à celle douceâtre du sirop.

L'autopsie nous avait laissées avec bien plus de questions que de réponses, malheureusement.

La rigidité cadavérique, condition transitoire qui fait que les muscles se raidissent, s'était depuis longtemps résorbée. Ce n'était pas une surprise. Nous l'avions déjà remarqué quand nous avions manipulé le corps.

La lividité, c'est-à-dire la décoloration due à l'accumulation du sang dans les régions basses d'un cadavre, était évidente au niveau des fesses, des jambes et des pieds. Soit Pomerleau était morte à l'intérieur de ce tonneau, soit elle y avait été placée très vite après sa mort.

Aucune présence de sirop dans les sinus, les passages où transite l'air, les poumons ou l'estomac, ce qui signifiait que Pomerleau n'en avait ni inhalé ni ingéré. Elle ne s'était donc pas noyée dans le tonneau. Par conséquent, elle était déjà morte quand elle y était entrée.

L'intestin de Pomerleau ne contenait que des fragments de peau de tomate. Au moment de sa mort, cela faisait donc entre six et huit heures qu'elle n'avait rien avalé.

Karras n'avait repéré ni balles, ni fragments de balle, ni sillon laissé par une balle. Pas de traumatisme résultant d'un objet contondant. Pas de fracture des hyoïdes pouvant suggérer une strangulation.

Pas de pétéchies indiquant l'asphyxie.

À la loupe, elle avait repéré à la surface ectocrânienne, près du bord d'un défaut de forme ovale, trois rainures parallèles en forme de V, d'une extrême finesse vues en coupe. Phénomène pour lequel ni Karras ni moi-même n'avions d'explication satisfaisante.

Mises à part ces minuscules marques au creux des deux coudes, le corps ne présentait aucun de ces traits caractéristiques que l'on trouve en quantité sur ceux des consommateurs de drogue réguliers.

Karras a procédé à un test de viol. Prélevé la quantité de sang nécessaire aux tests de toxicologie. Sans rien attendre ni de l'un ni de l'autre.

En fin de compte, Pomerleau était une femme blanche, âgée de trente-neuf ans, en bonne santé, ne présentant aucun traumatisme ni aucune infection, maladie systémique ou malformation congénitale. Nous n'avions aucun indice sur la date de sa mort ni sur la façon dont elle était décédée. Nous ne savions pas davantage comment et pourquoi elle avait abouti dans ce tonneau.

Du grésil tombait encore quand Karras m'a déposée à un Comfort Inn à environ un kilomètre et demi du complexe médical. En cours de route, nous avons échangé des théories sur la mort de Pomerleau. Je penchais pour le meurtre. Karras, plus prudente, s'apprêtait à inscrire « indéterminée » dans la case *Cause de la mort*. Façon de dire : « suspecte ».

Elle avait raison. D'autres possibilités existaient : overdose dissimulée, étranglement accidentel, bien que ce soit peu probable. Pour ma part, je n'y croyais pas.

Nous sommes tombées d'accord sur un point : Pomerleau ne s'était pas enfermée toute seule dans ce tonneau.

Une fois dans ma chambre, j'ai envisagé de téléphoner à Ryan. Ou à Slidell.

À la place, j'ai pris une deuxième douche et me suis écroulée sur le lit.

Tandis que le sommeil me gagnait, la vérité m'a assommée comme un coup de matraque.

Pomerleau était morte. Enfin. Le monstre. Celle qui avait réussi à fuir. J'ai tenté de donner un nom aux émotions qui me tordaient les boyaux. Raté.

Faits et images faisaient des ricochets dans mon cerveau.

Une empreinte de lèvre sur une veste.

Un ADN masculin.

Stephen Menard.

Une prison insonorisée dans une cave.

Des questions. Des quantités de questions.

Pomerleau s'était-elle trouvé un nouveau complice ? Cet homme était-il impliqué dans sa mort ?

L'avait-il tuée lui-même ? Pourquoi ?

Qui était-ce ? Où était-il maintenant ?

Avait-il transporté dans le Sud son musée des horreurs ?

Cette fois, ce sont des coups violents qui ont creusé une brèche dans le mur épais de mon sommeil.

Je me suis réveillée désorientée.

À cause d'un rêve? Impossible de m'en souvenir.

Il faisait noir dans la chambre.

Des fragments de souvenirs ont commencé à se stabiliser. La cabane à sucre. Le tonneau. L'autopsie.

Pomerleau.

Ce martèlement, ne l'aurais-je pas imaginé?

J'ai tendu l'oreille.

Le vrombissement de la circulation. Lourd maintenant, ininterrompu.

Pas de grésil ni de vent battant la fenêtre.

— Brennan!

Bang. Bang. Bang. 8 h 05.

*Shit.*

— Remue ton cul!

— J'arrive!

J'ai sauté dans mes vêtements de la veille. Je n'en avais pas d'autres.

Le soleil m'a aveuglée quand j'ai ouvert la porte. La tempête avait disparu, laissant dans son sillage un calme surnaturel.

Devant moi, des lunettes d'aviateur dans lesquelles se reflétait mon visage complètement déformé, façon palais des glaces d'un parc d'attractions. Les surplombant, une tuque en laine noire. En dessous, un nez et des joues rougis par le froid.

— Tu es là. (Je n'ai rien trouvé de mieux, étant encore dans les vapes.)

— Tu devrais devenir détective.

Une des anciennes blagues de Ryan. Qui ne nous a fait rire ni l'un ni l'autre.

— Départ dans dix minutes.

— Vingt. (En me protégeant les yeux d'une main.)

— Je t'attends dans la Jeep.

Douze minutes plus tard, j'avais ma ceinture bouclée et les doigts serrés autour d'un verre en polyéthylène recouvert de cire pour les réchauffer. La Jeep sentait le café et le porc trop cuit.

— N'importe qui aurait pu voler mon bolide.

— Personne ne l'a fait.

— J'ai besoin de cette Jeep.

— Je suis sûre qu'elle a besoin de toi.

— Tu ne fais attention à rien.

— Ça va, Ryan. Tu avais les clés.

— L'abandonner au complexe médical, c'était tout simplement de la paresse. Une chance que Karras m'ait prévenu.

Sur mes genoux, la serviette en papier contenant l'œuf McMuffin présentait des taches de gras translucides.

— Comment tu es arrivé jusqu'ici de St. Johnsbury ?

— Umpie s'est arrangé pour que quelqu'un me ramène.

Il l'appelait Umpie maintenant.

— Où est-ce qu'on va ?

Ryan s'est glissé dans la circulation. Sans répondre.

J'ai déballé le sandwich, en ai croqué une ou deux bouchées. Quelques minutes plus tard, nous grimpions la rampe d'accès de l'autoroute I-89. En direction du nord.

— Le voilà, ai-je dit en pointant Ryan du doigt. Il est là, ce petit sourire.

Visiblement, Ryan n'était pas d'humeur à rigoler.

Tant pis.

J'ai regardé le Vermont défiler de l'autre côté de la fenêtre.

Le soleil du matin faisait fondre un monde de glace. Pourtant la campagne brun caramel avait l'air d'étinceler. Peut-être qu'elle était recouverte de sirop d'érable.

— OK, mon rayon de soleil. Je vais commencer. (Tout en enfournant le papier de mon McMuffin dans le sac entre nous.) C'était Annick Pomerleau dans le tonneau.

Les lunettes d'aviateur ont pivoté sur moi d'un coup.

— *Shit.* Tu te fous de moi ?

— Non.

— Comment est-ce qu'elle est morte ?

— Je peux te dire comment elle ne l'est pas.

Les traits crispés, l'air méfiant, Ryan a écouté mon rapport sur l'autopsie sans m'interrompre, pour me dire, quand j'ai eu fini :

— L'équipe de Rodas a retourné toute la propriété à l'envers. Pas de drogue ni le moindre attirail lié à cette utilisation.

— Il y avait quoi, dans la maison?

— Des meubles et des appareils merdiques. De la bouffe en conserve dans le garde-manger, des céréales et des pâtes qui ont fait le bonheur de générations de rongeurs.

— Des dates d'expiration lisibles?

— Quelques-unes. La plus récente indiquait quelque part en 2010.

— Et dans le réfrigérateur?

— Variations sur le thème pourriture. Insectes, crottes de souris, moisissure. Comme si l'endroit avait été occupé un moment puis abandonné.

— Abandonné quand?

— Depuis plus de cinq ans, si l'on en croit de vieux journaux mis à la poubelle. Le plus récent, le *Burlington Free Press*, datait du dimanche 15 mars 2009.

— Tu as vérifié les interrupteurs, les lampes?

Ryan m'a glissé un regard en coin.

— Tous éteints sauf un plafonnier dans la cuisine et une lampe dans une chambre. Les ampoules étaient brûlées.

— Les lits étaient faits?

— L'un oui, l'autre pas.

— Autrement dit, ai-je résumé, les derniers occupants en date ne se sont donné aucun mal pour fermer la maison. Comme de nettoyer le réfrigérateur, retirer les draps des lits ou éteindre les lumières. Ils sont tout simplement partis. Probablement de nuit.

— C'est ça.

— Comment arrivaient les journaux?

— Pas par la poste, en tout cas. La livraison du courrier a été suspendue parce qu'il n'y avait pas de boîte aux lettres à cette adresse.

— Quand était-ce?

— En 1997. Selon Umpie, il n'y a pas de livraison à domicile.

Un temps de réflexion, et j'ai dit:

— Pomerleau faisait ses courses à Burlington ou pas loin.

— Ou dans un magasin local qui vendait les journaux de Burlington.

— Un véhicule sur les lieux?

— Un Ford F-150 de 1986 était garé dans un des hangars.

— C'est un camion, pas vrai ?

— Oui, Brennan. Un pick-up d'une demi-tonne. Le réservoir à moitié plein, a précisé Ryan, devinant que ce serait ma question suivante. Pas de plaque, et pas de GPS, évidemment.

— Évidemment. Rien d'autre dans ce hangar ?

— Un vieux tracteur et une benne.

— Je suppose qu'il n'y avait pas de système d'alarme.

— Un chien, peut-être.

— On en a une preuve ?

Ryan s'est contenté de secouer la tête.

Pour dire non ? Pour signifier que cette question l'ennuyait ? C'est donc au pare-brise, à l'accoudoir, peut-être même à la chaufferette que j'ai adressé la question d'après :

— Il n'y avait pas de voisins proches ? Personne capable de dire si des lumières s'allumaient ou s'éteignaient ?

Ryan s'est déporté à gauche pour doubler un camion Budweiser. Il roulait beaucoup trop vite à mon goût.

— Il y avait le téléphone dans la maison ? ai-je demandé, ne me rappelant plus avoir vu des fils dehors.

— Non.

— Donc pas de câble ni de Wifi non plus, je suppose.

Silence radio côté Ryan.

— Et pour les services habituels : eau, gaz électricité ?

— Ils sont dessus, en ce moment.

— Les Corneau sont morts en 1988. Qui paye les taxes depuis ?

— Ils sont sur ça aussi.

— Tu crois vraiment que Pomerleau vivait là, à entailler les érables en toute discrétion ?

— Il y avait une collection de livres sur la production du sirop d'érable dans l'une des chambres. Et tout l'équipement nécessaire était déjà sur place.

— Qu'est-ce que disent les voisins ?

— Ils…

— OK, ils sont dessus. Je peux savoir pourquoi t'es aussi chiant ?

Les mains de Ryan se sont serrées sur le volant. Il a pris une profonde inspiration. A exhalé par le nez.

— On a trouvé autre chose là-bas.

— Sûrement des zombies mangeurs d'homme, si j'en juge à la façon dont tu te comportes.

C'était bien pire que ça.

# Chapitre 24

— Moi ?

— Oui, Brennan. Toi.

— Pour quel journal ?

Subitement, l'impression d'avoir avalé de l'acide, et le McMuffin n'y était pour rien.

— Le magazine *Health Science.*

— Je ne me souviens pas de leur avoir donné d'interview...

— Eh bien, tu l'as fait.

— Publié quand ?

— En 2008.

— Sur quel suj...

— Il ne restait qu'une seule page. Une photo de toi en train de mesurer un crâne dans ton laboratoire de l'université.

Vague souvenir d'un coup de téléphone pour un article de fond sur les changements survenus en anthropologie physique au cours des cinquante dernières années. Mon opinion sur ma sous-spécialité en médecine légale ? Pouvais-je leur prêter un graphique ?

Dans mon esprit, cet article contribuerait peut-être à dissiper le mythe hollywoodien selon lequel les scènes de crime sont *glamour* et les affaires de meurtre résolues à 100 %. Six ans déjà ?

La sensation de brûlure se propageait de mon estomac à ma poitrine. Maintenant, j'avais une boule dans la gorge.

Pomerleau avait découpé une photo de moi. Avait appris que je vivais à Charlotte.

Le savait depuis 2008.

Lizzie Nance était morte en 2009. D'autres avaient suivi. Estrada. Leal.

Peut-être Koseluk et Donovan. Le cas ME107-10.

Je n'ai pas eu le temps de dire un mot que le téléphone de Ryan a bourdonné dans sa poche. Il a lu le nom à l'écran et pris la communication.

— Pomerleau.

Le juron en réponse m'est parvenu atténué par l'oreille de Ryan. Des questions ont suivies. Ryan y a répondu par monosyllabes. Oui. Non. Indéterminé. Suspect.

— Je mets le haut-parleur, a dit Ryan en plaçant le téléphone sur le tableau de bord.

— Comment ça va, doc? (Rodas.)

— Couci-couça.

— Voici ce que nous avons à ce jour. L'interrogatoire du voisinage a pris environ cinq secondes du fait que c'est quasiment un désert là-bas. Au sud, un couple d'octogénaires. De chez les Corneau, on n'entend pas ce qui se passe chez eux, et de chez eux on ne voit pas ce qui se passe chez les Corneau. Cela dit, ils les connaissaient. D'après eux, les Corneau venaient surtout au printemps, pour le temps des sucres, mais aussi en été, de façon plus sporadique. Ils regrettent de ne plus les voir. Le mari pense que leur petite-fille a vécu un certain temps dans la maison.

— Quand l'a-t-il vue pour la dernière fois?

— Ne s'en souvient pas.

— Est-ce qu'elle était blonde?

— Je vais lui demander.

— Je vous envoie deux photos de Pomerleau. La photo de classe vieillie, ai-je dit en lui textant le fichier, et un gros plan d'elle que j'ai pris pendant l'autopsie. Montrez-les-lui.

— Je le ferai. Au nord de chez les Corneau, un veuf vit seul là-bas seulement une partie de l'année. Ne savait rien du tout. Même chose pour les gens qui habitent le long de Hale Street.

— Personne n'a remarqué qu'il n'y avait plus jamais de lumière dans la maison?

— C'est trop loin. J'ai vérifié hier soir. Les arbres bouchent complètement la vue.

— Personne ne se rappelle de véhicules arrivant ou partant?

— Non.

— Personne n'a jamais rendu visite aux Corneau? Quelqu'un qui cherchait un chiot perdu? Ou qui aurait apporté des biscuits pour souhaiter la bienvenue?

— On n'est pas très démonstratif dans le Vermont.

— Et en ville, vous vous êtes renseigné?

— Apparemment, Pomerleau faisait ses courses ailleurs. Jusqu'ici, on n'a trouvé personne qui se souvienne d'une femme correspondant à sa description. Si jamais elle est venue dans un magasin ou un autre, les gens ne lui ont pas prêté attention. Ils ont dû la prendre pour une touriste qui aime la pêche ou le kayak.

Ce qui corroborait ma théorie selon laquelle Pomerleau se fournissait du côté de Burlington. Dans une grande ville où elle pouvait passer inaperçue.

J'ai entendu un petit ping en bruit de fond, un deuxième. Mes textos étaient bien arrivés dans le téléphone de Rodas. J'ai demandé encore:

— Où est-ce qu'elle achetait le bois dont elle avait besoin?

— On a mis la main sur un gars qui livrait là-bas un camion de bois tous les ans au mois de mars, à ce qu'il prétend. Il dit que la femme le payait en liquide.

— À quand remonte sa dernière livraison?

— 2009, croit-il. Il est un peu brouillon dans la tenue de ses dossiers.

— Montrez-lui les photos.

— Je le ferai. Andy?

— J'écoute.

— Tu lui as dit pour les journaux et les dates de péremption sur la nourriture?

— Oui.

— Voici comment je me représente les choses. Pomerleau arrive dans le Vermont depuis Montréal en 2004. Elle emménage dans cette cabane à sucre et demeure discrète. La maison est abandonnée depuis 2009. Vous pensez, avec le doc Karras, qu'elle pourrait être morte depuis aussi longtemps que ça?

J'ai revu le baril. Le corps à l'intérieur. Les feuilles en parfait état.

— Cinq ans, c'est possible… (Puis, après un moment :) À qui appartient la maison, aujourd'hui ?

— C'est là que ça devient intéressant. L'acte de propriété est toujours au nom de Margaux Daudet Corneau.

— La grand-mère maternelle de Stephen Menard.

— Comme elle est morte au Canada, je suppose que personne ne s'est rendu compte que le titre de propriété n'avait jamais été transféré. Les taxes, la somme sidérante de neuf cents dollars par an, sont réglées par virement automatique depuis un compte au nom de Corneau à la Citizens Bank de Burlington.

— Quand est-ce que ce compte a été ouvert ?

— J'en saurai plus quand j'aurai obtenu un mandat.

— Et les services publics ?

— Pour l'eau, il y a un puits sur le terrain. Le gaz a été coupé. La facture Green Mountain Power était payée à partir du même compte que les taxes. Mais l'argent a fini par manquer. Des mises en demeure ont été envoyées…

— Mais pas reçues, puisque le courrier n'est pas livré et qu'il n'y a pas le téléphone.

— L'électricité a été coupée en 2010.

— L'État n'a pris aucune mesure pour non-paiement des impôts ?

— Des mises en demeure ont été envoyés. Pas encore suivies d'ef…

Un clic nous est parvenu, puis :

— Attendez, j'ai un appel entrant…

Quand il est revenu en ligne, il y avait de la tension dans sa voix.

— Je vous rappelle.

Plusieurs kilomètres en silence, puis Ryan a déclaré :

— Tu as raison, j'ai agi comme un imbécile.

— En effet.

— Je déteste l'idée que Pomerleau ait tout su de tes allées et venues…

Ryan ne me regardait pas, mais je voyais défiler la double ligne jaune du marquage au sol dans ses lunettes.

— … Qu'elle ait voulu le savoir.

— Ça ne me plaît pas non plus.

— Je suis bien content qu'elle soit morte, la chienne! J'espère qu'elle pourrit en enfer.

— Quelqu'un l'a tuée.

— On l'attrapera.

— Et en attendant?

— On l'attrapera, a répété Ryan, en continuant à ne pas me regarder.

— Si je n'avais pas accordé cette interview, Pomerleau ne serait jamais allée à Charlotte.

— On ne sait pas encore ce qu'elle a fait.

— Il y avait de son ADN sur le corps de Lizzie Nance.

— Elle aurait poursuivi son carnage ici, dans le Vermont. Ou ailleurs.

— Pourquoi Charlotte? Pourquoi chez moi?

Nous connaissions tous les deux la réponse à cette question.

Quand le téléphone de Ryan a de nouveau sonné, nous étions de retour au Québec. Comme la fois d'avant, il a mis Rodas sur haut-parleur.

— Un de mes détectives a retrouvé un mécanicien qui prétend être venu chez les Corneau pour réparer la fournaise en 2004 et en 2007.

— Est-ce qu'il a reconnu la personne sur les photos que j'ai envoyées?

— Oui, madame. La première fois, Pomerleau était seule. La deuxième, il y avait quelqu'un avec elle.

Coup d'œil à Ryan : il avait la mâchoire contractée. Pas de coup d'œil en retour. J'ai demandé :

— Il pourrait aider un dessinateur à faire un portrait-robot?

— Négatif. La personne était trop loin. Là-bas, près d'un des hangars, et emmitouflée pour l'hiver. Tout ce qu'il peut dire, c'est que le gars était grand.

— C'est déjà quelque chose.

— C'est quelque chose, a renchéri Rodas, et il a coupé la communication.

Il nous a fallu un certain temps, à Ryan et à moi, pour digérer la dernière partie de cette information. C'est Ryan qui a pris la parole en premier.

— En 2007, Pomerleau s'était acoquinée avec quelqu'un pour partager sa psychose. Ensemble, ils tuent Nellie Gower. L'année suivante, ils vont en Caroline du Nord, ils tuent Lizzie Nance, puis ils rentrent dans le Vermont exploiter leur érablière. La relation bascule…

— Ou il y a un accident. (Imiter Karras : éviter les conclusions hâtives.)

— Il la tue, enferme son corps dans un tonneau et se tire en Caroline du Nord.

— Ouais, ça marche.

— Comme une marche pour fanfares.

— Et maintenant ?

— On empêche le salaud de nuire.

Il a été décidé d'adopter une approche en deux temps. (Sans bien savoir ni l'un ni l'autre en quoi consisteraient ces temps.)

Ryan resterait à Montréal. Ce qui ne l'a pas réjoui, étant donné que Pomerleau ou son colocataire avait posté mon visage sur un mur. Mais après pas mal de discussion, il a convenu que c'était la solution la plus raisonnable.

De mon côté : retour à Charlotte par le premier vol du matin. Au moment de nous séparer, je me suis demandé quand je reverrais Ryan. Compte tenu de notre passé commun et du fait que ma présence semblait lui être devenue douloureuse, il risquait fort à l'avenir de demander à travailler sur des cas pour lesquels on ne requerrait pas mon expertise.

Il était à peine onze heures passées quand un taxi m'a déposée à l'Annexe. J'ai sorti les clés de la porte de derrière. Bien inutilement, car elle n'était pas verrouillée.

Moment de panique. Vérifier les lieux ? Appeler la police ?

Et j'ai vu par la fenêtre Mary Louise entrer dans la cuisine en tenant Birdie serré contre son cœur.

J'ai éprouvé un soulagement, suivi d'un agacement que je n'ai pu m'empêcher d'exprimer, à peine le pied dans la porte.

— Il faut toujours garder cette porte fermée à clé !

Mary Louise portait le même chapeau que la dernière fois. Sous le large bord, son visage s'est décomposé.

*Du calme, Brennan, tes premiers mots à la petite, c'est pour l'engueuler.*

— Je veux dire, c'est plus sûr.

— Oui, madame.

Birdie m'a dévisagée de ses yeux jaunes tout ronds. D'un air de reproche ?

— Vous avez l'air de bien vous entendre tous les deux.

— Il est super, ce chat.

Birdie ne faisait aucune tentative pour se libérer et venir vers moi, contrairement à son habitude.

— Je m'apprêtais à lui donner les croquettes qu'il aime bien. (Dit sur un ton hésitant.)

Birdie m'a gratifiée d'un long regard critique, comme pour me dire : « Ose un peu l'en empêcher ! »

— Excellente idée ! ai-je répondu avec un large sourire.

Mary Louise s'est rendue au garde-manger. J'ai abandonné par terre mon sac de voyage et posé mon sac à main sur le plan de travail.

— Votre mère a téléphoné, a-t-elle dit pendant que Birdie grignotait des Greenies directement dans le creux de sa main. Je n'ai pas décroché, mais j'ai entendu son message. Ma grand-mère a le même répondeur.

Génial. J'étais un fossile. Mais elle, quel âge avait-elle ? Douze ans, treize peut-être ?

— D'autres appels ?

— Je suppose que oui. La lumière rouge clignote depuis mercredi.

— Combien je vous dois ?

Elle a caressé la tête de Birdie. Le roi du spectacle a fait le dos rond en ronronnant.

— Rien du tout, il me plaît vraiment, ce gros minou.

— Ce n'est pas ce qui avait été décidé entre nous.

J'ai sorti quatre billets de dix et les lui ai tendus.

— Wow ! s'est-elle exclamée en empochant l'argent. Ma mère est allergique, alors je ne peux pas avoir d'animal de compagnie à la maison.

— C'est dommage.

Silence gêné.

— Est-ce que je pourrais venir le voir ? Je veux dire, même quand vous êtes là ?

— Nous en serons ravis tous les deux !

Je l'ai remerciée, puis je l'ai regardée par la fenêtre descendre l'allée en sautillant. Toute contente, j'ai enclenché mon antiquité.

Un message de maman se plaignant du D$^r$ Finch.

Un autre de Harry, pour me recommander des livres sur le cancer.

Dehors, Mary Louise a fait deux fois la roue au beau milieu de la pelouse.

Dernier message : Larabee. Il avait des résultats pour les tests d'ADN pratiqués sur les cheveux extraits de la gorge de Shelly Leal. Bizarre. J'ai vérifié mon iPhone. Message là aussi. J'avais tout simplement oublié de le rallumer après l'atterrissage.

J'ai rappelé le MCME. Petit discours de M$^{me}$ Flowers, aujourd'hui sur la culture de la laitue en bac, avant de me passer Larabee.

— Comment était le Canada ?

— Froid. Pareil dans le Vermont.

J'ai commencé par l'informer de mes conversations avec les Pomerleau, les Violette et les Kezerian avant de lâcher ma bombe à propos d'Annick Pomerleau.

— Ça parle au diable !

— Ouais.

La phrase de Ryan m'est revenue à l'esprit. N'ai éprouvé quasiment aucune culpabilité à divulguer son sentiment concernant la mort de Pomerleau. Presque.

— Les cheveux retrouvés dans la gorge de Leal ont été arrachés de force du cuir chevelu, de sorte que le labo a été en mesure de séquencer l'ADN nucléaire. Correspondance avec Pomerleau, a dit Larabee, d'une voix étrange.

Un choc, pour moi aussi. J'ai été incapable de répondre.

— Les cheveux ont été décolorés, ce qui correspond à son cadavre. Pomerleau essayait probablement de modifier son apparence.

— Mais Pomerleau est morte bien avant que Leal ait été tuée.

— Les cheveux peuvent passer d'un endroit à un autre par toutes sortes de moyens. Les vêtements. Une couverture. On dirait que le complice s'est mis à bâcler le travail.

Dans mon esprit, un défilé d'images pires les unes que les autres.

— Et maintenant ? a demandé Larabee après une pause.

— Maintenant, on empêche le salaud de nuire !

Pour reprendre les termes de Ryan.

J'étais en haut dans ma chambre en train de défaire mes bagages quand des coups puissants ont secoué la porte d'entrée.

# Chapitre 25

En deux bonds je me suis retrouvée sur le palier à scruter la véranda. Sous le surplomb du toit, une demi-épaule en tissu écossais et une chaussure d'homme à semelle en caoutchouc, genre Rockport. Usée jusqu'à la corde.

Je me suis précipitée en bas. Vérification de l'identité du visiteur à travers le judas : Slidell, en train de se curer une molaire avec l'ongle de son pouce.

Sa main est retombée quand j'ai ouvert.

— Barrow veut la salive de Lonergan sur un bâtonnet.

Il m'a fallu une bonne minute pour réagir :

— Mais Lonergan, c'est la tante de Colleen Donovan.

— Ouais.

Subitement la peur, comme si on m'avait piquée avec un aiguillon.

— On a trouvé des restes ?

— Nan.

— Alors, pourquoi a-t-on besoin de l'ADN de Lonergan maintenant ?

— La dame mène pas vraiment ce que vous appelleriez une vie stable. Barrow veut l'avoir dans son fichier. Vous savez. Au cas où elle disparaîtrait en oubliant de laisser une adresse.

Au cas où Colleen réapparaîtrait.

Le regard de Slidell a dévié sur le salon dans mon dos.

— Salut, le matou !

Je me suis retournée. Birdie observait la scène depuis le milieu de la pièce. Il aime bien Slidell. On ne lui en tiendra pas rigueur.

— J'ai pensé que ça vous dirait peut-être de venir avec moi.

La raison de cette soudaine sollicitude ? Slidell ne supporte pas les fluides corporels d'autrui. Ça le dégoûte. Déteste le contact sans lequel il n'est pas possible de les obtenir.

— Vous avez vu Larabee ?

— Ouais, quand je suis passé prendre les bâtonnets. Il m'a dit pour Pomerleau. Je suppose qu'on va pas allumer de bougies en souvenir d'elle.

Je ne l'ai pas contredit.

— Rodas a une idée sur qui pourrait être son complice ?

— Non.

— Allons-y. Ça vous donnera l'occasion de me récapituler les faits saillants.

Laura Lonergan vivait dans Park Road, pas très loin des quartiers chics, géographiquement parlant. À des années-lumière de distance, du point de vue économique.

En route, Slidell m'a tendu un tirage papier :

DISPONIBLE 24/7. Massage. Compagnie. Pour les hommes matures qui veulent une femme sensible et sexy. Des vrais cheveux bouclés, des seins épicés, des fesses juteuses !!! Appelez-moi sans attendre ! Pas de Noirs. Pas de textos. Pas de numéros bloqués. Princesse.
Âge : 39 ans.
Lieu : Haute-ville, Charlotte.

En accompagnement, deux photos. Celle d'une femme en string et soutien-gorge push-up se contorsionnant sur un lit comme un boa sur une liane. Celle de la même femme souriant depuis les profondeurs d'un bain moussant où elle était plongée jusqu'au menton.

— Ça vient d'où ?

— De Backpage.com. Sous la rubrique *Escortes, Charlotte*.

— Elle a l'esprit très ouvert.

— On a tous nos limites.

— Elle se fait appeler Princesse ?

— La noblesse à l'état pur.

— Je suppose que c'est plus facile de se faire de la pub sur Internet que d'arpenter les rues.

Slidell a positionné l'annonce sur le tableau de bord.

— Elle fait pas mal de kilomètres quand même.

Il a ralenti. Consulté son carnet à spirale.

Le pâté de maisons était constitué de bâtiments d'un ou deux étages dont un grand nombre abritaient d'anciens appartements transformés en commerces. L'immeuble de Lonergan en comptait six sous la végétation luxuriante qui recouvrait ses murs. Probablement du kudzu, à en juger par la taille des feuilles.

— Elle nous attend?

— Non, a répondu Slidell en mettant le levier de vitesse en position arrêt. Mais elle est là.

Un vestibule pas plus grand qu'un timbre-poste. Une odeur de moisi, de moquette jamais nettoyée et de produits capillaires pour les permanentes et les teintures.

À droite, une fois franchie une porte intérieure, un cabinet comptable sans aucun employé ni client. En face, un escalier étroit. À gauche, un couloir donnant sur un second corridor menant en biais vers le fond du bâtiment.

L'appartement de Lonergan se trouvait au premier étage, à côté d'un salon de beauté et en face d'une esthéticienne qui faisait aussi des manucures.

Ces deux portes étaient fermées. Et derrière les battants, aucun signe de vie humaine.

Sur la porte de Lonergan, un panneau indiquait *Massages* et ordonnait de frapper, SVP. Slidell a obtempéré.

Un moment d'attente. J'ai promené mon regard sur le palier. Il s'est fixé sur une toile d'araignée digne de faire la couverture d'*Architectural Digest.*

Slidell a frappé de nouveau.

Une réponse nous est parvenue, des mots incompréhensibles baragouinés par une femme.

Du geste, Slidell m'a signifié de me plaquer sur le côté, hors de vue. Puis il a frappé une troisième fois, plus fort et avec panache. Des cliquetis ont répondu, et la porte s'est ouverte sur une femme en jeans moulants.

L'apparition aurait pu s'intituler « Le Visage de la meth ». Des cheveux orange complètement grillés. Du cuir brut parsemé de croûtes en guise de peau. Des joues ravinées de creux profonds dus à l'absence de dents.

Laura Lonergan a souri, lèvres fermées, sans doute pour couvrir les chicots qu'elle avait réussi à conserver. Une de ses mains est passée sur des seins qui modifiaient à peine la topographie de son haut en polyester rose. Son menton s'est levé, et l'une de ses épaules s'est tordue pour venir se placer en dessous. La séductrice effarouchée.

— Gaspille pas tes talents, Princesse.

Et Slidell de brandir son badge. Lonergan l'a examiné pendant presque une semaine avant de se redresser.

— T'es une police.

— T'es un génie.

— C'est fermé.

Joignant le geste à la parole, Lonergan a fait un pas en arrière. Slidell a bloqué la porte d'une main charnue.

— Plus maintenant.

— Je suis pas obligée de te parler.

— Oui, t'es obligée.

— Qu'est-ce que j'ai fait ?

— Saute le passage où tu joues les innocentes.

— Je suis masseuse.

— T'es une dopée et une pute.

Lonergan a balayé des yeux le palier d'un bout à l'autre, puis elle a dit, plus doucement :

— Tu peux pas me parler comme ça.

— Oui, je peux.

Des lignes sont apparues sur son front. Elle réfléchissait.

— Tu peux pas me lâcher un peu ?

— Peut-être.

Une pause. Le temps de considérer le sens de cette réponse.

— Ouais ?

— Ouais.

— Tu vas pas m'arrêter ?

— Ça dépend de toi.

Ses yeux incapables de se poser ont dévié sur moi, paupières plissées, puis sont revenus sur Slidell.

— Un soixante-neuf à trois, c'est bon. Mais ça vous coûtera cher.

J'ai ressenti une envie irrépressible de me récurer au savon antibactérien.

— On voit ça à l'intérieur, a jeté Slidell.

Lonergan n'a pas bougé.

— Tu me testes, Princesse ?

— Comme tu veux. (Essayant de jouer l'indifférence mais n'y arrivant pas, même à des kilomètres.)

La porte d'entrée donnait directement sur un petit salon. Un mur était occupé par un canapé sur lequel était jeté un tissu léopard. Lonergan s'y est laissée tomber, l'une de ses maigres jambes tendue, l'autre pliée sur l'accoudoir.

En face du canapé, deux fauteuils en rotin abimés et une table basse couverte de brûlures de cigarettes. Contre le mur du fond peint en rouge, un bureau avec une télé et une lampe de banquier en plastique réparée à l'aide de ruban adhésif. Alignés le long des murs, des sacs-poubelles noirs bourrés de trésors défiant mon imagination. Une lampe halogène branlant sur son axe et penchée à 30°. Une lumière maladive tombant de l'unique ampoule en place, dépourvue d'abat-jour.

Par une porte sur la droite, on apercevait une cuisine avec une table et un plan de travail encombrés de vaisselle sale et de contenants de nourriture vides. La chambre à coucher et la salle de bains devaient suivre derrière, en enfilade. Je n'ai eu aucune envie d'y jeter un œil.

J'ai reporté les yeux sur les fauteuils. Mieux valait rester debout.

Slidell a posé l'une de ses amples fesses en équilibre sur le bord du bureau. Croisé les bras. Fixé la fille.

— Ça va prendre toute la journée ? a lancé Lonergan en se grattant une croûte au menton. C'est que j'ai pas que ça à faire.

— Parle-nous de Colleen.

— Colleen ?

— Ta nièce.

— Je le sais bien que c'est ma nièce. Vous êtes là pour m'annoncer des mauvaises nouvelles à son sujet ?

Slidell s'est contenté de la fixer.

— Où est Colleen ? a poursuivi Lonergan.

— À toi de me le dire.

— Je le sais pas.

— T'en as entendu parler, ces derniers temps ?

— Pas depuis qu'elle s'est tirée.

— C'était quand ?

Le visage ravagé s'est relâché pendant qu'elle fouillait les décombres de son esprit.

— Je sais pas. Vers Noël, peut-être.

Retour au grattement. La croûte avait maintenant du sang sur le bord.

— Ouais. Elle était là à Noël. Je lui avais acheté un pack de six bières. Elle aussi. Ça nous a fait rigoler.

— Où est-ce qu'elle est allée ?

— S'est installée chez des amis, s'est mise en couple avec un gars... Qui diable peut le savoir ?

— Difficile d'imaginer qu'elle ait eu envie de partir d'ici. Un milieu aussi stimulant.

— La petite en a eu assez de dormir sur le sofa.

— Elle en a eu assez de te regarder t'enfiler tes doses et te taper des bonshommes.

— C'est pas comme ça que c'était.

— Je suis sûr que vous récitiez le chapelet ensemble.

— Colleen, c'était pas un ange. Elle était pas contre l'idée d'écarter les jambes si le gars en valait le coup.

La femme était trop répugnante. Je n'ai pas pu m'empêcher d'intervenir.

— Elle avait seize ans !

— Colleen est faite forte. Probablement qu'elle danse à Vegas.

On sentait toutefois des points d'interrogation dans sa voix.

Slidell a sorti un flacon en plastique transparent de la poche de sa veste. Me l'a tendu. Puis, à l'adresse de Lonergan :

— On a besoin de ta bave.

— Pas question !

— C'est indolore, ai-je expliqué en lui montrant l'écouvillon à l'intérieur de la bouteille. Je vais frotter ce coton-tige dans votre bouche contre votre joue, et ce sera tout.

Lonergan a retiré sa jambe de l'accoudoir et posé son pied au sol près de l'autre. Puis elle s'est penchée en avant, les bras autour des genoux, et a remué la tête de gauche à droite.

Slidell lui a décoché un de ses regards de flic méchant.

Peine perdue, puisqu'elle fixait le plancher.

— C'est un truc pour prouver que je me drogue, a-t-elle
dit, le regard vissé sur ses bottes à talons. (Des talons plus
hauts que les roues de ma voiture.)

— Pas besoin de coton-tige pour le voir, a réagi Slidell.
(Sa patience fondait à vue d'œil.)

— Ça va me faire vomir !

Slidell, s'adressant à moi :

— Le témoin dit qu'elle ne se sent pas bien. Je devrais
faire le tour des lieux et voir si y a pas ici quelque chose qui
la rendrait malade.

Sur ce, il s'est mis debout.

La tête de Lonergan s'est redressée d'un coup. Sous la
peau de son cou, les cartilages de sa gorge ont subitement
ressemblé aux anneaux d'un Slinky.

— Non !

On a attendu.

— Pourquoi vous faites ça ?

Ses yeux ont cessé de rebondir d'un objet à l'autre pour
se poser enfin sur l'ennemi le moins menaçant, moi en l'occurrence. J'ai repris mes explications d'une voix douce :

— Nous avons besoin de votre ADN. C'est pour le dossier.

— Au cas où Colleen…

— Ça ne prendra qu'une seconde.

J'ai enfilé mes gants chirurgicaux et me suis approchée
de Lonergan. Je m'attendais à ce qu'elle se détourne, serre
les dents, voire me crache à la figure. Au lieu de cela, elle a
ouvert grand la bouche, révélant des dents si pourries que je
me suis demandé comment elle arrivait encore à mastiquer.

J'ai gratté sa joue, enfermé l'écouvillon dans le flacon et
rempli l'étiquette à l'aide d'un stylo Sharpie. Slidell a empoché l'échantillon sans faire de commentaire. Puis il a pivoté
sur les talons et s'est dirigé vers la porte.

J'ai senti une boule de pitié se former dans ma poitrine
face au dénuement de cette femme. Sa sœur était morte. Sa
nièce était probablement morte aussi à l'heure qu'il était.
Elle n'avait ni présent ni avenir. Rien d'autre qu'un asser-
vissement à une habitude qui finirait inévitablement par lui
coûter la vie.

— Je sais que vous vous inquiétez pour Colleen, lui ai-je
dit gentiment.

Elle a répondu par un petit bruit du nez censé exprimer l'indifférence. Mais derrière on sentait sa culpabilité et le dégoût pour elle-même.

— Vous avez fait de votre mieux, Laura.

— J'ai pas fait de merde en tout cas.

— Vous n'avez pas baissé les bras.

— Ouais, tu parles… Je suis le genre à attendre en laissant la lumière allumée dehors.

— Non, vous n'avez pas abandonné. (Faisant de mon mieux pour trouver une parole réconfortante:) Vous avez appelé pour savoir où en était l'enquête sur votre nièce.

— Appelé, moi? Non.

— Selon le dossier de Colleen, vous avez téléphoné au mois d'août pour faire le point sur la situation.

Lonergan m'a regardée, l'air de n'y rien comprendre.

— Appelé qui?

— Pat Tasat.

— Jamais entendu parler de lui.

— Vous connaissez une femme qui s'appelle Sarah Merikoski?

Une épaule osseuse s'est soulevée, puis abaissée.

— Peut-être.

— C'est elle qui a signalé la disparition de votre nièce. Tasat, c'était le détective chargé de l'enquête.

— Madame, je suis pas sûre de grand-chose. Mais y en a une qui est certaine : jamais de ma vie j'ai refilé un tuyau à un flic.

Était-ce la meth qui parlait par sa bouche ? Tasat s'était-il trompé ? Quelque chose lui avait-il échappé ? J'ai demandé :

— Est-ce que Colleen a d'autres tantes ?

Lonergan a balayé les lieux de son bras squelettique.

— Si la petite avait eu le choix, vous croyez qu'elle serait restée dans ce trou ?

J'ai senti comme un frétillement se propager le long de mes nerfs.

J'ai jeté un coup d'œil à Slidell.

Il n'avait rien perdu de la conversation.

# Chapitre 26

J'étais trop intriguée pour prêter attention au mélange d'odeurs qui polluait l'habitacle de la Taurus de Slidell.

— Si ce n'est pas Lonergan qui a appelé Tasat, qui a passé ce coup de fil?

— On peut compter sur les doigts d'une main les neurones qui fonctionnent encore dans la tête de cette bonne femme.

— Elle avait pourtant l'air sûr d'elle.

Slidell a reniflé.

— Je ne sais plus si la note mentionnait un numéro de téléphone.

— Allez vérifier. Je me charge de porter l'échantillon au labo.

Quelques minutes plus tard, nous arrivions au quartier général de la police. Nous y sommes entrés sans un mot. Direction l'ascenseur.

Mon cœur battait la chamade. Était-ce un oubli de Lonergan, trop déglinguée du cerveau pour se souvenir? Une erreur de Tasat? Ou étions-nous en présence d'un de ces big bangs chers à Ryan?

Je suis descendue au deuxième pour filer directement à la salle de conférences attenante à la CCU, l'unité des affaires non résolues. Slidell a continué jusqu'au quatrième.

Le dossier Donovan était sur la table avec les autres. Il ne m'a pas fallu longtemps pour trouver la note.

**Note d'enquête (Tasat)** (07-08-14)
Laura Lonergan, membre de la famille, a téléphoné pour demander des nouvelles de l'enquête concernant la personne disparue Colleen Donovan. Lonergan est une tante maternelle de Donovan. Quand je lui ai demandé si elle avait une idée de l'endroit où pouvait se trouver Colleen, elle a répondu non. Quand je lui ai demandé où on pouvait la joindre, elle a indiqué un numéro de téléphone cellulaire et déclaré qu'elle n'avait pas de numéro au bureau ou à domicile.

Le numéro de cellulaire de Lonergan était inscrit à la fin de la note.

J'ai composé le numéro en appel anonyme. Une voix enregistrée m'a annoncé qu'il n'était pas en service.

J'étais ratatinée sur ma chaise, frustrée jusqu'à la moelle, quand Slidell a franchi la porte.

— Quoi ? (En voyant ma tête.)

— Rien dans le dossier ne permet de savoir d'où est venu l'appel. Le numéro de cellulaire qu'a donné Lonergan (en encadrant le nom de guillemets mimés avec mes doigts) est bidon. Et Tasat n'est pas là pour répondre aux questions.

— Je vous le répète : cette femme a le cerveau ramolli.

— Je crois que ça vaut la peine d'approfondir.

Un soupir d'angélique patience et Slidell a pris son carnet à spirale.

— Vous avez la date de l'appel ?

— Le 7 août.

— L'heure ?

— Non.

— Il va me falloir le numéro de Tasat.

— Rien de plus facile.

— Ensuite, je vais devoir envoyer une demande à monsieur Bell.

— Combien de temps ça va prendre ?

— Deux semaines ou deux jours. Certaines compagnies sont plus coopératives que d'autres.

— Doit-on informer Barrow ?

— Pour lui dire quoi ? Qu'une droguée a des problèmes de mémoire ?

*Du calme, Brennan.*

— Où est Barrow?

— En route pour ici.

Slidell n'avait pas fini sa phrase que le directeur de la CCU faisait son entrée.

Je lui ai expliqué l'histoire du coup de téléphone. Et que je soupçonnais quelqu'un d'autre que Lonergan d'en être à l'origine.

— Bien vu.

— Peut-être. (Je sentais dans mes tripes que j'avais raison.) Le numéro de cellulaire que Lonergan a fourni à Tasat n'est pas en service. Et ce n'est pas celui qu'elle indique sur son site Backpage.com.

— On le lui a coupé ou elle a changé de fournisseur.

Un vrai éteignoir, ce Slidell, avec son scepticisme.

— Vous suivez la piste? a demandé Barrow avant que j'aie pu répliquer.

— Ma main au feu que c'est une perte de temps.

— Je peux charger Tinker de l'affaire.

Slidell nous a quittés en marmonnant un charabia à propos de paperasserie. Et de foutaises.

Barrow s'est assis en face de moi.

— Comment c'était, dans le Grand Nord?

— Froid.

— Mettez-moi au parfum.

Ce que j'ai fait.

Barrow m'a écoutée en se raclant la gorge de temps en temps.

Quand je me suis tue, il est resté un moment songeur avant d'y aller de son commentaire.

— Les éminences voudraient pouvoir tabler sur des liens plus évidents entre l'affaire Leal et les autres. Ils disent qu'ils réévalueront la situation s'il y a du changement.

— Il y en a.

— Il faut en parler à la cheffe adjointe.

— Quand?

Dix-sept heures dix à ma montre. Je m'étais levée à l'aube pour sauter dans l'avion de retour pour Charlotte.

— Maintenant.

— Depuis 2007, trois jeunes adolescentes ont été enlevées en plein jour et retrouvées mortes par la suite. Nellie Gower à Hardwick, dans le Vermont, en 2007. Lizzie Nance à Charlotte, en 2009. Tia Estrada à Salisbury, en 2012. Les victimes ont toutes le même type physique. Les modes opératoires répertoriés par le VICAP présentent des analogies troublantes. Chaque fois, les corps sont laissés à l'air libre, habillés, allongés sur le dos. Dans aucun des cas on ne trouve d'indices d'agression sexuelle. Dans aucun des cas on ne parvient à déterminer la cause de la mort.

À la demande de Barrow, je me chargeais du rapport.

La cheffe adjointe Denise Salter ne me quittait pas des yeux. Des yeux bruns, d'un ton plus sombre que sa peau caramel, mais plus clair que ses cheveux tirés en arrière et noués sur la nuque. Sa chemise était d'un blanc éblouissant, les plis des longues manches assez affûtés pour qu'on risque de s'y couper. Cravate noire, pantalon noir, escarpins en vernis noir luisant comme du marbre.

Salter avait décalé un rendez-vous pour nous recevoir. Elle écoutait, le visage impassible, ni bienveillant ni hostile.

— Pendant cette même période de sept ans, deux autres jeunes filles au moins ont disparu en Caroline du Nord. Avery Koseluk à Kannapolis en 2011 et Colleen Donovan à Charlotte, fin 2013 ou début 2014.

Barrow a déposé cinq photos sur le bureau, tournées vers Salter. Elle a glissé des lunettes sur son nez et examiné les clichés. Puis son regard est revenu sur moi, impérieux.

J'ai poursuivi.

— Pour Koseluk, on a pensé à un enlèvement par le père qui n'avait pas la garde, pour Donovan, à une fugue. Les deux enquêtes restent ouvertes.

— Venons-en à l'essentiel.

Derrière les verres des lunettes, ses yeux étaient énormes, genre E.T.

— On a trouvé le même ADN sur Nance et Gower.

Barrow a ajouté le portrait vieilli de Pomerleau à son exposition de photos. Salter l'a pris pour l'étudier de près.

— Celui de cette dame ?

— Oui.

— Comment avez-vous obtenu le résultat ?

— Par la Banque nationale de données génétiques, l'équivalent canadien de notre CODIS.

Si elle en a été surprise, Salter n'en a rien montré.

— Qui est-ce ?

— Une citoyenne canadienne du nom d'Annick Pomerleau. Avec son complice, Neal Wesley Catts, alias Stephen Menard, elle est recherchée pour les meurtres d'au moins trois personnes. Leur mode opératoire consistait à séquestrer, torturer et violer des jeunes filles. Angela Robinson, la première victime de Menard, a été kidnappée à Corning, en Californie, en 1984. Marie-Joëlle Bastien et Manon Violette ont été enlevées à Montréal en 1994. Les trois sont mortes en captivité.

— Comment le savez-vous ?

— J'ai identifié leurs dépouilles.

— Continuez.

— En 2004, Pomerleau a réussi à s'échapper au moment où la police de Montréal s'apprêtait à l'appréhender. Depuis, elle est en cavale. Jusqu'à maintenant.

— Et Menard ?

— Soit elle l'a tué, soit il s'est suicidé juste avant qu'elle s'évanouisse dans la nature.

— Vous pensez que Pomerleau commet maintenant ses meurtres sur mon territoire ?

— Non.

Un point d'interrogation s'est allumé dans le regard de Salter.

— Il y a deux jours, j'ai assisté à l'autopsie d'Annick Pomerleau.

Je lui ai résumé mon voyage à Montréal et à St. Johnsbury. Ryan. Les entretiens stériles avec les Kezerian, Sabine Pomerleau et les Violette.

Je lui ai raconté la maison Corneau, le tonneau, l'autopsie. Le réparateur de fournaise qui avait remarqué la présence d'une autre personne sur les lieux.

— Vous pensez que Pomerleau a tué Nelly Gower avec un complice. Et que deux ans plus tard, ils sont venus ici tuer Lizzie Nance.

— Oui.

Barrow et moi avons échangé un regard. Il a hoché la tête.

— Et nous croyons qu'il y en a eu d'autres, ai-je ajouté.

D'une flexion du poignet, Salter m'a fait signe de continuer.

— On a découvert un squelette à Belmont en 2010. J'ai établi qu'il appartenait à une fillette de douze à quatorze ans, probablement habillée au moment où son corps a été abandonné.

— Probablement?

— Le corps avait été attaqué par des charognards.

Salter a posé ses lunettes sur son bureau et s'est appuyée au dossier de son siège.

— Lors de l'autopsie de Shelly Leal, Larabee a extrait des cheveux du fond de sa gorge.

— L'enfant qu'on vient de trouver sous le viaduc de l'I-485?

J'ai confirmé.

— Le séquençage ADN indique que l'un de ces cheveux au moins appartient à Annick Pomerleau.

— C'est capital.

— Mais très surprenant. D'après tout un faisceau d'indices, Pomerleau serait morte en 2009.

— Explication?

— Les cheveux ont pu passer de Pomerleau à son complice par transfert, a indiqué Barrow. Peut-être par un vêtement qu'ils se partageaient. Ou parce que son rituel consiste entre autres à porter un vêtement de Pomerleau.

— Larabee a aussi détecté une empreinte de lèvres sur la veste de Leal. Elle contenait de l'ADN. Le test de l'amélogénine a montré qu'il s'agissait d'un homme.

— J'imagine que le propriétaire des lèvres n'est pas dans les fichiers.

— Non.

Un long silence a suivi. Que Salter a fini par rompre.

— Résumons-nous. Pomerleau et un complice de sexe masculin se sont livrés à leurs agissements à partir d'une ferme du Vermont jusqu'en 2009.

— Oui.

— Y a-t-on trouvé des éléments permettant de penser que des enfants y ont été détenus? Une pièce insonorisée? Des chaînes fixées à un mur?

— Non.

— An-han. (Neutre.) Le mystérieux complice finit par tuer Pomerleau et fourre son corps dans un tonneau de sirop.

— Oui.

— Motif?

— Pour l'heure, inconnu.

— Ensuite, il part vers le sud. Il tue Nance, Estrada, peut-être Koseluk, Donovan, et la petite qui a été retrouvée près de Belmont. Et maintenant, Leal.

— Oui.

— Pourquoi venir pratiquer son jeu de massacre ici?

Je lui ai parlé de l'article du *Health Science*. De la photo me représentant, affichée à la ferme des Corneau.

— Vous êtes en train de me dire que le meurtrier opère dans ma ville à cause de vous?

— Je dis que c'est une possibilité.

— Pourquoi?

— Vengeance? Provocation? Allez savoir.

Le téléphone de Salter a sonné. Elle l'a laissé sonner.

— Expliquez l'histoire des dates, m'a dit Barrow.

Je me suis exécutée en passant sous silence le rôle qu'avait joué maman dans la mise en lumière des concordances.

— Les victimes sont donc enlevées aux dates anniversaires des rapts de Montréal. (Pas une question, une affirmation, Salter voulant du positif.)

— C'est l'idée. Peut-être aux dates anniversaires de leur mort.

— Et le complice de Pomerleau continue sa petite industrie alors qu'il l'a zigouillée?

— Il semblerait.

— Et les écarts se rapprochent.

— Oui, a dit Barrow. Et il y a un autre anniversaire dans deux mois.

Je m'entendais respirer dans le silence qui s'est installé. Salter tapait sur la table avec ses lunettes repliées. Je m'attendais à ce qu'elle nous donne congé quand elle a demandé à brûle-pourpoint:

— Slidell s'occupe de Leal, n'est-ce pas?

— Oui, a confirmé Barrow.

— D'autres personnes travaillent sur ce dossier ? (En balayant l'étalage de photos d'un geste de la main.)

— Officieusement, un détective de Montréal et un autre de Hardwick, dans le Vermont.

— J'ai croisé Beau Tinker dans les couloirs. Le SBI est sur le coup à votre demande ?

— Pas vraiment.

Un autre silence. Alors Salter a empoché ses lunettes.

— Mettez-moi ça par écrit. Tout ce que vous avez.

# Chapitre 27

Pendant que j'étais au quartier général, le temps s'était refroidi. Pas assez pour que je râle, mais assez pour que j'envisage de sortir les gants que j'avais relégués au fond d'un placard en mars dernier.

Birdie se montrait plus intéressé par le contenu de mon sac de la rôtisserie que par mon retour. J'ai rempli sa gamelle, allumé la télé sur CNN et me suis installée à la table de la cuisine.

Pour Wolf Blitzer et son magazine, il était trop tard ; *The Situation Room* était fermée pour la nuit. À la place on avait droit à un démocrate et un républicain qui se déchiraient au sujet de l'assurance santé et de la réforme de l'immigration. Énervant. À la fin de la journée, je voulais des nouvelles, pas des joutes verbales.

J'ai éteint. Rangé la télécommande.

Plus attiré par mon poulet tout chaud que par les croquettes dures que je lui avais servies, Birdie a sauté sur la chaise à côté de moi. Comment lui en vouloir ?

En mangeant, je repensais à la note de Tasat.

— Cet appel n'a pas été passé par Lonergan. (À haute voix, la bouche pleine de macédoine.)

Birdie a dressé la tête. À l'écoute, ou dans l'attente d'un morceau de ma volaille ?

— Par qui alors ?

Le chat n'a pas donné d'avis.

— Une parente ? Une amie ? Apparemment, Donovan n'en avait pas.

J'ai posé une bouchée de pilon sur la table. Birdie l'a effleurée du bout de la patte avant de la saisir délicatement entre ses dents.

— L'assassin de Donovan, qui d'autre ? C'est un comportement classique. Comme revenir sur les lieux du crime.

Birdie et moi nous sommes regardés, chacun avec une idée en tête. Mais pas du tout sur la même longueur d'onde.

Mon téléphone a sonné.

— Le voyage s'est bien passé ?

Ryan avait l'air aussi épuisé que moi.

— C'est trop loin. Je me souviens plus.

— Moi aussi, je suis crevé.

— Ça avance ?

J'ai donné un autre bout de poulet à Birdie, qui a réitéré sa manœuvre. Je tâte et je prends.

— Pas vraiment. Où es-tu ?

— Chez moi. J'ai passé la journée avec Slidell.

— Et ?

— Il a une façon assez grossière de s'adresser à moi.

— Du nouveau ?

— Peut-être bien.

Je lui ai raconté la visite à Lonergan et l'entrevue avec Salter. La note de Tasat. Les dénégations de Lonergan assurant qu'elle n'avait jamais téléphoné.

— Slidell est persuadé que ça ne veut rien dire.

— Il a accepté de déposer une demande d'examen des relevés d'appels ?

— À contrecœur. Il dit que ça peut prendre des semaines. Entretemps, nous… (Soudain, une illumination. L'explosion d'un cocktail Molotov dans ma tête.) *Shit !*

— Quoi ?

— Comment est-ce que ça a pu m'échapper ? Je dois avoir le cerveau complètement éteint !

— La Terre appelle Brennan.

— Tia Estrada.

— La petite de Salisbury ?

— J'étais distraite par Slidell et Tinker qui n'arrêtaient pas de s'asticoter.

— Viens-en au fait.

— D'après le journal de bord du dossier, une journaliste a appelé six mois après la disparition d'Estrada.

— Et?

— Je suis presque sûre que c'est là dernière note de la chronologie. D'autant que le dossier ne contient aucune coupure de presse datant de 2013.

— Tu penses que c'est aussi un appel bidon?

— C'est exactement la même chose que pour Donovan. Quelqu'un téléphone six mois après que l'enfant se soit volatilisée. C'est peut-être la même personne qui a appelé pour avoir des nouvelles de Donovan. Si c'est le cas, on retrouve la même configuration. Un lien entre les deux affaires.

— Ça vaut la peine d'approfondir la question.

Soudain, j'étais impatiente de raccrocher.

— Faut que je te laisse.

— Du calme.

— Du calme?

— Ne te précipite pas.

— Mon Dieu, Ryan. On croirait entendre Slidell.

Un vide sur la ligne. Il a fini par demander:

— Comté d'Anson, c'est ça?

— Oui. Tu te rappelles qui s'est chargé de l'affaire?

— La poule.

— Ça m'aide beaucoup. (En fait, si.) Henrietta quelque chose, non?

— Je crois.

— J'ai aussi pensé à quelque chose d'autre. Il faut que nous comparions les photos des scènes de crime de Gower, Nance et Leal. Pour voir si on remarque la présence d'un même badaud sur plusieurs d'entre elles.

— Ça n'a pas été fait?

— Pas que je sache.

J'ai coupé la communication, toute fatigue disparue à l'idée que nous avions mis le doigt sur quelque chose.

Après avoir rangé les restes de mon repas, j'ai attrapé mon sac et ma veste, et j'ai déguerpi.

Grand silence au deuxième étage du quartier général. Je suis allée directement dans la salle de conférences et j'ai déployé le dossier Estrada sur la table.

Le dernier article du *Salisbury Post* sur l'affaire datait du 27 décembre 2012, à peu près trois semaines après qu'on a retrouvé Tia. En tout cas, c'était le dernier conservé.

Tout juste un résumé des faits. La disparition de la fillette. La découverte du corps quatre jours plus tard près de la réserve naturelle de Pee Dee. L'expulsion de la mère au Mexique. À la fin, un appel à toute personne pouvant apporter un supplément d'information. Pas de signature.

Je suis allée chercher la page du *Salisbury Post* sur Internet. Apparemment, une bonne partie des faits divers étaient traités par une femme appelée Latoya Ring. Un lien donnait accès à son adresse électronique. J'ai rédigé un bref message pour lui expliquer que je m'intéressais à l'affaire Estrada et lui demander de me rappeler.

Ensuite, j'ai relu le dossier dans son entier. Sans cesser de surveiller mon iPhone. À la fin, je n'avais rien appris.

Mais j'avais au moins trouvé le nom que je cherchais. Henrietta Hull, bureau du shérif du comté d'Anson.

J'avais la tête qui voulait éclater à force de déchiffrer des écritures illisibles et des textes flous. La fatigue est revenue, deux fois plus intense qu'avant.

J'ai fermé les yeux en me massant les tempes. Appeler Hull ? Attendre d'avoir des nouvelles de Ring ?

Neuf heures du soir, un vendredi. À moins d'assurer le quart de nuit, Hull devait être chez elle en train de savourer une bonne bière. Peut-être à l'église, ou au bowling avec ses enfants. Mieux valait parler d'abord avec Ring. Si c'était elle ou l'un de ses collègues qui avait appelé pour avoir des infos sur l'affaire Estrada, fin de l'histoire.

Au diable !

J'ai composé le numéro.

— Bureau du shérif, comté d'Anson. C'est une urgence ?

— Non. Je…

— Ne quittez pas.

Je n'ai pas quitté.

— Bien, madame. Votre nom ?

— Docteur Temperance Brennan.

— L'objet de votre appel ?

— Je voudrais parler à l'adjointe Hull.

— Bien. Puis-je lui dire à quel sujet ?

— Au sujet du meurtre de Tia Estrada.

— D'accord. Pouvez-vous me donner plus de détails ?

— Non.

Infime hésitation.

— Patientez, je vous prie.

J'ai patienté, plus longtemps que la première fois.

Un cliquetis.

— Adjointe Hull.

Voix circonspecte. Grave, mais plus mélodieuse que je n'aurais cru. Sans doute un préjugé de ma part à cause de son surnom.

Je lui ai expliqué qui j'étais et la raison pour laquelle je souhaitais lui parler.

— Cette affaire suscite tout à coup beaucoup d'intérêt.

— Pardon ?

— Deux ans sans qu'il ne se passe rien. Et soudain, trois demandes de renseignements en une semaine.

J'entendais un dialogue en bruit de fond, ponctué à intervalle régulier par les rires enregistrés qui rythment les comédies télévisées.

— Vous avez été contactée par les détectives Ryan et Slidell ?

— Slidell. Un casse-pieds.

— Il vous a parlé de Colleen Donovan ?

— Non.

— Donovan a disparu à Charlotte en janvier dernier. Nous pensons qu'il y a peut-être un lien entre son affaire et celle de Tia Estrada.

— Pour qui travaillez-vous déjà ?

— Le médecin examinateur. Et l'unité des affaires non résolues de la police de Charlotte.

— OK.

— Six mois après sa disparition, une tante a téléphoné pour demander des nouvelles de l'enquête. Donovan n'a qu'une tante, qui nie avoir passé cet appel. Six mois après l'enlèvement d'Estrada, une journaliste a contacté votre bureau. Nous nous demandons s'il ne s'agit pas, là aussi, d'une imposture.

— Qui est la journaliste ?

— Le fait est mentionné dans une note manuscrite. Une seule ligne, sans indication de nom ni de numéro de

téléphone. Et il n'y a aucune coupure de presse correspon-
dante dans le dossier.

— Ça ne m'étonne pas. Estrada a été tuée quand
Bellamy était aux commandes et il avait déjà un pied dehors.
J'ai hérité de l'affaire quand il a pris sa retraite à Boca.

— J'ai laissé un message à Latoya Ring. Vous la connaissez ?

— Elle est fiable.

— C'est peut-être rien du tout au bout du compte. La
tante de Donovan est droguée et mentalement assez dévas-
tée. Mais si ce n'est pas quelqu'un du journal qui a appelé,
vous croyez que vous pourriez retrouver le numéro et remonter jusqu'à son propriétaire ?

Grâce à deux séries de rires en boîte, j'ai compris qu'il
se passait quelque chose de drôle à l'écran. Puis la réponse
est enfin arrivée :

— Pas de problème. Maintenant, dites-moi ce que vous
savez.

Je m'y suis attelée. En cours de route, j'ai pensé à un
autre détail.

— D'après le rapport d'autopsie, le pathologiste qui
s'en est chargé a aussi trouvé des cheveux dans la gorge
d'Estrada. Savez-vous si un test ADN a été effectué ?

— Je vais vérifier.

— Sinon, essayez de savoir ce qu'ils sont devenus.

— Entendu.

Du côté de Wadesboro, un long silence.

— Merci, docteur Brennan. Cette enfant mérite mieux.

— Tempe. Je vous rappellerai si j'ai des nouvelles de
Ring.

— Vous en aurez.

J'ai passé encore une heure à examiner les photos des
scènes de crimes de Gower, Nance, Estrada et Leal. À scruter
les visages à la loupe. À comparer les traits, les physiques, les
vêtements, les silhouettes. Sans succès. À l'intérieur de mon
crâne, mon cerveau était prêt à exploser. Il faudrait confier
cette tâche à quelqu'un de plus compétent et de mieux
équipé.

À dix heures, j'ai remballé mes affaires et je suis rentrée
chez moi. Je venais d'arriver devant l'Annexe quand mon

téléphone a entonné *Joy to the World*. J'avais changé la sonnerie pour qu'elle soit plus festive.

Numéro caché. J'ai un peu hésité avant de décrocher.

— Brennan. (En finissant de me garer.)

— C'est Latoya Ring. Je viens d'avoir Hen Hull au téléphone.

— Merci de me rappeler.

— Personne au journal n'a téléphoné au shérif.

J'ai senti comme une décharge électrique.

— Vous êtes sûre ?

— Ici, ce n'est pas le *New York Times*. Nous ne sommes que deux à couvrir les faits divers. Il n'a pas téléphoné, je n'ai pas téléphoné.

Dans la cour, j'ai vu quelque chose troubler le fatras d'ombres répandues par un énorme magnolia. Un chien ? Un promeneur nocturne ? Ou était-ce mon imagination ?

— J'ai appelé mon rédacteur en chef pour m'en assurer, poursuivait Ring. Ça ne va pas m'aider à être nommée employée du mois. Il n'avait pas donné son feu vert pour qu'on suive l'affaire Estrada.

— Vous en êtes certaine ? (En plissant les yeux pour sonder la nuit.)

— C'est moi qui en aurais été chargée. J'ai demandé plusieurs fois. Il a toujours refusé.

— Pourquoi ?

— Aucun intérêt. Les flics n'avaient rien, pas de suspect, pas de piste. En plus, la mère avait quitté le pays.

Tia Estrada n'était pas une jolie blondinette aux yeux bleus avec des boucles à la Shirley Temple.

— Merci d'avoir réagi si vite.

Là. Ça n'avait pas bougé du côté de la remise ? Un cerf ?

— Cette histoire sent mauvais.

J'ai attendu qu'elle développe.

— Un taré tue une petite fille. Et le système la laisse tomber.

— On le coincera. (Scrutant toujours la végétation dense autour de ma voiture.)

— Au revoir. À bientôt.

J'ai attendu un moment, vaguement inquiète. Et puis je suis sortie et j'ai foncé jusqu'à l'Annexe.

Au lit en trois secondes.
Endormie en deux minutes.
Sans me douter de ce que j'avais déclenché.

# Chapitre 28

Ce week-end-là, il a plu sur Charlotte. Une pluie fine mais persistante. Entre brouillard et bruine, sans conviction. Une froide humidité saturait l'air, et l'eau ruisselait constamment des toits et des larges feuilles du magnolia.

Le samedi, Mary Louise est passée voir Birdie. Ce jour-là, son chapeau ressemblait à un seau à rayures, surmonté d'un pompon.

Peut-être que je me sentais seule sans Ryan. Ou seule tout court. Peut-être aussi que je tentais de fuir la pile de dossiers qui requéraient mon attention. Puis au diable, c'était peut-être à cause du temps. Je me suis surprise à proposer à Mary Louise de rester à dîner.

Après avoir obtenu l'autorisation parentale, nous avons mangé des sandwiches au jambon et fromage. Ensuite, nous avons fait des biscuits que nous avons décorés avec des M & M's. Mary Louise a parlé de son envie d'avoir un chien. De ses difficultés en maths. De son admiration pour le personnage de Katniss, l'héroïne de la série *Hunger Games*. De son intention de devenir créatrice de mode. Elle était d'une compagnie agréable.

Le dimanche, je suis allée voir maman. En altitude, la pluie se transformait en neige fondante. Nous nous sommes assises au coin du feu. Nous regardions les flocons liquéfiés former de petites mares sur la terrasse.

Maman avait l'air fatiguée, absente. Elle ne m'a interrogée qu'une seule fois sur les «pauvres petits anges perdus». Puis elle a abordé toutes sortes de sujets, comme si elle avait oublié la cause qui l'avait tant stimulée deux semaines plus tôt, ou cessé de s'y intéresser.

Sa position à l'égard de la chimiothérapie n'avait pas évolué d'un pouce. Quand j'ai soulevé la question, elle m'a aussitôt rembarrée. Le seul moment où je l'ai vue s'animer un peu.

Avant de repartir, je me suis entretenue avec le D^r Finch. Elle a prêché l'acceptation. Je lui ai demandé combien de temps. Elle n'a pas voulu me donner de réponse. S'est inquiétée de savoir quel hôpital aurait ma préférence quand viendrait le moment où Heatherhill ne conviendrait plus. Comme toujours, son regard en disait plus que ses paroles.

Une fois dans la voiture, j'ai appelé Harry. Elle a refusé d'admettre l'inexorable. M'a parlé de nouvelles thérapies, de remèdes miracles, d'une femme en Équateur qui avait vécu encore dix ans après que le diagnostic eut tombé. Ma petite sœur, fidèle à elle-même.

Après avoir raccroché, j'ai laissé couler des larmes vite séchées pour me concentrer sur le faisceau de mes phares balayant la nuit.

La route paraissait interminable. La neige molle ravivait les souvenirs de mon voyage de St. Johnsbury à Burlington. Distraction bienvenue mais pas les images effroyables qui y étaient associées.

Un corps blafard dans un liquide ambré. Un petit cadavre boursouflé sur une table en acier inoxydable. Les restes d'un squelette d'adolescente dans une boîte sur une étagère.

Cette nuit-là, ces mêmes images m'ont tenue éveillée. Quand je me suis enfin endormie, elles ont hanté mes rêves.

Nellie Gower au bord d'une carrière. Lizzie Nance dans un champ à Latta Plantation. Tia Estrada près d'un belvédère sur un terrain de camping. Shelly Leal sous un viaduc routier.

Des faits. Donnant lieu à des questions. Conduisant elles-mêmes à d'autres questions. Jamais à des réponses.

Annick Pomerleau n'avait pas agi seule à Montréal. Son mode opératoire impliquait un complice.

Sa deuxième série de meurtres était partie d'une ferme du Vermont. On y avait retrouvé son ADN sur une victime, puis à nouveau à Charlotte.

D'après l'ADN d'une empreinte labiale, le criminel qui sévissait actuellement à Charlotte était un homme. Cela confirmait la théorie selon laquelle Pomerleau commettait ses meurtres avec un acolyte.

Mais Pomerleau était morte. Était-ce son complice qui l'avait supprimée? Pourquoi? Quand?

Avait-il importé ses macabres activités dans nos régions? Pourquoi la Caroline du Nord? Était-ce moi qui l'y attirais? Pourquoi?

Imitait-il la manie de Pomerleau de perpétrer ses enlèvements aux dates anniversaires des précédents? Pourquoi perpétuer la méthode héritée d'elle si elle n'était plus là?

Allait-il bientôt frapper à nouveau?

Je me suis réveillée par un beau soleil. Café et récupération du journal posé devant ma porte.

Les briques du porche étaient jonchées de feuilles brunes. Le ciel était bleu. Les arbres bruissaient des pépiements affairés des cardinaux et des oiseaux moqueurs.

Je venais de remplir ma tasse quand mon téléphone a sonné. Je n'ai pas tout de suite reconnu le numéro qui s'est affiché. Mais j'ai très vite été fixée.

— J'espère que je ne vous sors pas du lit.

Hen Hull. En reconnaissant sa voix, mon pouls s'est accéléré.

— Je suis levée depuis des heures, ai-je menti.

— Ça n'a pas été facile, mais je l'ai. Prête?

J'ai attrapé un bloc-notes et un crayon sur le plan de travail.

— Allez-y. (Elle m'a dicté un numéro de téléphone, que j'ai noté.) Vous savez d'où…?

— Prête?

— Allez-y.

— L'appel passé à Bellamy pour demander des informations sur l'affaire Estrada provenait d'une cabine téléphonique située à l'intersection de la Cinquième Rue et de North Caswell Road, dans votre bonne ville. Je croyais que l'avènement des cellulaires avait relégué les cabines avec les calèches et les chevaux. Ainsi que le vandalisme.

— La ligne a dû être supprimée.

— Et la cabine transformée en toilettes publiques.

J'ai réfléchi.

— Même si le téléphone est toujours en fonction et qu'il y a des caméras de surveillance à ce carrefour, les vidéos n'ont pas dû être conservées.

— Au bout de deux ans, non.

Le numéro de téléphone ne menait nulle part. J'en aurais hurlé de rage.

— Vous pensez que c'est le ravisseur d'Estrada qui a appelé ?

— Ce n'était pas un journaliste du *Salisbury Post* en tout cas.

— Des nouvelles des cheveux ?

— L'autopsie a été effectuée par un certain Bullsbridge. J'attends son appel.

— Il est compétent ?

— J'attends son appel.

— Je transmets ça à Slidell.

— On se rappelle.

J'ai coupé. Composé un autre numéro. Occupé.

J'ai laissé un message. Je n'avais pas encore posé mon téléphone que Slidell rappelait.

— J'ai...

— Hull a...

Nous nous sommes tus.

— Allez-y, lui ai-je dit.

— J'ai le numéro de téléphone de l'appel concernant Colleen Donovan. Grâce au relevé téléphonique de l'appareil de Tasat.

Je lui ai lu les chiffres que je venais de noter.

— D'où diable tenez-vous ça ?

Je lui ai parlé de l'appel d'un correspondant qui s'était fait passer pour un journaliste du *Salisbury Post.*

— Même numéro. Je suis sur le cul.

— Certainement la même personne. Un lien solide entre les deux affaires Estrada et Donovan.

— Mais ça ne les relie toujours pas à Nance et Gower. Ni ces deux-là aux autres.

— *Jesus*, Slidell ? Qu'est-ce qu'il vous faut ?

— Je me fais l'avocat du diable.

J'étais trop survoltée pour lui faire remarquer qu'il employait l'expression de façon impropre.

— Et maintenant ?

— Pour moi, réprimandes de la part de la cheffe adjointe.

— Vous avez demandé un autre entretien à Salter ?

— Non. Le trou de cul de Tinker s'en est chargé.

— Pourquoi ?

— Monsieur se plaint de mon attitude.

— Parlez à Salter de ces appels téléphoniques.

— Ouaip.

J'ai tenté d'appeler Ryan. Suis tombée sur la boîte vocale. Rodas. Barrow. Boîte vocale. Boîte vocale.

J'étais fébrile. Je ne tenais pas en place.

J'ai changé la sonnerie de mon téléphone. Chargé la machine à laver. Passé l'aspirateur. Mis des œufs à durcir. Oublié la casserole jusqu'à ce qu'une odeur de brûlé me ramène en vitesse dans la cuisine.

À midi, j'ai enfilé un short, un sweatshirt et des Nike, et couru trois kilomètres sur le parcours du Booty Loop. Je soufflais comme un bœuf, inhalant à pleins poumons des effluves de ciment humide et d'herbe détrempée. Et de métal chauffé montant des voitures garées le long des trottoirs.

Quand je me suis arrêtée, une foule d'étudiants louvoyait entre les bâtiments de Queens University. En revenant vers Sharon Hall, je savourais la fraîcheur de l'air sur ma peau moite.

De retour chez moi, j'ai consulté mes téléphones fixe et portable. Aucun appel. Slidell était-il toujours dans le bureau de Salter ou en était-il ressorti trop en rogne pour se soucier de moi ?

Une douche et je me suis changée en jeans et chandail. Mon obsession ne m'ayant pas quittée, j'ai ressorti la copie que j'avais faite du dossier Nance.

Quelle est la définition de l'aliénation mentale ? Refaire indéfiniment la même chose en espérant obtenir chaque fois un résultat différent ?

C'était parfaitement inutile, mais j'avais besoin d'agir. J'ai repris le dossier point par point. Photos. Rapports des équipes techniques et scientifiques, et du médecin examinateur. Résumés des interrogatoires. Comme pour les dossiers de Montréal, j'avais l'impression de lire les lettres d'un autre temps.

Sauf qu'aujourd'hui, il y avait autre chose. Une vague notion qui me trottait à l'arrière du crâne et que je n'arrivais pas à capter.

Mon subconscient avait-il détecté un détail qui m'avait échappé?

À trois heures, j'ai encore essayé de joindre Slidell. Sans plus de succès. J'ai envisagé d'appeler Tinker. Je me suis abstenue, sachant que Skinny allait m'arracher les yeux.

Harry m'a téléphoné à quatre heures. Devrait-elle envoyer des fleurs à maman? Aller la voir? Je me suis chargée de la livraison du bouquet.

Une tasse d'Earl Grey et retour au boulot.

Toujours cette pensée lancinante qui me titillait. C'était quoi? Une photo? Quelque chose que j'avais lu? Quelque chose que Ring avait dit? Hull?

À cinq heures, j'ai déclaré forfait.

À court d'idées, mais incapable de rester à rien faire, je suis allée chercher sur Internet une carte de Charlotte. Une fois localisée l'intersection de North Caswell Road avec la Cinquième Rue, je suis passée en vue satellite et j'ai agrandi l'image.

J'ai repéré la cabine. Elle se trouvait à côté d'un stationnement rempli de voitures. En dessous, il y avait un grand bâtiment en briques.

J'ai activé la fonction *Information*. Une fiche est apparue. J'y ai lu les mots: «CMC — Mercy».

Carolinas Medical Center — Mercy Hospital.

Une impression fugitive. Aussitôt évanouie.

Je fixais l'écran pour faire jaillir cette fichue étincelle qui se dérobait.

Et l'illumination a eu lieu. Une déflagration digne d'une ligne à haute tension.

Lizzie Nance avait fait des recherches sur la médecine d'urgence pour un exposé. On en avait retrouvé la trace dans son ordinateur après sa mort.

Shelly Leal était allée aux urgences à cause de problèmes de dysménorrhée.

Colleen Donovan avait été transportée aux urgences après une chute.

Un correspondant avait téléphoné sous une fausse identité depuis une cabine située en face de l'hôpital. Pour savoir où en était l'enquête sur Estrada. Pour savoir où en était l'enquête sur Donovan.

À mesure que je me faisais ces réflexions, mon rythme cardiaque s'emballait.

J'ai agrippé mon téléphone. J'ai dû m'y reprendre à deux fois pour appuyer sur les touches.

— Allez. Allez.

— *Yo*. (Slidell, en train de mâchouiller.)

J'ai débité mon discours à toute vitesse. Pour finir :

— Il faut que vous appeliez la mère de Shelly Leal. Demandez-lui à quel hôpital ils l'ont emmenée. Ensuite, tâchez de trouver où Donovan a été soignée.

— Je vous rappelle. (Bourru.)

L'attente m'a parue interminable. En fait, moins d'une heure.

— CMC — Mercy, a annoncé Slidell.

— Enfant de chienne ! C'est là que les victimes ont été repérées.

— Je vais me procurer la liste des employés.

— Sans mandat ?

— Je les persuaderai.

— Comment ?

— Mon charme naturel. Si ça ne marche pas, je les menacerai d'alerter l'*Observer*.

À dix heures, il avait le papier.

— Vous avez pas idée du nombre de gens qui travaillent dans un hôpital.

— Alors ?

— Je compare les noms avec ceux fournis par le service des immatriculations à partir de la plaque de la bagnole. L'agent Trou de cul Tinker les enverra dans la banque de données.

— Les employés des hôpitaux ne font pas l'objet d'un examen approfondi de leurs antécédents ?

— Ouais. Ça permet d'exclure les mauvais garçons.

— Concentrez-vous sur ceux qui ont un lien avec le service des urgences.

Nous avons raccroché.

En attendant d'autres nouvelles de Slidell, j'ai encore essayé d'appeler Ryan. Cette fois, il a répondu.

Il était aussi enthousiaste que moi. Il m'a félicitée.

— De notre côté, en revanche, rien de fracassant.

— Tu as identifié la psychologue de Tawny McGee?

— Oui. Pamela Lindhal. En fait, elle est psychiatre auprès des services sociaux.

— Elle est toujours affiliée à l'Hôpital général?

— Oui. Mais on a beau téléphoner, elle est pas fichue de rappeler. Je reste sur le coup. Mais je ne suis pas sûr que si on retrouve McGee, ça fera avancer les choses.

J'étais assez d'accord. D'autant que je me demandais si cela valait la peine de rouvrir la plaie.

— Et où en est Rodas?

— Il a passé des communiqués à la presse. Pour que le portrait de Pomerleau soit publié dans tout l'État, accompagné d'une description et d'un appel au public demandant d'envoyer des photos ou des vidéos prises entre 2004 et 2009, sur lesquelles elle apparaîtrait en arrière-plan. Tu sais, le principe du personnage qui n'a pas d'affaire dans le décor. Dans une boutique, une station-service, un stationnement.

— Si elle est avec un gars, on pourra mettre un visage sur son partenaire de jeu.

— Exactement. C'est peu probable, mais on ne sait jamais. Il a aussi envoyé du monde faire du porte-à-porte à Hardwick et St. Johnsbury.

J'ai demandé à Ryan s'il comptait revenir à Charlotte. Il a dit bientôt.

Un silence gêné. Ou que j'ai cru tel. Et nous avons raccroché.

Sachant que je ne dormirais pas, je me suis fait du thé et me suis replongée dans le dossier Nance.

Sur le manteau de la cheminée, l'horloge de grand-mère faisait entendre son tic-tac.

Comme prévu, je n'ai rien trouvé de plus.

À minuit, j'ai laissé tomber pour m'attaquer enfin aux autres dossiers dont j'étais censée m'occuper. Je ne parvenais pas à fixer mon attention. J'envisageais toutes sortes d'hypothèses. Le complice de Pomerleau était ambulancier. Infirmier. Agent de sécurité.

Les heures passaient à la vitesse de l'éclair.

Slidell a fini par rappeler à deux heures du matin.

Il avait appris trois choses.

# Chapitre 29

— Leal est allée au Mercy Hospital.

— Quand ?

— L'été dernier. Sa mère croit que c'était fin juillet.

— Elle sait qui s'est occupé de sa fille ?

— Non.

— Le service des urgences doit tenir un registre des admissions.

— Sans blague.

— Ils exigeront sans doute un mandat en bonne et due forme.

— Bon, vous voulez savoir ou pas ?

*Du calme. Vous êtes tous les deux fatigués.*

— La bonne nouvelle, c'est qu'il y a des caméras de sécurité à la tonne. La mauvaise, c'est qu'ils ont des problèmes de stockage. Ils ne gardent pas les enregistrements plus de quatre-vingt-dix jours.

— Il faut réquisitionner les plus récents.

— J'y avais pas pensé.

Silence réprobateur. Suivi d'un bruit de pages tournées. J'ai compris qu'il feuilletait son carnet à spirales.

— J'ai peut-être une concordance avec la liste du service des immatriculations.

Annoncé sur un ton si naturel que j'ai cru avoir mal entendu. J'ai attendu qu'il en dise davantage.

— Hamet Ajax. Possède une Hyundai Sonata 2009. Bleu foncé. Les deux premiers chiffres correspondent à ceux de la plaque aperçue par le petit génie à Morningside.

— Le témoin qui a vu Leal sortir de l'épicerie ?

— Qui l'a peut-être vue.

— Comment êtes-vous arrivé à Ajax ?

— Seigneur, je vous l'ai déjà dit. J'ai comparé la liste du service des immatriculations avec celle des employés de l'hôpital.

*Du calme, Brennan.*

— Donc, cet Ajax travaille au Mercy Hospital ?

— Depuis 2009.

— Qu'est-ce qu'il y fait ?

— Médecin à temps partiel au service des urgences.

— Pourquoi ne l'avez-vous pas dit tout de suite ?

— Je viens de le faire.

— Et maintenant ?

— Je vais faire des recherches.

— Sur Ajax ?

— Non. Sur le gars qui m'a servi un steak pas assez cuit hier soir.

Grande respiration.

— Tenez-moi au courant de ce que vous aurez appris.

Après ça, j'ai mis un temps fou à m'endormir. J'ai eu un sommeil agité, traversé de rêves dont maman était la vedette. À mon réveil, il ne me restait qu'une vague impression de sa présence onirique et un pot-pourri d'images hétéroclites.

Des mains tressant de longs cheveux blonds. Une jolie cloche en cuivre sur une table de chevet. Un vase blanc en porcelaine, bordé d'une guirlande de trèfles. Des larmes. Le mot « Beleek » prononcé par des lèvres tremblantes qui désignaient ainsi les poteries irlandaises.

Je me suis levée avec un sentiment d'inquiétude. D'inutilité.

J'attaquais ma deuxième tasse de café quand le téléphone a sonné.

Réflexe. Vérifier l'heure : 7 h 40.

Slidell avait l'air épuisé. D'avoir travaillé toute la nuit, sans doute. Il n'a pas perdu de temps en sarcasmes ni traits d'humour, ou de ce qu'il considérait comme tel.

— Ajax est pédophile.

Le mot m'a transpercé le cœur.

— Il a fait de la taule en Oklahoma pour avoir molesté une enfant.

— Et maintenant ?

— Maintenant, je vais convier ce tas de merde à une petite conversation.

— Je veux y assister.

— Évidemment.

L'interrogatoire devait avoir lieu à trois heures cet après-midi-là. Mais Slidell n'avait pas eu la patience d'attendre. Quand je suis arrivée au quartier général, Ajax et lui étaient déjà dans la salle d'interrogatoire. Je suis entrée dans la pièce voisine.

Barrow et une poignée de détectives avaient les yeux fixés sur un moniteur qui retransmettait la scène. Ils se sont tournés à mon entrée. Visages sans expression d'hommes blasés qui n'attendent pas grand-chose du spectacle en cours. Petit salut de Barrow à mon adresse et il s'est décalé vers la gauche. Les autres vers la droite. Je me suis glissée dans l'intervalle aménagé pour moi.

Ajax remplissait presque tout l'écran. Un grand bonhomme efflanqué dans un costume taillé pour gaillard athlétique. Des cheveux noirs, un teint d'une pâleur surprenante. Les lunettes cerclées d'écaille agrandissaient des yeux qui prenaient déjà trop de place dans un visage agencé autour d'un nez imposant. Il devait être originaire du Proche-Orient. Peut-être de l'Inde ou du Pakistan.

Il était assis devant une table en métal, les mains posées sur le dessus en simili bois, immobiles. Derrière lui, le mur était peint en mauve, à part la partie basse composée d'aggloméré gris-blanc. On ne lui avait pas mis aux pieds les fers fixés au sol.

De Slidell assis en face de lui, on ne voyait à l'écran qu'une épaule et quelques cheveux gras ainsi que le dossier fermé devant lui.

— Ça donne quelque chose ?

Barrow m'a fait signe que non.

— J'ai travaillé la nuit dernière et aujourd'hui. (Ajax parlait d'une voix calme, avec un très léger accent.) Je suis assez fatigué.

— C'est ce que vous disiez à madame pour pouvoir vous payer la petite ?

Pas de réaction du côté d'Ajax.

— Belle arnaque. Vous prétendiez être à l'hôpital pour pouvoir partir en reconnaissance.

— Je vous l'ai dit. Ce n'est pas comme ça que ça s'est passé.

— Exact. Cette jeune fille était votre gardienne. Donc, c'était moins grave.

— Je ne prétends pas avoir eu une conduite irréprochable. Je dis seulement que je n'ai jamais fait la chasse aux enfants.

— C'était plus facile de vous attaquer à celles qui vous faisaient confiance. (Slidell, dégoulinant de mépris.)

— Il n'y en a pas eu d'autres.

— *Bullshit.*

— J'ai commis une erreur. Les circonstances étaient… particulières.

— Comment ça?

— La fille en question était mûre pour son âge. Son attitude était provocante.

J'étais révulsée.

— Espèce de sale ordure. (À l'écran.)

— Ce n'est pas un compliment pour les ordures. (Le détective derrière moi.)

— J'ai payé. (Ajax, imperturbable.) Et j'ai suivi une thérapie.

— Aux dernières nouvelles, l'enregistrement au fichier des délinquants sexuels est obligatoire pour les mutants comme vous.

— Je me suis inscrit en Oklahoma.

— Ici, c'est pas l'Oklahoma.

— Mon dérapage date d'il y a quinze ans. J'étais tenu de m'inscrire pendant dix ans.

— Vous l'avez fait en arrivant ici?

Sourire ironique d'Ajax.

— Je suis un autre homme.

— Un vrai philanthrope.

— Je soigne les malades.

— Parlons-en justement. Vous avez recousu une jeune fille de seize ans, Colleen Donovan. Une jeune itinérante, amenée par les flics. Blessure à la tête.

— Je vous le répète. Je traite des centaines de patients par année.

— Et Shelly Leal. Venue vous voir l'été dernier à cause de maux de ventre.

— Sans accès aux registres, je ne peux pas savoir.

— Ah ouais ? Eh bien, nous, nous savons.

La main de Slidell est apparue à l'écran. Elle a ouvert le dossier et en a retiré une fiche imprimée.

J'ai regardé Barrow. Il a secoué la tête pour me signifier que c'était une ruse.

— Je l'ai peut-être soignée. (Toujours aussi impassible.) Et alors ?

On a vu la main de Slidell prélever un autre papier dans le dossier et le poser sur la table.

— C'est votre voiture ?

Ajax a retourné la feuille.

— J'ai une Hyundai.

— Vérifiez la plaque.

Il a obéi.

— C'est la mienne. Immatriculée dans les règles.

— Un témoin vous a vu pousser Shelly Leal dans cette voiture.

— Cette personne ment.

— Un abominable salaud a tué ces deux enfants. (Encore un mensonge en ce qui concernait Donovan.)

Derrière les verres, les yeux se sont plissés imperceptiblement.

— Vous ne me soupçonnez pas, quand même ?

— Non, pourquoi on vous soupçonnerait ?

— Je vous l'ai dit. Je n'ai jamais fait de mal à personne.

— Comment va la gardienne ces jours-ci ?

— Je n'ai jamais exercé de violence physique sur aucun être humain.

— Où étiez-vous le 17 avril 2009 ?

Ajax a relevé le menton. En accrochant la lumière du plafonnier, ses verres ont lâché un double éclair blanc.

— Il faut que je consulte mon agenda.

— Et le 11 novembre 2014 ?

— Dois-je prendre un avocat ?

— À votre avis ?

Ajax a poussé un soupir.

— Si vous aviez la preuve que je suis impliqué dans ces crimes, vous m'inculperiez pour meurtre. Comme vous ne le faites pas, j'en déduis que je suis libre de m'en aller.

— Nous sommes en train d'essayer de vous mettre hors de cause, doc.

J'ai été étonnée d'entendre cette voix. Beau Tinker était aussi dans la pièce.

— Le ton employé par votre coéquipier depuis tout à l'heure laisserait penser le contraire.

— Écoutez, vous êtes intelligent. Étant donné vos anté-cédents, vous savez bien que nous sommes obligés de vérifier vos faits et gestes. Vous comprenez, n'est-ce pas ? Pour pou-voir vous disculper.

— Vous m'avez arraché à mon travail. J'ai répondu de mon mieux à vos questions.

— Il reste des points obscurs.

— Je serai en mesure de vous donner des réponses plus précises quand j'aurai consulté les registres et mon emploi du temps.

— Vous ne vous rappelez pas avoir soigné Colleen Donovan ?

— Non.

— Ou Shelly Leal ?

— Non.

— Vous n'avez aucun souvenir de les avoir rencontrées, l'une ou l'autre ?

— Aucun. Je crois avoir été clair.

— Nous voulons nous en assurer.

— J'ai accepté d'être enregistré. (En fixant la caméra, comme un homme habitué aux salles d'interrogatoire de la police.) Vous n'aurez qu'à vous reporter à la vidéo.

Un moment de silence.

— Connaissez-vous une dénommée Tia Estrada ? (Slidell, à nouveau.)

— Non.

— Avery Koseluk ?

— Non.

— Lizzie Nance ?

Ajax est resté muet.

— Ce nom vous dit quelque chose ?

— Non.

— Et Nellie Gower?

— Je ne connais aucune de ces personnes.

— Vous êtes déjà allé dans le Vermont?

— J'ai déjà répondu à cette question par la négative.

— Parlez-nous d'Annick Pomerleau?

— Qui?

Slidell s'est brutalement penché en avant sur la table, tout près du visage d'Ajax.

— Arrête tes conneries, espèce de minable.

— Je ne sais pas de quoi vous parlez. (En regardant Slidell droit dans les yeux.)

— Selon vous, y a-t-il quelqu'un à l'hôpital que nous devrions interroger? (Question de Tinker.)

— Je vous promets d'y réfléchir.

— S'il vous plaît.

— Ouais. S'il vous plaît. (Un bruit de chaise et Slidell a disparu de l'écran.) Là, tout de suite, j'ai besoin de respirer un air moins vicié.

Une porte s'est ouverte. Refermée. Ajax était figé comme une statue du mont Rushmore, les yeux rivés sur le coin de la pièce où devait se tenir Tinker.

— Je n'ai jamais fait de mal à personne. Ni autrefois ni récemment.

— Je vous crois, doc. (Tinker, parfait dans le rôle du bon flic.) Dites-moi, voulez-vous un soda?

Un frémissement des lèvres. Un sourire?

— Je n'accepterai rien à boire ou à manger.

— Comme vous voudrez.

Notre petit groupe s'est alors dispersé. Les détectives sont partis à gauche, vers la division des crimes violents. Barrow et moi, à droite, vers la salle de réunion. Slidell y était déjà, debout près de la table. Il avait les traits tirés, les yeux rouges et gonflés par le manque de sommeil.

— Vous avez obtenu quelque chose? a demandé Barrow.

— C'est un renard. Il connaît les ficelles.

— À quelle heure avez-vous commencé à le cuisiner?

— Un peu après une heure.

J'ai dû émettre un son. Ou faire un geste. Slidell s'est tourné vers moi. Avant que j'aie pu ouvrir la bouche, on a entendu des voix dans le couloir et Tinker nous a rejoints, suivi de Salter.

— Je voulais être seul pour l'interroger. (S'adressant à moi, mais assez fort pour que Tinker en profite aussi, ou peut-être Salter.)

— Ajax n'a jamais changé de version, à aucun moment? (Barrow avait aussi manqué le début du spectacle.)

— Il ne se souvient pas d'avoir soigné Donovan, ni Leal. Ne savait pas qu'elles étaient mortes. N'a rien à voir avec leur assassinat.

— Les médias ont abondamment parlé de Leal, ai-je remarqué. Il ne lit pas les journaux et ne regarde pas la télé?

— Il prétend être trop occupé à sauver des vies.

— Et personne à l'hôpital n'a mentionné Leal? Pas même une fois? N'est-ce pas étrange?

— Cette vermine…

Salter l'a interrompu:

— Qu'est-ce que vous avez au juste sur ce type?

— Il est pédophile. La description de sa voiture et son numéro d'immatriculation cadrent avec les déclarations d'un témoin présent sur le lieu de l'enlèvement de Leal.

— Ça correspond exactement?

— Deux chiffres.

— C'est tout?

— Quatre filles sont mortes. Peut-être six. Ce fumier aime les adolescentes.

— C'est un peu léger.

— Deux de nos victimes sont passées par son service des urgences.

— Il les a soignées?

— Nous allons nous procurer les registres.

— Autre chose?

— Parlez-lui de la cabine téléphonique. (Slidell, s'adressant à moi.)

Ce que j'ai fait.

— Devant le Mercy Hospital.

— Oui.

Un hochement de tête et Salter s'est à nouveau tournée vers Slidell.

— Vous avez son ADN?

— Il ne s'est pas laissé piéger.

— Comment comptez-vous procéder ?

— Laissez-moi continuer à le questionner.

— Il a demandé un avocat ?

— Pas encore.

— Il devrait se faire recenser comme délinquant sexuel. (Précision de Tinker.) Il ne l'a pas fait depuis des années et jamais en Caroline du Nord.

— Cela nous donne une marge de manœuvre. (Un bref silence avant de reprendre.) Vous pensez vraiment que cet Ajax peut être notre homme ?

— C'est notre seul suspect sérieux.

— Vous connaissez ses antécédents ?

— Jusque dans les moindres détails sordides.

— OK. Laissez-le mijoter un peu et, ensuite, reprenez l'interrogatoire. (En regardant alternativement Slidell et Tinker.) Si à six heures il n'y a toujours rien de nouveau, on le relâche. (Slidell a commencé à protester.) Et toujours selon les règles. Je veux que ça bouge, je veux voir un film d'action. (S'adressant ostensiblement à Slidell.) Mais dès l'instant où il demande l'assistance d'un avocat, on arrête. C'est bien clair ?

Gros soupir de Slidell.

— C'est bien clair, détective ?

— S'il faut le faire craquer, on peut lui botter le cul ?

— Les fesses, oui.

# Chapitre 30

À cinq heures, Ajax a demandé à voir un avocat.

Une demi-heure plus tard, une voiture de police le déposait chez lui. Un véhicule banalisé montait déjà la garde devant sa maison.

À six heures, Slidell recevait un appel d'un certain Jonathan Rao, avocat. Désormais, le client de Rao ne répondrait aux questions qu'en sa présence ou par son intermédiaire.

À sept heures, Slidell, Barrow et moi étions réunis dans la salle de conférences, en train de grignoter des plats tout préparés en provenance de King's Kitchen. Entre deux bouchées de poisson frit, Slidell nous communiquait ce qu'il avait appris sur le passé d'Ajax.

— En Oklahoma, il s'appelait Hamir Ajey. Son histoire concorde avec ce que j'ai trouvé dans les archives des tribunaux. Ajey, alias Ajax, a commencé par molester une gardienne de quatorze ans alors qu'il en avait trente-trois. Le harcèlement a pris fin deux ans plus tard, quand l'ado s'est confiée à l'un de ses enseignants. Il a été accusé de viol et de gestes obscènes sur mineure et a négocié en plaidant coupable.

— Pour éviter à la petite de subir un procès, a précisé Barrow. C'est souvent ce qui se passe.

— Ce salaud a écopé de quarante-six mois de prison, après quoi il a été libéré.

— N'avait-il pas l'obligation de se faire recenser comme délinquant sexuel ? ai-je demandé.

— Il s'y est plié. (Une bouchée de flétan.) Quand il est sorti de tôle en 2004. En Oklahoma.

— Et l'État ne lui a pas retiré son droit d'exercer la médecine?

— Cet État, oui. (Slidell, en se léchant les doigts.) Notre Ajey-Ajax se fait discret pendant deux ans et refait surface dans le New Hampshire, dans une clinique de soins d'urgence pas trop regardante sur les curriculum vitae.

— Sans blague.

— Quelques coups de crayon sur l'ancien diplôme, le nom Hamir Ajey devient Hamet Ajax. Il s'est dit que personne n'irait s'enquiquiner à téléphoner à Bombay.

— Et il avait raison. *Jesus.*

— Quelques années plus tard, son poste dans le New Hampshire lui sert de tremplin pour se faire embaucher dans un service d'urgences en Virginie.

— Et ensuite à Charlotte. (Barrow.)

— Pendant ce temps-là, il oublie de signaler qu'il est un pervers sexuel.

— Et personne ne s'est soucié de vérifier. (J'étais écœurée.)

— Pourquoi Charlotte? (Question de Barrow.)

— Qui sait?

— Pendant combien de temps Ajax était-il censé se rapporter? ai-je demandé.

— J'ai posé la question, j'attends la réponse. (Slidell.) D'après lui, dix ans.

— Il est marié?

— Il l'était en Oklahoma. Sa femme l'a quitté.

— Des enfants?

— Deux filles.

J'étais aux prises avec des sentiments contradictoires. Dégoût envers Ajax. Compassion pour ses filles. Crainte de futures victimes. J'avais envie de hurler, de jeter des objets contre le mur.

— D'autres incidents? Des plaintes de patientes, des choses comme ça? (Encore une question de Barrow.)

— Rien dans les quatre États dans lesquels j'ai cherché avec les deux noms. Apparemment, Ajax s'est tenu tranquille.

— Ou a amélioré sa technique. (Barrow.)

— Où vit-il maintenant? ai-je demandé.

— Dans un joli petit quartier près de Sharon View Road.

— A-t-on son ADN en Oklahoma ?

Slidell a secoué la tête.

— Est-ce qu'Ajax travaillait les jours où Donovan et Leal sont passées à l'hôpital ?

— J'ai un mandat en cours. Je devrais avoir la réponse dans une heure ou deux.

— Comment voyez-vous les choses ? a demandé Barrow.

— Je veux avoir accès au domicile d'Ajax.

— Sans motif valable, c'est impossible.

— Ouais. Ouais. Dans ce cas, on lui colle une équipe aux fesses vingt-quatre heures sur vingt-quatre, sept jours sur sept. À la minute où ce trou de cul pose les yeux sur un terrain de jeux pour enfants, on lui tombe dessus.

Impressionnant. Slidell avait réussi à placer deux allusions au popotin en une seule phrase.

— S'il n'est plus tenu d'être fiché, ce ne sera pas possible.

— Frustrant, non ? Attendons d'avoir confirmation de l'Oklahoma.

— Et si Ajax ne fait rien ? ai-je avancé.

— Ces crétins finissent toujours par faire quelque chose. En attendant, je vais voir à quelles dates Donovan et Leal sont allées à l'hôpital. Je vais vérifier dans les registres du service des urgences qui était de garde ces jours-là, que ce soit sous forme de signature, de tampon, de numéro, ou de je ne sais quel autre système qu'ils emploient. Et je vais me procurer la liste des employés qui étaient présents dans les deux cas. Je vais leur parler. Si ça ne donne rien, j'élargis mes investigations à tout l'hôpital.

— Où est Tinker ? (M'avisant soudain de son absence.)

— Il poursuit l'enquête sur Ajax, a répondu Barrow. Il rassemble ses alibis pour les dates où Leal, Estrada, Nance et Gower ont été enlevées. Ensuite, il vérifiera.

— Vous vous êtes embrassés en vous réconciliant, tous les deux ? (Une modeste tentative pour détendre l'atmosphère. Et puis, j'étais intriguée. Slidell m'a foudroyée du regard, manifestement peu désireux de disserter sur ses relations avec Tinker. J'ai changé de sujet.) Le New Hampshire et le Vermont sont limitrophes.

— Je vais envoyer le portrait d'Ajax à Rodas. (Barrow.) Au cas où ça déclencherait quelque chose là-bas. En attendant, j'ai des heures et des heures de vidéos enregistrées dans les endroits où Leal a pu se rendre dans la semaine qui a précédé sa mort. Je vais continuer à creuser de ce côté-là, pour voir si on y aperçoit la fillette. Et si on repère un personnage suspect à proximité. J'ai des gars qui examinent la partie de film prise dans le laps de temps pendant lequel notre homme a dû la kidnapper. Et qui étudient les routes qu'il a dû prendre pour la déposer sous le viaduc.

— Ça va prendre combien de temps?

— Plus que vous n'imaginez.

— Ajax se croit malin. (Slidell s'est levé.) Nous allons coincer ce petit con arrogant.

— Qu'est-ce que je peux faire? ai-je demandé.

— Retirez-moi de votre liste de numéros abrégés.

Je l'ai regardé d'un air sidéré franchir la porte.

J'étais au MCME quand Slidell a enfin appelé. J'aurais pu rédiger mes rapports chez moi, mais je me sentais moins exclue en travaillant à la morgue.

— Donovan est arrivée au Mercy Hospital le 22 août 2012 à 23 h 40. On lui a fait trois points de suture au front. Elle est repartie à 1 h 10. Les soignants qui se sont occupés d'elle l'ont conduite dans un foyer. Ajax apparaît au registre comme médecin traitant.

J'ai senti mon pouls s'accélérer. J'ai mis un point d'honneur à ne pas l'interrompre.

— Leal est arrivée le 27 août 2014 à 14 h 20. Elle a été soignée pour douleurs abdominales par un certain docteur Berger qui lui a prescrit des médicaments fournis directement par l'hôpital. Ses parents l'ont ramenée à 16 h 40.

— Ajax travaillait ce jour-là?

— Oui.

— Est-ce que d'autres membres du personnel médical étaient sur place dans les deux cas?

— Cinq.

— J'aurais cru qu'ils seraient plus nombreux.

— Ça fait déjà deux ans. Les employés s'en vont et sont remplacés. D'ailleurs, nous avons de la chance. L'une des deux patientes est venue de jour, l'autre de nuit.

— Des équipes différentes.

— Ouaip.

— Parmi ces cinq personnes, y en a-t-il qui travaillent toujours au Mercy?

— Trois. (Bruit de papier de l'éternel carnet à spirale.) Un ASD, Ellis Yoder. C'est un aide-soignant diplômé.

Je le savais. Je n'ai rien dit.

— Alice Hamilton, également ASD. Jewell Neighbors, chargée des relations avec le public. Elle fait en sorte que les gens se croient au Ritz.

CRP? Je ne la connaissais pas, celle-là.

— Une infirmière, Blanche Oxendine, est partie à la retraite. Une autre, Ella Mae Nesbitt, a déménagé dans un autre État.

— Vous avez pu parler avec elles?

— J'étais trop occupé à soigner mon bronzage.

J'ai laissé un ange passer.

— Oxendine a soixante-six ans, elle est veuve. Elle a travaillé dix ans au Mercy Hospital et avant ça, trente-deux ans à l'hôpital presbytérien. Elle vit avec sa fille et ses deux petits-enfants. Elle a de l'arthrite, de l'arthrose et des problèmes de vessie.

J'imaginais aisément ce qu'avait été la conversation.

— Se souvient-elle de l'une ou l'autre des filles?

— De Leal, vaguement, de Donovan, pas du tout.

— Que pensait-elle d'Ajax?

— Elle aimait son haleine toujours parfumée.

— C'est tout?

— Elle trouve que les emplois sont trop souvent occupés par des étrangers, de nos jours.

— Est-ce qu'elle utilise Internet? (Pourquoi ai-je posé cette question?)

— Pour elle, Internet est la plaie de la jeunesse actuelle.

— Et Nesbitt?

— Trente-deux ans, célibataire, a travaillé au Mercy pendant quatre ans après avoir obtenu son diplôme. S'est installée à Florence en septembre pour s'occuper de sa mère de quatre-vingt-neuf ans. La vieille dame est tombée et s'est brisé la hanche.

— Elle n'habitait donc pas à Charlotte quand Nance et Leal ont été tuées?

— Non.

— A-t-elle un ordinateur ?

— Elle ne s'en sert que pour les courriels et les achats en ligne.

— Son avis sur Ajax ?

— Un peu trop guindé à son goût. Elle mettait ça sur le compte des différences culturelles. Allez savoir ce qu'elle entend par là. D'après elle, c'était un assez bon médecin.

— Est-ce qu'elle… ?

— Se souvenait de Donovan parce qu'elle a assisté Ajax quand il lui a fait les points de suture. Elle a dit que la jeune fille était agressive, sans doute contrariée par quelque chose. Leal, aucun souvenir.

— Rien de suspect chez aucune d'elle ?

— Hé oh. Notre criminel est un gars.

Exact. L'ADN relevé sur le coupe-vent de Leal désignait un meurtrier de sexe masculin.

— Et les deux autres ?

— Je vais justement aller faire un tour à l'hôpital, tout de suite.

— Je vous y retrouve.

J'ai raccroché sans laisser à Slidell le temps de protester.

Je suis arrivée la première. À neuf heures du soir un lundi, c'était plutôt calme.

Sachant que Slidell pèterait les plombs si je faisais autre chose que respirer, je me suis sagement installée dans la salle d'attente, en espérant qu'aucun des malades présents n'avait attrapé un staphylocoque ou la tuberculose. Devant moi, un homme en tenue complète de camouflage s'appuyait au mur en serrant contre sa poitrine sa main enveloppée dans une chemise. À sa gauche, un garçon en survêtement fixait sur moi des yeux rouges chassieux.

À ma droite, une jeune fille tenait dans ses bras un bébé emmailloté immobile et silencieux. Elle devait avoir seize ou dix-sept ans. De temps en temps, elle donnait une petite tape ou une petite secousse à son paquet inerte.

À côté d'elle, dans la rangée, une femme toussait en crachotant dans un mouchoir roulé en boule. Elle avait le cheveu gris et rare sur un crâne rose brillant, la peau couleur de nouilles mal cuites et les doigts jaunes de nicotine.

J'ai concentré mon attention sur les membres du personnel, en tentant de déchiffrer les noms quand l'un d'eux passait à proximité. J'ai assez rapidement repéré l'une de nos cibles.

Un grand mollasson avec une queue de cheval blond terne portait une plaque au nom de E. Yoder, ASD. Quand il s'est avancé pour aller chercher le garçon aux yeux chassieux, j'ai pu observer ses bras flasques couverts de taches de rousseur.

Dix minutes se sont écoulées. Un quart d'heure.

La vieille femme continuait à cracher ses poumons. J'envisageais de changer de place quand Slidell a enfin franchi la porte. Je me suis levée pour aller à sa rencontre.

— Yoder est ici. Je n'ai pas vu Neighbors.

— Je lui ai parlé.

— Quoi ?

— Elle est débile.

— Où l'avez-vous rencontrée ?

— Qu'est-ce que ça peut faire ?

Je l'ai transpercé d'un regard interrogateur.

— Dans le hall d'entrée.

— Alors ?

— Elle s'occupe d'un tas de patients qui ont des écorchures ou mal au ventre.

— C'est ce qu'elle a dit ?

— Je paraphrase.

— Pourquoi la trouvez-vous débile ? (En mettant le mot entre guillemets virtuels.)

— Elle a vingt-quatre ans, un mari, trois enfants, ne travaillait pas ici à l'époque des meurtres de Nance et Estrada.

— Ça fait d'elle une débile ?

— Elle n'est sortie des États de Caroline qu'une fois dans sa vie, à l'occasion d'un voyage scolaire à Washington. Pour elle, le Lincoln Memorial est l'une des sept merveilles du monde. N'est jamais montée dans un avion. N'a pas d'ordinateur. Vous voyez le tableau ?

Je voyais. Jewell Neighbors n'avait pas le profil d'une tueuse d'enfants. Ni d'une complice de tueur d'enfants.

— Et vous remarquerez que c'est une femme.

— Vous partez du principe que notre homme agit seul? Cette fois, c'est moi qui ai eu droit au regard interrogateur.

— Une femme inspire davantage confiance.

— Une femme recruterait les victimes?

— Ici, directement. Ou sur Internet.

— Et pourquoi ferait-elle une chose pareille?

— Pourquoi pas? (Sur la défensive.) Pomerleau le faisait bien pour Menard.

— Si notre criminel se fait aider, ce n'est pas par Neighbors. Ni par Oxendine. Quant à Nesbitt, elle n'était pas là pour Nance et Estrada.

— S'il y a un lien avec Estrada. (Un moment songeuse.) Nesbitt avait dix-neuf ans en 2009. Où était-elle?

— Je vais demander.

— Qu'a-t-elle dit à propos d'Ajax?

— Qu'il restait à l'écart. Ne se mêlait pas aux autres à la cafétéria, ne prenait pas part aux réceptions et réunions amicales. Elle ne l'a jamais vu en dehors du travail. Ne le connaissait pas du tout. Même description que celle que m'a dressée Neighbors.

— Ajax est un solitaire.

— Oui. Maintenant, vous permettez que j'aille interroger un type qui a un passé?

— Que voulez-vous dire?

— J'ai fait ma petite enquête sur Yoder. Il a un casier.

— Pour quels motifs?

— Deux arrestations pour violence.

— Qui a-t-il agressé?

— Un gars dans un bar.

J'ouvrais la bouche pour poser une question. Slidell m'a interrompue.

— Et une jeune fille de dix-sept ans, Bella Viceroy.

# Chapitre 31

Ellis Yoder n'était ni franchement hostile, ni vraiment désireux de nous apporter son aide.

Présentation de sa plaque, vague explication à mon adresse, et Slidell a demandé à lui parler en privé. Yoder nous a fait entrer dans un bureau inoccupé.

Slidell a commencé l'entretien par l'arrestation.

— Chester Hovey, vous vous rappelez? Le gars à qui vous avez resculpté la gueule avec une bouteille?

— Vous voulez dire le gars qui a fracassé ma copine sur un pare-brise pour lui tripoter les nichons. Vous savez où il est maintenant?

— Non.

— Il purge une peine pour avoir giflé une pute.

— Et Viceroy?

— Bella? a fait Yoder en remuant la tête lentement. C'est ça, le problème?

Slidell l'a regardé fixement.

— On s'est battus. La salope m'a mordu. Je l'ai frappée. Elle a porté plainte. Comme elle avait dix-sept ans et moi dix-neuf, c'est moi qui ai tout pris.

— On dirait que vous avez des difficultés à gérer votre colère, Ellis.

— OK, d'accord, je suis celui qui a des problèmes! a rétorqué Yoder avec un petit ricanement sans joie. Écoutez, Bella et moi, à l'époque, on était deux crétins. Depuis, on ne peut rien me reprocher. Vous pouvez vérifier.

— Soyez certain qu'on le fera.

— Vous alors, vous ne lâchez jamais le morceau !

— Est-ce que vous vous rappelez d'une patiente du nom de Shelly Leal ? Venue l'été dernier pour des crampes.

— Et comment, la fille qui a été assassinée !

— Parlez-moi d'elle.

— En fait, je ne me souviens pas vraiment d'elle.

— Vous venez de dire le contraire.

— Je veux dire… Quand j'ai entendu son nom plus tard, aux infos, ça m'est revenu qu'elle était passée par chez nous.

— Vous connaissez le nom de tous les patients qui viennent se faire soigner ?

— Non.

Yoder a croisé les bras et s'est mis à s'en gratter nerveusement la face externe, les deux côtés à la fois. Sur ce paysage de taches de rousseur, ses ongles laissaient de longues traînées blanches.

— Mais vous vous souvenez d'elle.

— *Shit !* Vous pensez que j'ai quelque chose à voir avec ça ?

— C'est le cas ?

— Non !

Yoder, le visage empourpré.

— Et une patiente du nom de Colleen Donovan, ça vous dit quelque chose ? Une jeune itinérante avec une entaille dans la tête ?

— Quand ça ?

— Août 2012.

— Peut-être. Je ne sais plus. (Le grattage s'est accéléré.) Je crois que c'est doc Ajax qui l'a recousue, celle-là. Et ce n'est pas moi qui lui ai servi d'assistant.

— Vous fréquentiez l'une ou l'autre de ces petites en dehors de la salle des urgences ?

— Du *service*.

— Quoi ?

— Le *service* des urgences, c'est comme ça que ça s'appelle.

— Vous tenez à me faire chier ?

— Pas du tout ! (Avec une telle véhémence qu'il en a eu le tour des narines tout blanc.)

— Répondez à la question.

— La réponse est non.

— Parlez-moi d'Hamet Ajax.

— Doc Ajax ? (De surprise, ses sourcils presque invisibles sont remontés jusqu'au milieu de son front.) Qu'est-ce que vous voulez savoir ?

— À vous de me le dire.

— Il est Indien.

Slidell a retourné sa main paume en l'air, manière de dire : « Soyez plus explicite. »

— Il n'est pas causant, difficile de savoir.

— C'est un bon médecin ?

— Pas mauvais.

— Continuez.

— Qu'est-ce que vous voulez que je vous dise ? Les patients ont l'air de bien l'aimer. Il est correct avec le personnel. Je ne connais rien de sa vie personnelle. Les médecins ne fréquentent pas les bêtes de somme comme nous.

— Jamais entendu de plaintes à son sujet ? De rumeurs ?

— Où voulez-vous en venir ?

Yoder a brièvement posé les yeux sur moi. Des yeux d'une couleur tout à fait particulière : vert avocat.

— Je pose juste la question.

— Non.

— Jamais ressenti de mauvaises vibrations ?

— Émanant de doc Ajax ? Non.

— Quoi d'autre ?

— Rien.

— C'est tout ?

— C'est tout.

— Est-ce qu'Alice Hamilton travaille aujourd'hui ?

Les doigts de Yoder se sont immobilisés.

— Ah, là je comprends.

— Ouais ?

— Elle et le doc.

— Continuez.

— J'en croquerais bien un bout moi-même. (Avec un sourire obséquieux.) Si vous voyez ce que je veux dire.

Regard glacial de Slidell en retour.

— Hé, je ne lui jette pas la pierre.

Il a levé les deux mains. Des mains d'où il a neigé des flocons de peau sèche.

— Vous voulez dire qu'Ajax et Hamilton s'envoient en l'air ?

Yoder a haussé à la fois les deux épaules et les sourcils.

— Où est-elle ?

— Aucune idée.

— Quand l'avez-vous vue pour la dernière fois ?

— Ça fait un bout de temps.

— C'est inhabituel ?

Yoder a pris le temps de réfléchir.

— Non. Elle est à temps partiel.

Slidell a débité à Yoder le mantra habituel sur le coup de fil au cas où quelque chose lui reviendrait en mémoire, et nous l'avons abandonné à son grattage, les yeux rivés sur la carte de visite de mon compagnon.

Avant de quitter l'hôpital, Slidell s'est enquis des horaires d'Hamilton. D'après le superviseur, elle était en congé jusqu'au mercredi suivant. Il a obtenu son adresse et son numéro de cellulaire.

Numéro qu'il a composé tandis que nous traversions le stationnement. Répondeur.

Il a appelé ensuite les gars qui étaient planqués devant chez Ajax. Le médecin n'était pas ressorti de chez lui depuis qu'on l'y avait déposé à six heures.

À ma montre, dix heures et demie du soir et zéro résultat.

Cela faisait déjà un bon moment que l'adrénaline avait cessé de frétiller en moi.

Encore échaudée par sa remarque de tout à l'heure, je n'ai pas demandé à Slidell son plan. J'ai récupéré ma voiture et pris le chemin de la maison.

Inspirée par la tempête de peaux mortes de Yoder, j'ai foncé sous la douche.

Coup de fil de Ryan au moment où je m'écroulais sur le lit. Je l'ai mis sur haut-parleur, le temps d'empiler des oreillers dans mon dos. En bruit de fond, un concert de voix masculines frénétiques.

— Comment ça va ?

— Pas mal. Et toi ?

— Je regarde les Habs foutre une raclée aux Rangers.

— À onze heures du soir ?

— Rediffusion, bébé.

J'ai mis Ryan au courant des derniers événements : les appels téléphoniques passés depuis le Mercy Hospital ; Ajax.

— Enfant de chienne. Comment il a réagi ?

— Un calme de serpent. Les deux fois, il était de service aux urgences quand Donovan et Leal se sont présentées. Avec Slidell, on a parlé à tous ceux qui travaillaient à ces mêmes heures.

— Qu'en disent les gens qui travaillent avec lui ?

— Quantité négligeable. Personne ne sait rien sur lui. Sauf un aide-soignant qui a laissé entendre qu'il fricotait avec une de ses collègues. Pour Donovan ou Leal, personne ne se souvient vraiment. Et toi ? Du succès avec McGee ?

— La mère a été honnête. Tawny a suivi des cours au cégep.

— Où ça ?

— À Vanier. J'ai parlé à plusieurs profs. Personne ne se souvient d'elle. Pas étonnant. Ça remonte à 2006 et elle n'est pas restée longtemps. Après, c'est comme si elle avait disparu du système solaire.

— Et la psychiatre ? Elle t'a rappelé ?

— Pamela Lindahl ? Oui. Tu l'as rencontrée en 2004, non ?

— Très brièvement.

— Ton impression ?

— Elle semblait avoir un intérêt sincère pour Tawny. Pourquoi ?

— Je ne sais pas. Je la trouve bizarre.

— Tous les psys sont bizarres.

— Je ne sais pas comment dire. J'ai eu l'impression qu'elle cherchait à faire allusion à des choses qu'elle ne voulait surtout pas aborder franchement.

— Tu lui as demandé pourquoi elle avait emmené Tawny rue de Sébastopol ?

Ce point n'avait pas vraiment de rapport avec ce qui nous intéressait, mais il m'avait toujours troublée. Je n'arrivais pas à voir ce qu'il y avait de positif à effectuer une telle sortie.

— Elle prétend qu'elle était contre, mais que Tawny insistait énormément, comme s'il s'agissait d'un rite de passage. Comme la petite revenait tout le temps sur le sujet,

Lindahl a consulté ses collègues qui lui ont dit d'accepter. Et c'est pour cela qu'elle l'a emmenée là-bas.

— Comment sont-elles entrées, puisque la maison avait été mise sous scellés après l'incendie ?

— Lindahl a appelé l'Hôtel de Ville. Compte tenu des circonstances, elles ont été autorisées à y pénétrer. Une visite de contrôle avait été effectuée au préalable et l'immeuble, bien que très endommagé, avait été déclaré sécuritaire. Voilà l'histoire, en gros.

— Qu'est-ce qu'elles ont fait là-bas ?

— Elles sont restées assises dans le salon la plus grande partie du temps.

— Tawny s'est aventurée dans la cave ?

— Ouais. Lindahl l'a laissée faire. S'est dit que la petite avait besoin d'être seule.

— *Jesus.*

— Quand les fonds alloués pour la thérapie ont été épuisés, Lindahl est quand même restée en contact avec elle.

— Combien de temps ?

— Jusqu'à ce que la petite se tire, en 2006.

— Est-ce qu'elle a une idée de l'endroit où Tawny pourrait se trouver ?

— Si oui, elle a gardé l'info pour elle.

— Tu l'as interrogée sur Jake Kezerian ?

— Ses commentaires n'étaient pas flatteurs.

— À son avis, c'est à cause de lui que Tawny a pris le large ?

— Elle a refusé de spéculer sur ce point.

— Est-ce que le sujet Annick Pomerleau a été abordé au cours de leurs séances ?

— Elle n'est pas autorisée à le dire.

— Tu rigoles ?

— Tawny est sa patiente. Et adulte. Tout ce dont elles ont discuté relève de la sphère privée.

— Tu lui as demandé quel impact potentiel pourrait avoir sur Tawny le fait que nous la contactions ?

— Elle pense que ce sera douloureux pour elle de revisiter le passé.

— Sans blague.

Une pause.

— Tu crois vraiment qu'Ajax pourrait être notre gars? a demandé Ryan.

— Slidell en est persuadé.

— Comment est-ce qu'il se serait acoquiné avec Pomerleau?

— On ne le saura jamais, à moins qu'il ne craque. En tout cas, après l'Oklahoma, il a travaillé au New Hampshire.

— D'une manière ou d'une autre, ils font connaissance, ils se mettent ensemble, et c'est l'escalade jusqu'à l'assassinat.

Tandis que nous réfléchissions, rien d'autre que le hockey n'a brisé le silence.

— Il y a quand même quelque chose qui me dérange, ai-je objecté. Ajax est un pédophile. Or ces homicides ne présentent pas de composante sexuelle.

— Qu'est-ce qui est sexuel aux yeux de ces monstres, tu peux me le dire? Notre auteur prélève des souvenirs. Peut-être que l'excitation lui vient seulement après la mise à mort.

— Ou que pour lui l'excitation réside dans le fait de contrôler la victime, ai-je avancé, en poursuivant dans le même ordre d'idées. De dicter des choix personnels excessivement détaillés concernant les cheveux, les vêtements, la position du corps.

— L'instant de la mort.

Bruit d'allumette que l'on gratte. Puis de l'air qu'on expulse.

— Pourquoi tuer Pomerleau? a demandé Ryan. Et pourquoi transférer ses activités à Charlotte?

— La douceur du climat? J'ai du mal à le croire.

— Alors, pourquoi un si long intervalle? Pourquoi aller au New Hampshire, puis en Virginie-Occidentale?

— Ajax avait besoin de temps pour se refaire une santé.

— Possible.

— Pomerleau lui a probablement parlé de Montréal. De mon rôle dans sa chute. Peut-être que ça l'a excité. C'est assez fréquent chez les tueurs en série de vouloir hausser la barre.

— Augmenter le danger, augmenter le frisson.

— Le danger étant ma personne.

Ensemble, nous avons examiné si ça tenait debout.

— Autre possibilité, a déclaré Ryan: Ajax veut être arrêté. Il hait les actes qu'il commet mais ne peut s'empêcher de les accomplir.

— Dans son subconscient, il veut que je l'attrape ?

— Oui. Mais consciemment, il fait tout pour que ça n'arrive pas.

— Hmm.

En bruit de fond, des hurlements de fous.

— Qui est-ce qui a marqué ?

— Desharnais.

— Pourquoi Ajax, ou n'importe qui d'autre d'ailleurs, continue à tuer en respectant des dates qui en fait n'ont de sens que pour Pomerleau ?

— Il a pu reprendre sa compulsion à son propre compte… Ou il nous envoie un signal sans même en avoir conscience ?

— Un signal que je devrais savoir interpréter ?

— Possible.

— Quand je pense que la date suivante est dans moins de six semaines…

# Chapitre 32

Pas grand-chose d'important au cours des quarante-huit heures suivantes.

Il s'est avéré qu'Ajax n'était pas en mesure de reconstituer ses faits et gestes pour la journée de 2007 où Nellie Gower avait disparu. À l'époque, il était engagé par une clinique du New Hampshire, mais ses feuilles de paie ne portaient pas mention des dates exactes où il avait été de service, et la clinique n'avait pas conservé une trace aussi lointaine des emplois du temps de ses salariés. Le médecin non plus.

Là-bas, comme aujourd'hui à Charlotte, Ajax vivait seul, dans une maison qu'il louait en bordure de Manchester. Il ne s'aventurait hors de chez lui que pour se rendre à son travail, faire son marché ou des courses, jamais pour rencontrer des gens. Il n'allait pas à l'église, ne fréquentait aucun collègue, n'avait aucun ami ni voisin avec qui il discutait sport ou jardinage. De ce fait, il n'avait personne à contacter qui puisse raviver sa mémoire.

Aux dates auxquelles Koseluk et Estrada avaient disparu, Ajax prétendait avoir été à l'hôpital ou chez lui. Tinker s'occupait de vérifier ses horaires avec l'hôpital. Interrogeait des gens là-bas.

Comme l'avocat d'Ajax refusait de fournir ses relevés de téléphone, de cartes de crédit ou de tout autre document bancaire, Tinker avait lancé les procédures nécessaires en vue de les obtenir.

Pour Leal, c'était une autre histoire. Ajax savait exactement où il se trouvait le vendredi où elle avait été enlevée.

Ce 21 novembre était une de ses rares journées de congé. Cet après-midi-là, il était allé faire des courses au Harris Teeter de Morrocroft Village, puis au Walmart de Pineville-Matthews Road. Après quoi, il avait fait le plein d'essence et lavé sa voiture à une station-service, un pâté de maisons plus loin. Le soir, il avait mangé chez lui, puis était allé voir un film au cinéma Manor. En solitaire.

Malheureusement pour lui, il n'avait utilisé sa carte de crédit dans aucun de ces endroits et n'avait conservé aucun reçu ni billet.

Slidell avait montré la photo d'Ajax aux employés des magasins, de la station-service et du cinéma, et il avait déjà commencé à visionner les vidéos de surveillance de ces différents lieux pour le jour en question.

Barrow poursuivait ses recherches à partir des vidéos prises dans les endroits fréquentés par Leal dans les mois qui avaient précédé sa mort.

Il avait téléphoné en Oklahoma. Appris que l'épouse d'Ajax était rentrée en Inde avec ses filles.

De con côté, Rodas montrait la photo d'Ajax à Hardwick et St. Johnsbury. Sans succès jusqu'à présent. L'homme qui livrait le bois à la cabane à sucre des Corneau avait dit qu'il était trop loin pour voir le visage du type.

Mardi matin, le technicien en informatique a appelé Slidell. Parmi les patientes qui venaient sur le site de clavardage discuter de leurs problèmes de dysménorrhée, il avait trouvé une fille qui lui semblait digne d'intérêt. HamLover. Ham. Hamet. Slidell lui a dit de mettre tout en œuvre pour identifier la fille.

Dans l'après-midi, sous la pression croissante des médias, le service de presse de la police de Charlotte a accepté de donner une conférence. Elle s'est tenue dehors, devant le quartier général, sous un soleil radieux. Salter et Tinker ont répondu aux questions concernant le meurtre de Leal, mais sans apporter véritablement de réponse. Pas un mot n'a été prononcé sur Lizzie Nance ou sur les autres filles. Pas un mot non plus sur Hamet Ajax.

Les traits noués par une frustration manifeste, Leighton Siler a posé question sur question. Sans rien obtenir. De toute façon, lui-même ou l'un de ses rivaux plus acharnés ou plus adroits finirait par révéler des détails de l'enquête en usant de gros titres racoleurs.

J'ai appelé plusieurs fois Heatherhill sans jamais parvenir à joindre maman. Je lui ai laissé des messages tout en sachant qu'elle ne me rappellerait pas. Quand ses démons la prennent, ma mère se méfie de tous les moyens de communication. Coups de téléphone, textos, courriels, tout s'arrête.

Luna Finch m'a dit qu'elle était apathique, dormait plus que de coutume. Et qu'elle avait contacté Cécile Gosselin.

J'ai raccroché, le souffle court. Maman avait appelé Goose à son chevet.


Le mercredi matin, Ajax a commis une erreur.

À mon grand étonnement, Slidell est passé à l'Annexe m'annoncer la nouvelle alors qu'il était à peine neuf heures. Un Slidell à l'air hagard, puant le café et l'eau de Cologne bon marché.

— Ce crétin a rien trouvé de mieux que de se pointer dans une école.

— Quand ça?

— Ce matin, à sept heures vingt.

— Où est-il maintenant?

— En cage, au QG.

— Qu'est-ce qu'il a inventé comme excuse?

— Qu'il voulait déposer de la nourriture pour la campagne de Noël en faveur des démunis. Soi-disant qu'il passe tous les jours devant cette école et qu'il a remarqué que leur thermomètre des dons faisait du surplace. Comptait juste leur donner des petits pois en conserve et des pâtes.

— C'est vrai?

— Aucune importance. Un pédo a pas le droit d'approcher une école à moins de trois cents mètres.

— Trois cents?

— Peu importe.

— La restriction ne s'applique pas si Ajax n'est plus tenu de s'enregistrer.

— On vérifie ce qu'il en est.

— Ça en prend, du temps!

— Doit y avoir un pépin dans le cyberespace.

— Quand est-ce que vous…

— Jésus-Christ et ses putains de mousquetaires ! Le gars a violé une enfant et il ose se garer dans une cour d'école.

— Vous voulez un café ? (Un coup de pied dans les couilles, plutôt ?)

— J'attends un mandat.

— Vous autorisant à quoi ?

— À foutre le bordel dans la maison d'Ajax.

— C'est là que vous allez, maintenant ?

Slidell a hoché la tête.

— Je veux en avoir fini avant que son avocat ait été mis au courant. Même chose pour Siler et ses sangsues de copains journalistes.

— Ça vous donne combien de temps de répit ?

— Pour le moment, c'est encore silence radio sur le sujet, mais ça va pas durer.

— Il habite où ?

Slidell a brandi une petite page percée sur un côté de trous arrachés et tordus, et me l'a donnée. En travers des lignes bleues, une adresse griffonnée à la hâte.

— Je vous dois bien ça. C'est quand même vous qui nous avez permis d'attraper ce salaud.

Larabee a appelé pendant que je me brossais les dents. Dans le nord du comté, un garçon avait trouvé un sac-poubelle rempli d'ossements. Rien d'urgent, mais je devais les examiner.

Après Larabee, Harry. La conversation s'est éternisée.

J'enfilais mes jeans quand Rodas a pris son tour dans la file des appels du matin. Ni drogue ni alcool dans les veines de Pomerleau au moment de sa mort. Je l'ai informé de la perquisition chez Ajax, après sa visite dans une école.

Slidell était parti depuis une heure et demie quand j'ai enfin réussi à m'arracher de chez moi.

Ajax vivait dans le sud-est de notre Ville-Reine, près de la Charlotte Country Day School, du Carmel Country Club et de l'Olde Providence Racquet Club. Quartier de belles demeures et de vastes jardins ; où l'on resserre les liens sociaux à coups de pinot noir et de parties de golf. Sans compter les équipes de crosse à l'école. Bref, un quartier de nouveaux — et de pas si nouveaux — riches.

Les renseignements de Slidell m'ont conduite à une étroite rue à double sens baptisée Sharon View Road, bordée de part et d'autre d'arbres centenaires. Sunrise Court formait comme un petit éperon en saillie sur le côté sud.

Un pâté de maisons de dix résidences, toutes issues de l'esprit créatif d'un même entrepreneur amoureux du mélange pierre et bois. Portail en faux fer forgé décoré d'une couronne en plastique. Slidell m'en avait fourni le code, j'ai pu pénétrer dans les lieux en voiture.

Ici, pas de grands pins ni de chênes à feuillage persistant, mais des arbustes chétifs donnant l'impression d'avoir été plantés tout récemment. À moins qu'il ne soit plus resté assez d'argent au constructeur pour l'aménagement paysager. La maison d'Ajax se trouvait tout au bout de l'impasse, sur une petite élévation de terrain, de sorte qu'elle dominait les autres.

Bâtiment de bon goût, sans être véritablement haut de gamme. Contrairement à ses voisines, pas de père Noël, de renne, de glaçon ou de lutin annonçant les fêtes à venir.

Une pelouse bien entretenue, avec les buissons de base : houx et buis. Rien qui nécessite une attention particulière.

La Taurus de Slidell était en tête de toute une rangée de véhicules : deux voitures de patrouille, un camion de la police scientifique, une voiture banalisée. Skinny n'y était pas allé avec le dos de la cuillère. J'ai ajouté ma Mazda à la collection.

En marchant dans l'allée, j'ai perçu un mouvement à la fenêtre de la maison sur ma gauche. Dans l'embrasure, une silhouette aux bras croisés, qui m'observait. Un visage obscurci par le reflet de la vitre mais la corpulence d'un homme.

Quelques marches en pierre, grimpées rapidement, et une porte en bois sombre dont j'ai tourné la poignée. Pas fermée, bien évidemment.

Dans le vestibule, un sol en ardoise, des appliques en bronze rutilantes et un lustre assorti qui l'était tout autant. À gauche, un cabinet de toilette ; droit devant, un salon et une salle à manger. Dans ces deux pièces, des techniciens en scènes de crime portant une combinaison de Tyvek : l'un en train de photographier les lieux ; l'autre en train de passer de la poudre noire sur un cadre de porte.

Des voix venant du fond de la maison, à gauche. Fortes. Contrariées.

Par terre dans l'entrée, un tas de couvre-chaussures en Tyvek jetables. J'en ai enfilé une paire avant d'avancer plus loin.

Une décoration censée recréer l'atmosphère d'une vieille photo en noir et blanc, ou tout comme. Les tissus, tapis et peintures des murs offraient toutes les variantes de gris — du souris à l'acier, en passant par le cendré et l'uniforme d'écolier. Quelques taches de couleur grâce à différents accessoires : des coussins, un cadre de miroir, une chaise. Vert chartreuse.

Des DVD entassés sur des étagères de part et d'autre d'une cheminée en pierres brutes. Au-dessus, une petite télé à écran plat.

Dans la salle à manger, un lustre-tambour gris tourterelle au-dessus de napperons vert chartreuse. Au centre, des bougies intactes. Sur le buffet, un saladier en céramique vert chartreuse parfaitement centré. Au mur, un tableau représentant des coquelicots vert vif.

Qui, d'Ajax ou du promoteur, avait choisi le décor ? J'ai penché pour le second. L'endroit renvoyait une atmosphère froide et impersonnelle. Comme si les meubles, achetés à Rooms To Go et Pottery Barn, avaient été disposés exactement comme dans les catalogues de ces magasins.

D'un signe de tête, j'ai indiqué aux techniciens que je continuais plus loin. Ils ont hoché la tête en retour.

Dans la cuisine, de part et d'autre d'un îlot en granit brun, un Slidell et un Tinker tous deux chaussés de Tyvex et gantés de latex.

— … peuvent pas l'aimer ou non, ils le connaissent pas ! La dame d'à côté était persuadée qu'il travaillait dans une boutique Apple.

Tinker, tout rouge et de mauvaise humeur.

— Occupe-toi de remettre la main sur tous ceux que t'as ratés, a rétorqué Slidell, encore plus furieux.

— J'aurai droit à la même histoire.

— C'est toi l'élu, au SBI.

— Tu ne crois pas à la culpabilité d'Ajax ?

— J'ai jamais dit ça ! (Slidell, avec véhémence).

— Tu dis quoi, alors?

— Je dis que si Salter apprend pour l'Oklahoma, c'est moi qu'on pendra par les couilles à un crochet rouillé, pas toi. Sans compter qu'en ce moment, on empêche Ajax de contacter un avocat.

— Ça serait pas plutôt que des couilles, t'en as déjà plus? Couilles échaudées craignent...

— Fous le camp d'ici, *fuck*, et reviens avec quelque chose!

Tinker s'apprêtait à répondre quand le frottement de mes couvre-chaussures sur l'ardoise l'a fait se retourner. Sa bouche a pris la forme d'un U à l'envers et il a filé sans demander son reste.

— Qu'est-ce qui se passe?

— On a fouillé la foutue place de fond en comble. Jusqu'ici, néant. Rien de porno. Pas de vêtement de fille. Pas de clé, pas de bague, pas de chaussons de ballerine. Pas de fenêtre barricadée avec des planches. Pas de porte cadenassée. Rien qui donne à penser qu'un enfant a pu passer du temps ici.

— Des empreintes?

— Deux ou trois, et je vous parie mon cul que ce sera celles d'Ajax. Pareil pour les poils et les fibres. Soit c'est le plus grand maniaque de tous les salauds de la planète, soit c'est celui qui fait le plus attention.

— Vous avez demandé aux techniciens de vérifier l'aspirateur?

— Ils ont récupéré le contenu.

— La poubelle?

La question ne méritait pas mieux qu'un regard appuyé. Néanmoins, j'ai persisté:

— Ils ont pris tout ce qui pouvait contenir de l'ADN?

— La brosse à dents. Mais Ajax n'est pas dans le fichier.

— On pourra le comparer avec l'ADN de l'empreinte de lèvre sur la veste de Leal.

— Exact.

— On a retrouvé un ordinateur?

Un moment d'hésitation. Puis:

— Non.

— Un chargeur d'ordinateur portable?

— Non.

— Un modem? Un routeur?

Dénégation de la tête.

— Il a pu se connecter à Internet à partir d'un autre endroit. De l'hôpital, peut-être.

— Ouais.

— Il y a un sous-sol? (Presque effrayée de poser la question.)

— Juste un vide sanitaire. Sans rien d'autre que le merdier entassé là par les ouvriers qui ont construit la baraque. Et des générations d'araignées.

— Un garage?

— Vide.

— Où est sa voiture?

— Au poste de police.

— Est-ce qu'elle est mentionnée dans le mandat?

— Non.

Les muscles de la mâchoire de Slidell se sont bombés puis relâchés. Il savait tout comme moi que, si cette fouille ne donnait rien, il n'y en aurait pas d'autre.

— Je peux jeter un œil autour?

— Touchez à rien.

Je n'ai pas relevé, Slidell avait un air trop abattu.

Retour dans l'entrée. Là, j'ai pris le couloir à gauche. Il conduisait à deux chambres, chacune avec sa salle de bains.

Décor vert pour celle donnant sur l'avant de la maison. Le mobilier incluait un lit, une table de chevet et sa lampe, un bureau.

Le tout, de chez Restoration Hardware, à n'en pas douter. Les deux étagères près du bureau semblaient provenir de magasins moins chics, genre Staples ou Costco.

Les salles de bains révèlent bien des choses sur les gens. C'est donc par là que j'ai commencé.

L'armoire à pharmacie était ouverte, le miroir recouvert de poudre à empreintes digitales. Même chose pour les parois en verre de la douche. Vides, toutes les deux. Pas de savon, de shampoing, de gant de toilette ou d'éponge en luffa. Un lavabo sur pied, nulle part où cacher quoi que ce soit. La pièce était stérile. Sans un gramme de personnalité.

Retour à la chambre à coucher.

Sur les étagères, des collections de revues profession-nelles. Je me suis avancée pour en lire les titres. *Emergency Medicine Journal. The Journal of the American Medical Association. The New England Journal of Medicine. Annals of Emergency Medicine.*

Au bureau, maintenant. Bien au milieu du plateau, le dernier numéro du journal médical *JAMA*, fermé. Une page marquée à l'aide d'une petite règle en plastique. Que lisait donc Ajax? Me rappelant l'ordre de Slidell, je n'ai pas regardé.

Une agrafeuse. Un porte-ruban adhésif. Un coupe-papier. Un pot recouvert de cuir avec des stylos et des crayons. Une petite pile d'enveloppes qui ressemblaient à des factures.

Rien dans la corbeille à papiers. Probablement vidée par les techniciens.

La pièce servait clairement de bureau à Ajax. Quant à la salle de bains, il utilisait celle de l'autre chambre. Également pour les besoins plus importants que la toilette. Par habi-tude? Pour n'en avoir qu'une à nettoyer?

La deuxième chambre, dans les tons de bleu, était un peu plus grande. Même ambiance impersonnelle, mais avec une finition différente et des éléments en bois plus travaillés. Un style plus citadin chic. Comme précédemment, j'ai com-mencé par la salle de bains.

Utilisée, contrairement à sa jumelle: pyjama en fla-nelle noir au crochet de la porte; produits de toilette dans la douche: shampooing et revitalisant, savon Ivory, brosse à long manche.

Dans l'armoire à pharmacie, de l'Advil, de l'Afrin, du baume à lèvres, des pansements adhésifs, de l'antisudorifique Degree, un rasoir jetable Gillette, du gel de rasage Edge, de la soie dentaire Oral B et un tube de dentifrice Crest.

Le lavabo était encastré dans un meuble en bois noir. Dans les tiroirs ouverts, un ensemble de brosse et peigne, une pince à épiler, des ciseaux, un kit de barbier et un appa-reil électrique pour les poils du nez et des oreilles. Dans une haute armoire assortie au lavabo, le linge de maison, le papier de toilette et les réserves en double de tous les articles de toilette. Lorsqu'Ajax faisait ses courses, il achetait pour des mois à l'avance.

J'ai pensé aux produits que j'avais dans ma salle de bains. À l'état d'hygiène de mes placards et tiroirs. Slidell avait raison : l'endroit était d'une propreté méticuleuse. Obsession ? Façon de couvrir ses traces ?

Je suis revenue dans la chambre.

Sur la table de chevet, un livre de mots croisés appuyé contre la lampe, un stylo accroché à la couverture. Une réimpression de l'*European Journal of Emergency Medicine*. Je me suis dévissé le cou pour en lire le titre : « Comment réduire le risque de lésions en cas de reperfusion associée à un garrot ».

De quoi vous jeter direct dans les bras de Morphée.

Sur la commode, trois cadres à égale distance l'un de l'autre. Je me suis approchée pour voir les photos.

Et là, j'ai senti mes poils se hérisser tout droit.

# Chapitre 33

Ces photos ne semblaient pas récentes. L'une d'elles était posée, les deux autres des instantanés. La première représentait une femme assise, un bébé sur les genoux et un bambin debout à ses côtés. La mère avait de longs cheveux noirs retenus par un bandeau en velours rouge et de grands yeux bruns qui fixaient la caméra d'un air triste.

Sur l'une des autres photos, la femme marchait en tenant par la main deux petites filles d'environ trois et cinq ans. Sur la troisième, le groupe était assis sur un mur. Les petites filles étaient plus âgées, six et huit ans peut-être.

Elles avaient les mêmes yeux sombres et les mêmes cheveux foncés que leur mère. En ces deux occasions, elles avaient la raie au milieu et des tresses nouées avec des rubans.

Immédiatement, des images sous forme de flashs : Leal. Donovan. Estrada. Koseluk. Nance. Gower.

Je me suis précipitée à la cuisine. Slidell était en train de fouiller le réfrigérateur.

— Vous avez regardé les photos dans la chambre ?

— Probablement sa femme et ses enfants. (Tout en refermant la porte du frigo d'un coup sec.)

— Vous avez vu la ressemblance…

— Vous voulez m'apprendre mon travail ?

Dit sur un ton tranchant, même venant de quelqu'un d'aussi grossier que Slidell. Cette fois encore, je n'ai pas relevé. Avec la pression qu'il subissait de Salter et ses frictions avec Tinker, inutile d'en rajouter.

— Vous commencez à vous faire une idée d'Ajax ?

— Un monstre version Bollywood. (Sur un ton déjà nettement plus aimable, même si on ne pouvait pas encore parler d'excuse.)

— Des DVD?

Slidell a hoché la tête.

— Des vêtements moches, une bouffe saine et un penchant marqué pour le baseball.

J'ai levé un sourcil interrogateur. Bien inutilement d'ailleurs, car Slidell ne regardait pas de mon côté.

— Il a le forfait complet du câble pour les ligues majeures.

Coup d'œil scrutateur au plan de travail par-delà l'îlot. Pas une miette ni une seule tache. Pas de canette ou de boîte à biscuits oubliée là. Rien qu'un téléphone sans fil dans son chargeur.

Slidell s'est retourné. A décrypté mon regard.

— Oui, j'ai appuyé sur la touche *Recomposition*. Le dernier appel était pour le Mercy Hospital.

— Des numéros enregistrés?

— Non.

— Des messages?

— Non.

— Vous avez raison, l'endroit est impeccable.

— Jusqu'aux insectes, qui ont tous leur produit attitré, rampants ou volants. (En agitant le pouce en direction d'une armoire que je n'avais pas remarquée.)

— Il a une femme de ménage?

— Aucun voisin n'a jamais vu personne d'autre que lui entrer ou sortir. Et même lui, ils ne l'ont presque jamais vu.

— Un jardinier?

— Non

— Et le courrier? Il y a une petite boîte blanche accrochée au mur à côté de la porte de derrière.

— Facture d'électricité. Circulaires. Catalogues. Rien de personnel.

— Pas de contact avec sa famille?

— Ils sont tous en Inde.

— Là-bas aussi, il y a le téléphone et des boîtes aux lettres.

— Sans blague?

— Ces catalogues signifient peut-être qu'il effectue des achats en ligne.

— J'achète rien sur Internet et j'en reçois des tonnes de cochonneries comme ça.

— Est-ce que l'alarme était branchée quand vous êtes entré ? Il y a un autocollant avec le logo ADT.

— Ouais.

— Ajax vous a donné le code ?

— Je l'ai convaincu que c'était mieux pour lui de partager ses infos.

— Donc, il met l'alarme quand il s'en va.

— Où voulez-vous en venir ?

— Si ADT tient le registre des mises en marche du système, ils pourront vous dire quand Ajax est entré ou sorti de la maison.

— Pas forcément lui. Toute personne qui est entrée ou sortie de la maison.

— Donc, c'est un fiasco.

— Vous voulez rire ? s'est écrié Slidell en retirant ses gants. Deux victoires, au contraire. Primo, cette maison n'est pas une scène de crime…

Son téléphone a bourdonné. Il l'a extrait de sa ceinture, a lu le nom à l'écran et porté l'appareil à son oreille en soupirant.

— Slidell.

Une voix lointaine. De femme. Stridente.

— Ouais ?

À l'autre bout, une voix de plus en plus hystérique.

— Probablement un malentendu.

Réponse encore plus énervée.

— J'arrive. (Tout en remettant l'appareil dans son étui.) Salter a décidé de faire de moi le flic de l'année.

Il m'a regardée de ses yeux injectés de sang, effet de l'inquiétude et de l'épuisement, et s'est dirigé vers la porte. J'ai lancé :

— Et la deuxième ?

— Quelle deuxième ? (Slidell, en se retournant.)

— La deuxième chose que vous avez apprise ?

— Ce salaud a une autre crèche pour son sale boulot.

Laissant Slidell aux prises avec sa cheffe, je suis partie pour le MCME.

Les ossements trouvés par le garçon n'étaient pas aussi faciles à déterminer que Larabee l'avait espéré, car ils ne formaient pas un squelette complet. Certes, ils appartenaient indubitablement au genre humain et plus précisément à un homme dans la force de l'âge, édenté, probablement de race blanche. Les écailles provenant de l'écorce corticale, la décoloration et les fibres qui avaient adhéré aux ossements donnaient à penser que l'individu avait occupé un cercueil pendant de longues années.

Larabee ayant disparu Dieu sait où, j'ai déposé mon rapport préliminaire sur son bureau. À lui de décider s'il y aurait une enquête approfondie ou pas.

Slidell a téléphoné en toute fin d'après-midi. Comparée à maintenant, son humeur du matin aurait pu être qualifiée de pétulante et enjouée.

Salter avait reçu deux coups de fil avant midi. L'un de l'avocat d'Ajax, Jonathan Rao, qui accusait la police de Charlotte-Mecklenburg de spolier son client de son droit constitutionnel à bénéficier des conseils d'un avocat. L'autre de la juge qui avait délivré le mandat de perquisition, auprès de qui Rao n'avait pas manqué de se plaindre aussi.

Ces deux interlocuteurs n'étant pas contents, Salter avait commencé par s'en prendre violemment à Slidell avant de se radoucir et de l'autoriser à procéder à un nouvel interrogatoire d'Ajax. Avec des gants et des pincettes, toutefois. Séance parfaitement inutile, car Rao n'avait eu de cesse de filtrer les rares réponses d'Ajax. À trois heures, client et avocat ressortaient par la grande porte.

Slidell avait reçu du Walmart et de l'Harris Teeter les bandes vidéo du jour où Leal avait disparu. Pour l'heure, pas d'Ajax ou de voiture d'Ajax sur les images. Il poursuivait le visionnement.

À cinq heures, je me suis tirée, non sans avoir pondu deux rapports. De retour à la maison, j'ai partagé un poulet Bojangles avec Birdie en regardant une rediffusion de *Bones*. Pour je ne sais quelle raison, le chat a une passion pour Hodgins.

Rappel de Slidell à neuf heures du soir.

— Il est bien sur une bande.

— Laquelle ?

— Walmart et Manor. (Sur un ton sinistre. Manifestement fâché d'avoir repéré Ajax.)

— Leal, c'est à 16 h 15 qu'elle a été vue pour la dernière fois. À l'épicerie située dans Morningside.

— À cette heure-là, Ajax était au Walmart de Pineville-Matthews Road. Arrivé à 15 h 52, reparti à 17 h 06.

— Ces deux endroits sont au moins à dix-sept kilomètres l'un de l'autre, et c'était l'heure de pointe.

Moment de silence que nous avons consacré à ruminer la chose, chacun de notre côté.

— Vous avez peut-être raison, a fini par soupirer Slidell. Peut-être que ce *douchebag* travaille pas tout seul.

Ou peut-être que… juste peut-être…

Pensée que je me suis abstenue d'exprimer.

Cette nuit-là, le sommeil m'a fuie.

La pluie était de retour. Je suis restée dans le noir à écouter les gouttes tomber sur la moustiquaire et rebondir sur le seuil. À écouter le très léger bourdonnement de mon réveil sur la table de chevet.

Et à retourner encore ces pensées dans ma tête.

Non, impossible.

J'ai passé en revue tout ce que je savais sur les tueurs en série. En général, ils choisissent pour victimes des individus qui sont plus ou moins du même type : la grande blonde ; l'adolescent à cheveux bruns coupés court ; la dame qui ressemble à Cher ; la pute ; le sans-abri avec un panier rempli de détritus. Pour le tueur, la personnalité de la victime n'a aucune importance, car ce n'est jamais qu'un figurant dans un ballet soigneusement chorégraphié. Seule la danse entre en ligne de compte.

Le plus petit battement de pied, la moindre pirouette, doit être effectué avec précision. Le tueur est à la fois danseur et chorégraphe, aux commandes du début à la fin.

Les victimes, en revanche, entrent et sortent de scène, elles sont interchangeables comme les petits rats du corps de ballet.

J'ai pensé à Pomerleau. À Catts. Au tango fou qu'ils avaient dansé ensemble et qui avait fait tant de morts à Montréal.

J'ai pensé à Ajax. Sur quelle musique folle dansait-il ? Était-ce Pomerleau qui lui avait enseigné les pas ? Avait-il composé lui-même sa chorégraphie ?

Qui Ajax tuait-il dans son subconscient ?

Ses filles ? Sa femme ? La gardienne qui l'avait séduit et avait ruiné sa vie ?

Birdie a sauté sur le lit. Je l'ai attiré vers moi. Il s'est dégagé, s'est installé confortablement et m'a donné des petits coups de tête sur la main. Je l'ai caressé, il s'est mis à ronronner.

Ajax était en train de faire des courses quand Shelly Leal avait disparu. Avait-il eu un complice ? Et si oui, était-ce un employé de l'hôpital ? Ou quelqu'un d'autre, venu d'ailleurs ? Mais d'où, alors ? Ajax disposait-il d'un lieu particulier où il pouvait mettre à exécution ses tueries comme Slidell le supposait ?

J'ai repensé à sa maison de Sunrise Court. Si parfaite, architecturalement parlant, et en même temps si bancale. Dénuée de vie. Stérile.

Je me suis représenté Ajax faisant des mots croisés dans son lit. Réglant des factures, assis à son bureau. Regardant un match de baseball ou un DVD, installé dans son fauteuil vert chartreuse.

Seul. Toujours seul. Ce qui est courant chez les tueurs en série.

En esprit, j'ai refait mon parcours de pièce en pièce. Pas un seul détail ne m'a donné à penser qu'Ajax aurait pu mener une double vie ailleurs que chez lui ou à l'hôpital.

Pas la moindre robe de femme dans le placard. Pas de Post-it sur le réfrigérateur lui rappelant d'appeler Tom. Pas de photo de lui-même avec des amis ou des collègues. Pas de note sur un calendrier signalant un lunch avec Ira. Rien qui tende à suggérer qu'un proche se soucie de lui. Ou que lui-même se soucie de quelqu'un.

Non, faux, puisqu'il y avait ces trois photos. Des photos anciennes. Qui représentaient qui ? Son épouse et ses filles ? Forcément. Cette femme était-elle la matrice d'après laquelle il choisissait ses victimes ? Ou l'une des petites filles ? Mais pourquoi ?

Au Mercy Hospital, personne ne savait rien d'Ajax. Dans sa rue, personne ne savait rien de lui. Personne non plus dans le New Hampshire ou en Virginie-Occidentale qui se souvienne de lui.

Et de nouveau la pensée troublante que nous nous trompions complètement. Était-ce possible qu'Ajax soit innocent ?

Se pouvait-il que nous pensions du mal de quelqu'un dont le seul tort était de s'être coupé du monde et de n'avoir que mépris pour lui-même ? Quelqu'un qui avait commis une bêtise monstrueuse et avait tout perdu ? Quelqu'un qui était incapable de se pardonner ce qu'il avait fait et qui du coup ne se faisait plus confiance en dehors de son domicile ou de son lieu de travail ?

Rien ne pouvait excuser que l'on abuse d'un enfant. Mais cette affaire, avait-elle fait l'objet d'un suivi ? Un détective avait-il parlé avec les personnes impliquées dans l'arrestation et les suites judiciaires ? La gardienne devait avoir dans les trente ans aujourd'hui. Quelqu'un l'avait-il interrogée ?

Je poserais la question à Slidell demain matin.

Dehors, la pluie tombait doucement. Dans la maison, obscurité et silence régnaient en maîtres.

Inlassablement, mon esprit égrenait ces pensées, la pendule ses minutes.

23 h 20.

0 h 10.

2 h 47.

Mon iPhone m'a arrachée à un profond sommeil. La chambre était sombre. Les chiffres de l'horloge affichaient 5 h 40.

*Maman !*

Le cœur battant, j'ai pris l'appel.

Maman était toujours de ce monde.

Hamet Ajax, lui, ne l'était plus.

# Chapitre 34

Slidell est passé me chercher, un regard amer à mon adresse en guise de salut. Ce qui me convenait parfaitement.

Il m'a tendu un verre en polystyrène à couvercle blanc rempli d'un liquide tiédasse qui ressemblait de très loin à du café.

Pendant que nous roulions, l'horizon obscur s'est teinté de rose nacré. Comme s'il s'imbibait de sang. Arbres et bâtiments ont acquis formes et contours. Du gris s'est faufilé dans les interstices.

Un gris qui, en s'éclaircissant peu à peu, m'a révélé un Slidell au bas du visage ombré d'une barbe typique de cinq heures du matin. Sous les yeux, des poches assez profondes pour accueillir une nichée de rongeurs. Sa tenue ? Un chiffon de couleurs criardes taché de café et qui puait le tabac et la sueur. Sa voix ? Rauque d'avoir trop fumé et pas assez dormi.

De ses explications, j'ai retenu qu'Ajax s'était rendu à l'hôpital, aussitôt sa voiture récupérée. Ce jour-là, il s'était inscrit pour un double quart de travail, ce qui n'avait rien d'étrange venant de lui. Mais voilà qu'une demi-heure après son arrivée, il était reparti. Et ça, ça ne lui ressemblait pas du tout.

Ajax avait dit à son superviseur, le D$^r$ Joan Cauthern, qu'il était victime de harcèlement de la part de la police. Dit aussi qu'il n'était pas passé chez lui de toute la journée et qu'il avait besoin de prendre une douche et de vérifier que tout était en ordre. Il avait assuré Cauthern qu'il serait de retour à sept heures.

L'équipe chargée de le surveiller l'avait suivi du Mercy jusqu'à Sunrise Court. Ajax était entré dans son garage à 17 h 22. N'en était jamais ressorti.

Ne le voyant pas revenir à l'heure dite, Cauthern s'était mise à l'appeler. L'avait appelé tout au long de la nuit. Très tôt le matin, elle avait commencé à s'inquiéter. Lors de leur dernier entretien, Ajax s'était comporté de façon tout à fait inhabituelle, transpirant abondamment et paraissant très agité, contrairement à son habitude. À quatre heures du matin, quand le calme était un peu revenu aux urgences, Cauthern s'était rendue chez lui voir s'il était malade.

L'équipe de surveillance avait noté l'arrivée d'un véhicule dans l'allée d'Ajax à 4 h 20. Une femme en était descendue et avait sonné à la porte. Puis elle avait passé un appel sur son cellulaire.

Autre coup de sonnette à la porte. Pas de réponse.

Elle s'était avancée vers le garage et avait plaqué l'oreille contre la porte comme pour écouter ce qui se passait à l'intérieur. S'était déplacée sur le côté pour regarder par une fenêtre. Et là, elle s'était élancée vers la voiture de police en agitant les bras.

Les policiers étaient descendus de voiture. La femme semblait agitée. Elle avait déclaré s'appeler Joan Cauthern et être la supérieure d'Ajax au Mercy Hospital.

Elle avait dit qu'il y avait dans le garage une voiture avec le moteur en marche et qu'elle craignait qu'Ajax ne soit à l'intérieur.

En entendant le bruit du moteur, les policiers avaient forcé la porte et découvert un homme adulte inconscient au volant d'une Hyundai Sonata. Ils avaient tenté de le ranimer, mais la victime n'avait pas réagi.

Ils avaient appelé les secours et joint Slidell.

À présent, l'ambulance avait disparu, remplacée par la fourgonnette du MCME. Il y avait là la voiture de Larabee, le camion des services technique et scientifique, une voiture de patrouille, gyrophare allumé, et aussi une Lexus qui devait appartenir à Cauthern. La porte du garage était ouverte. De la lumière brillait à l'intérieur, comme d'ailleurs dans toute la maison.

Une civière avait été poussée jusqu'en haut de l'allée. Y était disposé un sac mortuaire ouvert, prêt à recevoir un corps. À côté, des techniciens de scènes de crime, les deux mêmes qui étaient venus ici moins de vingt-quatre heures plus tôt : l'un armé d'une caméra vidéo, l'autre d'un Nikon.

Avec Slidell, on est descendus de voiture. Le ciel avait pris une teinte gris-de-brume, qui m'a rappelé les tristes pièces de la maison d'Ajax.

L'air était frais et humide. La pelouse recouverte de givre vibrait d'un rythme rouge et bleu. Je l'ai traversée avec l'impression d'avoir un bloc de granit à la place des entrailles.

Larabee se trouvait entre la Hyundai et le mur du garage. À côté de lui, Joe Hawkins, un enquêteur du MCME.

À leurs pieds, l'équipement habituel pour analyser les scènes de mort. Hawkins prenait des photos. Je me suis approchée.

Par la portière ouverte côté conducteur, j'ai vu Ajax affaissé sur le volant, la tête tordue sur le côté. Un mélange de mucus nasal et de salive avait formé une croûte sur sa joue. Ses mains pendaient mollement près de ses genoux. Sur le tapis de sol à côté de ses pieds, une paire de lunettes en écaille. Ce tableau macabre s'éclairait à chacun des flashs d'Hawkins.

— Doc. (La façon de Slidell d'annoncer son arrivée.)

Larabee s'est retourné, un thermomètre dans une de ses mains gantées. Hawkins a continué à prendre ses photos.

— Détective Slidell. D$^r$ Brennan. J'espère que vous appréciez les petites aubes hivernales.

— On a quoi, ici ? a demandé Slidell en ouvrant son carnet à spirale.

— Probablement un empoisonnement au monoxyde de carbone.

— Le gars s'est rayé de la carte tout seul ?

— Les premiers intervenants n'ont trouvé aucun signe d'effraction dans la maison ou dans le garage. Pas de lettre d'adieu non plus. Pour l'heure, je n'observe qu'un traumatisme minime.

— Minime ?

— Des abrasions sur le front et l'oreille droite. Probablement dus à la chute de la tête sur le volant.

— Probablement ?

— C'est possible.

— Autrement dit : suicide ?

— Je le saurai après l'autopsie.

La plupart des décès par monoxyde de carbone sont causés par un accident ou un suicide. Toutefois, il arrive qu'il s'agisse d'un acte criminel. Le sachant, Larabee ne s'aventurait pas.

— La porte du garage était descendue lorsque Cauthern est arrivée ? a demandé Slidell.

— Oui, à ce qu'on m'a dit.

— Le capot de la voiture n'était pas levé, n'est-ce pas ?

— Non.

— La victime a du cambouis sur les mains ?

— Non.

Slidell a scruté le petit espace où nous nous trouvions.

— Pas d'outil qui traîne.

— Je suis d'accord avec vous, détective. Ça ne ressemble pas à un accident.

— L'heure de la mort ?

— Sur la base de la température du corps, je dirais quelque part entre minuit et deux heures du matin. Mais bien sûr ce n'est qu'une estimation approximative. Comme d'habitude.

— Combien de temps ça prend ?

— La mort par intoxication au monoxyde de carbone ?

Slidell a hoché la tête.

— Pas longtemps.

Slidell a froncé les sourcils.

— Il ne faut pas beaucoup de CO pour que la carboxyhémoglobine dans le corps atteigne un niveau mortel.

Le froncement de sourcils s'est maintenu.

Soit dit à son crédit, Larabee n'a montré aucune impatience. Il a poursuivi ses explications dans ce même esprit de simplicité.

De grande simplicité.

— La carboxyhémoglobine perturbe l'apport d'oxygène aux cellules.

— Soyez un peu plus clair.

— L'hémoglobine est une molécule présente dans les globules rouges. Son travail consiste à faire circuler l'oxygène dans tout le corps. Mais il se trouve qu'elle présente une forte affinité avec le monoxyde de carbone, le CO. En présence d'oxygène mais aussi de monoxyde de carbone, l'hémoglobine aura beaucoup plus tendance à se lier avec le CO. Et quand cela se produit, vous avez une carboxyhémoglobine qui ne peut pas assurer ce qui est attendu d'elle.

Larabee a laissé de côté les faits suivants :

Que l'hémoglobine a quatre sites de liaison, de façon à maximiser la capture de l'oxygène du sang artériel en provenance des poumons et à assurer sa meilleure libération dans les tissus et les organes.

Qu'en présence conjuguée d'oxygène et de monoxyde de carbone, l'hémoglobine est entre deux et trois cents fois plus susceptible de se lier au monoxyde de carbone.

Que cette liaison avec le CO inhibe la libération des molécules $O_2$ qui se trouvent sur d'autres sites de liaison de l'hémoglobine. Que, par conséquent, même si les concentrations d'oxygène dans le sang augmentent, l'$O_2$ reste lié à l'hémoglobine et n'est pas libéré dans les cellules. Qu'à la suite de la privation d'oxygène, le cœur entre en tachycardie, ce qui augmente le risque d'angine de poitrine, d'arythmie et d'œdème pulmonaire. Pour ne rien dire des courts-circuits à l'intérieur du cerveau.

Bref, que ce monoxyde de carbone, c'est une vraie saloperie.

— Nous parlons de quelle quantité, ici ? a insisté Slidell.

— Des taux élevés de carboxyhémoglobine peuvent résulter d'un air qui ne contient que de petites quantités de CO.

— Parce qu'on le respire ?

— Oui.

À n'en pas douter, Slidell connaissait le sujet dans ses grandes lignes. Il devait avoir déjà rencontré des cas similaires. Son intérêt inhabituel pour la physiologie des intoxications au monoxyde de carbone m'a intriguée.

Mon cerveau m'a présenté une série de statistiques sur les niveaux de CO dans le sang. Les symptômes de toxicité. Bizarre. Des vestiges de connaissances datant de mes cours préparatoires. 1 à 3 pour cent : normal. 7 à 10 pour cent : normal chez les fumeurs. 10 à 20 pour cent : maux de tête, manque de concentration. 30 à 40 pour cent : maux de tête sérieux, nausées, vomissements, faiblesse, léthargie, accélération du pouls et de la respiration. 40 à 60 pour cent : désorientation, faiblesse, perte de coordination. 60 pour cent : coma et mort.

— Combien, en gros ? a soupiré Slidell.

— De quoi ? a réagi Larabee qui s'était accroupi pour inspecter les mains d'Ajax.

— De temps. Combien de temps on résiste ?

— Un air qui possède un niveau de monoxyde de carbone aussi bas que zéro virgule deux pour cent peut produire dans le sang des niveaux de carboxyhémoglobine supérieurs à soixante pour cent en l'espace d'une demi-heure, trois quarts d'heure.

— Et ça vous tue ?

— Ça vous tue.

Slidell a inscrit quelque chose dans son carnet.

— Et c'est ce qu'on a ici ?

— Avec un moteur qui tourne dans un petit garage, porte fermée… Et avec les vitres de voiture remontées ? À coup sûr, pas plus de cinq à dix minutes, a répondu Larabee sans relever les yeux de sa tâche.

— Alors Ajax s'est retrouvé toasté très vite après avoir mis le contact.

— En supposant qu'il l'ait mis.

— En le supposant.

— Et en supposant aussi qu'il respirait encore quand il est entré dans la voiture.

— Exactement.

— Ce qui était le cas, à mon avis. Vous voyez ça ?

Larabee a soulevé une des mains d'Ajax.

Slidell a regardé de loin.

— L'accumulation de sang, parce qu'il avait les mains en bas ?

— Oui, mais je parle de la base de ses ongles. De ses lunules.

Slidell s'est penché pour mieux voir.

— C'est rose vif, a-t-il constaté.

— Oui, encore une fois. Et ça suggère qu'il était vivant.

Je me suis représenté le sang rouge cerise et les organes que Larabee allait découvrir quand il aurait pratiqué son incision en Y. Les tranches de foie, de poumon, d'estomac, de reins, de cœur et de rate encore rouge cerise lorsqu'elles flotteraient dans le formol. Et toujours rouge une fois découpées en fines sections et déposées sur des lames de microscope.

— Quand est-ce que le sang commence à se déposer déjà ?

— Premier stade, la lividité cadavérique. Elle intervient dans les deux heures qui suivent le décès, avec un pic entre six et huit heures. Mais il fait froid, a ajouté Larabee en se relevant. Ça peut ralentir le processus.

— La lividité qu'on a ici au niveau des doigts, ça veut pas dire que personne a bougé le corps ?

— Exact.

— C'est pas encore la rigueur ? a demandé Slidell en écornant le mot.

— Il y a une certaine rigidité dans les petits muscles de la face et du cou, mais ça s'arrête là.

— La rigueur commence quand ?

— Dans environ deux heures. Mais le fait que la température soit basse devrait ralentir aussi ce processus. Je vais demander des examens de toxicologie complets.

— Vous cherchez quoi ?

— Tout ce qu'il peut avoir dans le corps. Les gens s'automédicamentent souvent avant de se tuer.

— La maison a livré des renseignements intéressants ?

— Selon les premiers intervenants, le lit était fait, la télévision et la radio étaient éteintes et il n'y avait qu'une seule tasse dans l'évier. Propre et à l'envers.

— Pas de lettre d'adieu ?

— Non.

— Rien qui suggère la venue d'un visiteur ?

— Pas aux dernières nouvelles.

— J'en ai fini avec mon examen préliminaire, a déclaré Larabee en se tournant vers Hawkins. Joe ?

Hawkins a pris encore quelques photos sous différents angles, projetant sur mes rétines un flash blanc chaud d'Ajax en travers du volant. On aurait dit un homme endormi ou un ivrogne après une virée nocturne en ville.

Je suis ressortie du garage, Slidell sur les talons. Hawkins a tiré la civière le plus près possible de la voiture, et il a saisi le cadavre par les épaules. Le corps privé de vie du docteur a glissé sans heurt hors de sa place. Hawkins a bloqué les bras du mort sur sa poitrine. Larabee a rattrapé ses jambes avant que les pieds ne touchent le sol.

Ensemble, ils l'ont transféré à l'intérieur du sac mortuaire.

Vision en flash de la façon dont j'avais moi-même extrait Pomerleau de son tonneau dans le Vermont, aidée de Cheri Karras.

Et Hawkins a refermé le sac, non sans y avoir déposé les lunettes d'Ajax près de sa tête. Puis il a poussé la civière jusqu'à la fourgonnette, l'a chargée à l'intérieur et a claqué les portières.

J'ai regardé disparaître le véhicule avec une sensation de glace à l'intérieur comme à l'extérieur de mon corps.

— Je veux voir ce que ce tas de merde avait dans son coffre, a lancé Slidell à la ronde.

Je me suis retournée. Il enfilait des gants. Ayant retiré la clé du contact, il a fait le tour de la Hyundai par l'arrière et l'a introduite dans la serrure.

Le coffre s'est levé avec un léger chuintement.

Une odeur en a jailli. Douceâtre, sûre.

Une odeur que nous connaissions bien.

# Chapitre 35

Le pire des cauchemars.

Et le big bang de Ryan.

Les mâchoires serrées, Slidell a extrait un Ziploc d'une boîte en carton qui en contenait d'autres ainsi qu'un petit contenant en plastique.

À l'intérieur du sachet, visibles à travers le plastique transparent et tout à fait reconnaissables, quatre objets : une bague en argent en forme de coquillage ; une clé accrochée à un cordon rouge ; un ruban jaune ; un chausson de ballerine rose.

Nous nous sommes tous dévisagés. Effondrés. Consternés. Furieux.

— À qui est ce ruban ?

Question prononcée d'une voix tendue et haut perchée. La mienne.

— Aucune importance. On vient d'épingler l'enfant de chienne.

Slidell a reposé le sachet pour en prendre un autre. Il contenait des fioles remplies d'un liquide sombre qui ressemblait à du sang. Un troisième renfermait des aiguilles hypodermiques. Un quatrième des cotons-tiges, un cinquième des serviettes en papier roulées en boule.

— Et dans le contenant, qu'est-ce qu'il y a ? a demandé Larabee.

Slidell a ôté le couvercle. Une odeur infecte a frappé nos narines.

— Maudit diable ! s'est exclamé Slidell en détournant la tête.

— Faites-moi voir.

Slidell m'a tendu le contenant.

Larabee a eu un hoquet. Moi aussi, je pense.

Des cheveux pâles flottant sur un épais bouillon brun. En dessous, une masse méconnaissable.

— Un morceau de corps, non ?

Personne n'avait de réponse à cette question.

— Un autre souvenir ?

Pas plus qu'à celle-là.

— Vous vous rendez compte du bordel qu'y trimballe dans sa voiture, le bâtard ! Et pendant tout ce temps-là, il joue l'innocent avec ses réponses évasives. (À Larabee :) Emportez les parties du corps à la morgue. J'envoie le reste au labo.

Larabee a hoché la tête.

Tout en retirant un de ses gants avec les dents, Slidell s'est précipité vers les techniciens en scènes de crime. Impossible d'entendre ses ordres de là où je me trouvais, mais j'en connaissais la teneur : mettez tout en sac, bien étiqueté. Envoyez la voiture à la fourrière, et virez la baraque à l'envers si ça peut vous permettre de trouver autre chose.

Larabee a placé le contenant en plastique dans un sac pour pièce à conviction pendant que les techniciens s'occupaient de sécuriser les lieux à l'aide de ruban jaune.

Slidell a ensuite couru vers sa Taurus et s'est jeté à l'intérieur. Le cellulaire vissé à l'oreille, il a démarré à fond la caisse.

Larabee a décidé d'examiner le contenant en premier. Il n'avait pas vraiment besoin de moi pour ça, mais il a requis malgré tout ma présence au cas où quelque chose nécessiterait mon expertise en anthropologie judiciaire. Le cas échéant, je serais déjà sur place et lui-même pourrait procéder à l'autopsie d'Ajax.

J'ai accepté de bonne grâce. J'étais à cran et de mauvaise humeur. À l'Annexe, je me serais sentie à l'étroit. J'aurais eu l'impression d'étouffer sous les fantômes de ces cinq filles mortes, peut-être même six. En plus, je n'avais aucun moyen de locomotion pour rentrer chez moi.

Nous sommes arrivés au MCME à huit heures. Là, changement de tenue et retrouvailles avec Larabee dans la salle qui pue. Comme Hawkins effectuait déjà les examens préliminaires sur Ajax, nous avons décidé de commencer sans son aide.

Pendant que je préparais l'appareil photo, Larabee a installé le contenant sur le comptoir. Je lui ai demandé le numéro du cas et j'ai entrepris de le reporter sur plusieurs étiquettes. Brève séance de photos. Quand j'ai posé le Nikon de côté, Larabee s'est ganté et a relevé son masque. Je l'ai imité. Il a ouvert le contenant.

Même puanteur. Mêmes cheveux et même merde brunâtre.

Nouvelle série de photos, et Larabee a transvasé le liquide dans un récipient à bec verseur à travers un tamis à grillage fin.

Il a étendu ensuite une serviette verte au fond de l'évier et a penché sa passoire. Un gros caillot a chuté sur le tissu, un truc spongieux et lisse, recouvert de poils.

À l'aide d'une sonde, il en a déroulé les bords. Aplani, l'ovale mesurait environ cinq centimètres de long sur deux centimètres et demi de large. Il était extrêmement mince dans sa section transversale.

Larabee a titillé le caillot avec sa sonde et soulevé l'enchevêtrement de cheveux.

Immédiatement, une série d'images en rafale dans mon esprit : des chairs couleur de lait caillé, des mèches blondes avec une bande de noir en haut.

La nausée m'a prise. Je me suis forcée à déglutir.

— C'est du cuir chevelu.

— Humain ? a demandé Larabee. Oui, ça se pourrait, a-t-il ajouté en se penchant plus près.

— Pas ça se pourrait, c'en est. (En me forçant à garder un ton calme.)

Larabee m'a jeté un drôle de coup d'œil, mais n'a pas dit un mot. Puis il s'est emparé de la loupe. L'ayant positionnée juste au-dessus de l'ovale, il s'est penché encore plus bas.

— Je vois ce que tu veux dire : ce sont des cheveux décolorés.

— Ce sont les cheveux d'Annick Pomerleau.

— Tu rigoles ! (Se retournant pour me faire face.)

— J'ai assisté à son autopsie.

— À Burlington ?

J'ai fait signe que oui.

— Pomerleau avait trois lésions au cuir chevelu que nous n'arrivions pas à expliquer.

— Des zones de nécrose?

— Non, des endroits où il n'y avait plus du tout de chair, où l'os du crâne était à vif. Toutes ces lésions étaient ovales et mesuraient environ deux centimètres et demi sur cinq.

Par-dessus nos masques, nos regards se sont vissés l'un à l'autre. Dans celui de Larabee, confusion et perplexité.

Dans le mien, de la répulsion, indubitablement.

— Que veux-tu dire par là?

— Je dis que le tueur a prélevé des... (Cherchant le mot juste.)... spécimens sur Pomerleau et les a placés sur ses victimes.

— Les cheveux dans la gorge de Leal et d'Estrada?

J'ai fait signe que oui.

— Les fioles. Seigneur, il a aussi prélevé du sang? Peut-être qu'il a utilisé les cotons-tiges pour recueillir de l'ADN?

— Tout à fait possible.

— Pourquoi?

— Je ne sais pas.

Larabee a voulu dire quelque chose. Ses sourcils se sont froncés... Mais à ce moment-là, Hawkins a passé la tête par la porte pour annoncer qu'il était prêt.

— J'arrive, a dit Larabee.

Une longue minute s'est écoulée. Il a repris:

— Ajax était médecin. Il avait les compétences nécessaires pour prélever du sang. Pour pratiquer des incisions dans les tissus.

— Oui.

— S'il est confirmé que le liquide contenu dans ces fioles est bien du sang humain, il faut que le département de sérologie se dépêche d'obtenir un séquençage de l'ADN.

— J'appelle Slidell.

— Merci.

Ayant retiré son masque et ses gants, Larabee est sorti de la salle d'un pas rapide.

Après une dernière série de photos, j'ai remis le morceau de cuir chevelu dans son contenant et l'ai placé dans la glacière. Puis je suis allée dans mon bureau.

Slidell était au Mercy Hospital, en train de discuter avec des collègues d'Ajax. Fatigue ou distraction, toujours est-il qu'il n'a manifesté aucune réaction quand je lui ai rapporté ces nouvelles. Il m'a juste demandé de le prévenir quand Larabee aurait terminé l'autopsie.

À trois heures et demie, Larabee a débarqué dans mon bureau, dans une tenue tachée de sang et avec de grands cercles sombres sous les aisselles. Les éclaboussures sur sa manche m'ont rappelé la guirlande de glaçons de mon voisin, pour décorer sa porte d'entrée.

Le patron aime bien partager les détails. J'ai poussé de côté mon rapport et pris une pose d'écoute attentive.

Pas trace de fluide ou d'adhérences dans les cavités pleurales ; pas de congestion ni d'hémorragie dans les poumons ; pas d'infarctus dans le cœur ; pas d'ulcération dans l'estomac ; pas de fibrose dans le foie, aucun signe de thrombo-embolie ; pas de varices dans le système sanguin artériel ou veineux ni dans le système lymphatique. En dehors d'une athérosclérose minime, normale chez un homme de quarante-huit ans, Hamet Ajax était en bonne santé. Il n'avait pas mangé de la journée. Son estomac ne contenait que du café.

Larabee avait remarqué la couleur rouge cerise du sang et des muscles, ainsi que la forte hyperémie, ou engorgement de sang, présente dans tous les tissus. Il avait noté l'hyperémie, l'œdème et les hémorragies punctiformes diffuses dans les hémisphères du cerveau, la dégénérescence généralisée des cellules du cortex cérébral et des ganglions nucléaires, et la dégénérescence symétrique des ganglions de la base, en particulier des noyaux gris centraux.

— Asphyxie par intoxication aiguë au monoxyde de carbone.

— De quelle manière ?

— Ça, c'est plus difficile.

— Un indice quelconque pointant sur autre chose que le suicide ?

— Pas vraiment. Mais je vais attendre les résultats de la toxico avant de refermer le dossier. Je suis curieux de savoir s'ils trouvent quelque chose dans ce domaine.

— Et maintenant… (Il s'est hissé sur ses pieds, prenant appui d'une main sur chacun de ses genoux, et ses coudes lui ont fait comme deux ailes.) Il y a une fête de Noël à laquelle je me dois d'assister.

— Les fêtes.

— Quoi ?

— Faut pas oublier la Hanoukka des Juifs.

— Ni la Kwanzaa des Afro-Américains.

Sur ce, il est parti.

Je n'ai transmis aucun détail à Slidell. Je lui ai simplement indiqué que l'intoxication au monoxyde de carbone avait été confirmée comme étant à l'origine de la mort d'Ajax, et que Larabee en saurait plus quand il aurait reçu les résultats de toxicologie.

J'ai aussi appelé Ryan pour le tenir au courant. Je l'ai imaginé m'écoutant tout en se passant la main dans les cheveux.

— Donc Slidell pense que ces souvenirs prélevés sur les corps de Leal, Gower et Nance referment sur elles le couvercle du cercueil. Et que l'ADN de Pomerleau fait entrer Estrada dans ce même groupe de victimes, a dit Ryan.

— Il n'était pas très bavard, mais je suis sûre que c'est ce qu'il pense.

— Skinny devrait accrocher des décorations de Noël. Quatre meurtres de résolus et Tinker hors-jeu.

— Il avait l'air crevé.

— Et les autres ?

— Je ne sais pas.

— Ça fait quand même chier que Slidell ne puisse plus interroger Ajax.

— C'est sûr.

— Ça restera en suspens de mon côté.

— J'imagine.

— J'étais à côté de la plaque de toute façon.

Long silence.

— Joyeux Noël, Brennan.

— Joyeux Noël, Ryan.

J'ai raccroché. Je suis restée un moment la main sur le téléphone. J'aurais dû me sentir heureuse. Soulagée. Pourquoi ne l'étais-je pas ?

Les autres, Koseluk, Donovan, allaient-elles demeurer des cas non résolus ?

Allait-on poursuivre activement les enquêtes ? Quelqu'un quelque part recherchait-il la petite fille dont j'avais le squelette sur mon étagère ?

Chaque année, plus de huit cent mille personnes disparaissent aux États-Unis. Quatre ans au moins s'étaient écoulés depuis que le cas ME107-10 avait trouvé la mort. Trois ans depuis qu'Avery Koseluk avait disparu. Je connaissais la triste réponse.

Ajax, lui, avait une étiquette accrochée à son orteil. La folie était terminée.

Mes yeux ont dévié sur une petite affiche punaisée sur le panneau en liège. La phrase de Larabee m'est revenue en mémoire. Moi aussi, j'étais invitée. Ce soir même, justement. Une petite fête organisée par le département d'anthropologie de l'Université de Caroline du Nord, section Charlotte. Le plus souvent, la soirée a lieu à des kilomètres d'ici, en pleine campagne. Cette année, on avait choisi de la faire dans une maison de la faculté, à Plaza-Midwood. Pas très loin de l'Annexe.

Pourtant je n'étais pas d'humeur à m'y rendre. Je le suis rarement. Des salles bondées où on crève de chaleur. De joyeux drilles en sueur, roses d'avoir mélangé le lait de poule au cognac et à la bière. Non pas que les gens boivent tant que ça autour de moi. Depuis le temps, j'ai appris à vivre sans alcool. Mais pour ce qui est des petites conversations en grignotant des hors-d'œuvre, je suis plutôt mauvaise.

Cela dit, j'aime mes collègues et la plupart de mes étudiants de troisième cycle.

J'ai enfilé un chemisier en soie rouge, pris une bouteille de pinot et j'ai passé la porte, bien décidée à m'amuser.

J'aurais dû être d'humeur à faire la fête, car, finalement, nous l'avions bel et bien attrapé, notre tueur.

Oui, mais nous ignorions ses motifs.

Nous n'avions aucune explication sur la façon dont Ajax s'était retrouvé acoquiné avec Pomerleau. Pourquoi et comment il l'avait tuée. Pourquoi il avait continué à mettre en œuvre des règles du jeu établies par elle. Les réponses viendraient plus tard. Ce qui comptait, c'est qu'il ne frapperait plus.

N'empêche, des questions troublantes détournaient mon attention de la fête.

Les paroles de Ryan me tournicotaient dans la tête. Ajax voulait-il vraiment qu'on l'attrape ? Si oui, quel besoin avait-il d'être défendu par un avocat ? Et pourquoi jouer à l'innocent, une fois pris ?

Cette question-là était facile : Ajax était un sociopathe et les sociopathes sont menteurs. Ils mentent même très bien.

Je me suis rappelé les interrogatoires. Ajax n'avait exprimé aucune compassion pour ces filles assassinées. Pour cette enfant qu'il avait soignée.

Ajax s'était suicidé. Mais s'il avait eu l'intention de se tuer en partant de l'hôpital, pourquoi avait-il promis à Cauthern d'y revenir ? S'il avait décidé de se tuer de retour chez lui, qu'est-ce qui avait bien pu déclencher sa décision ?

À l'heure où Leal avait été enlevée, Ajax se trouvait à quinze kilomètres de là. Comment pouvait-il être à deux endroits différents à la fois ? Avait-il un complice ?

Quand je repense à ce Noël, à ces petites filles assassinées, je revois toujours l'instant où nous avons ouvert le coffre de la voiture. Nos traits éclairés par les néons vacillants. Les lumières stroboscopiques bleu et rouge dans l'aube froide. Le givre de la nuit qui cédait la place à la chaleur du soleil.

Et la même question revient : les choses en seraient-elles allées différemment si, à ce moment-là, j'avais exprimé tout haut ce qui me préoccupait ?

Comment savoir, puisque je n'ai rien dit ?

III

# Chapitre 36

Le temps des fêtes est passé.

J'allais souvent à Heatherhill Farm. Goose était omniprésente. Elle remontait les oreillers de maman, lui brossait les cheveux, préparait des vêtements qu'elle l'obligeait à porter.

Harry est arrivée du Texas.

Nous nous sommes installées pour trois jours dans un B & B près de Marion, celui-là même où Goose était descendue. Dans des chambres à lit à colonnes et tapisserie défraîchie.

Harry a apporté à maman une poupée de chiffon représentant un zombie à démembrer et éventrer pour calmer ses nerfs. Et une broche en diamant de quatre mille carats. Je lui ai offert un poncho en cachemire.

Entourée de tant d'attention, maman a repris du poil de la bête. Elle évoquait jusqu'à plus soif les Noëls d'antan. Fêtés au bord de la mer. Une fois aux Cayman. En omettant ceux qu'elle avait passés seule, au fond du trou, dans sa chambre. Ou absente.

Quand nous étions seules, elle me demandait des nouvelles des affaires que je suivais. Je lui ai tout raconté. Pomerleau, la ferme des Corneau, le tonneau de sirop d'érable, l'horrible découverte dans le coffre d'Ajax. Je me disais que le dénouement satisferait son sens de la justice.

Elle m'a demandé quel rôle avait joué Ryan dans l'histoire. J'imaginais que, pour elle, nous étions tels Orphée et Eurydice. Ou Mulder et Scully.

Je lui ai expliqué que Ryan avait passé le plus clair de son temps à chercher l'unique victime survivante de Pomerleau.

Elle m'a demandé où se trouvait la pauvre enfant. Je lui ai dit que nous ne l'avions pas retrouvée. Cela l'intriguait. Elle remettait sans cesse le sujet sur le tapis, jusqu'à ce que Goose vienne la forcer à prendre un bain.

Au quartier général, les tableaux de liège ont été enlevés. Les photos, cartes, témoignages et rapports sont retournés dans leurs boîtes respectives. La salle de réunion a été rendue à sa destination première.

Tinker s'est fait plus rare. Rodas est passé à autre chose. Barrow s'est consacré à d'autres affaires non résolues.

Slidell ne donnait plus signe de vie. Je n'avais pas la moindre idée de ce qu'il trafiquait. Je n'ai d'ailleurs pas cherché à le savoir.

Le CMPD a tenu une conférence de presse. Les télévisions se sont vautrées dans le pathos. Les unes des journaux ont surenchéri dans le sensationnel. Articles et reportages racontaient l'arrestation d'Ajax en Oklahoma, parlaient d'objets en sa possession l'impliquant dans les meurtres de Shelly Leal, Lizzie Nance et d'autres, relataient sa mort à Sunrise Court. Slidell restait à l'écart. Tinker jouait les modestes tout en exagérant son rôle et celui du SBI. J'étais d'accord avec Slidell. C'était un petit crétin prétentieux.

Ryan et moi, nous nous parlions souvent. Presque comme avant. Presque. Il avait repris du service en tant que détective «volant», comme auparavant, apportant ses compétences dans les enquêtes en fonction des besoins.

Le vendredi matin, deuxième jour de la nouvelle année, Larabee a reçu le rapport toxicologique. Ajax présentait un taux de saturation de monoxyde de carbone de 68 %. Plus qu'il n'en faut pour tomber raide mort.

Ajax avait aussi de l'hydrate de chloral dans l'organisme, qui n'est apparu que lorsque Larabee a demandé un deuxième test pour chercher d'autres substances que les opiacés, amphétamines, barbituriques, alcool et compagnie, visés par les tests classiques. Un drôle de choix, un peu désuet, d'après Larabee, mais sans grande signification. Comme il l'avait dit sur le moment, les gens ont souvent besoin du secours de la pharmacopée pour tirer leur révérence.

Aucune mention de retrait d'hydrate de chloral dans les registres du Mercy Hospital, aucune trace d'ordonnance dans les pharmacies de Charlotte. Rien d'étonnant. En tant que médecin, Ajax pouvait facilement se procurer le produit, souvent utilisé comme sédatif avant les électro-encéphalogrammes.

Plus troublant, il n'y avait pas d'emballage de médicament vide ni chez Ajax ni sur lui. Les techniciens avaient trouvé la poubelle de la cuisine vide, contrairement aux autres poubelles de la maison. Ils n'avaient rien vu non plus dans le conteneur extérieur qui ait pu renfermer des cachets.

C'est le lundi suivant qu'est arrivée la surprise du chef.

Larabee m'a interceptée dans le sas de désinfection en brandissant un papier. Il avait l'air perplexe.

— C'est le relevé des dépenses de Noël? (En dénouant l'écharpe que j'avais autour du cou.)

Il m'a mis le papier sous le nez. Je l'ai pris, après avoir passé ma mallette dans l'autre main.

Je l'ai parcouru des yeux pour arriver très vite à la ligne importante. J'ai compris pourquoi Larabee n'avait pas ri de ma plaisanterie.

— C'est pas vrai?

— J'aimerais bien.

— L'ADN de l'empreinte labiale n'est pas celui d'Ajax.

Larabee a secoué la tête d'un air solennel.

— La veste a-t-elle pu être contaminée?

— D'après eux, certainement pas.

— Les échantillons que tu as envoyés étaient les bons?

Larabee s'est contenté de soutenir mon regard.

— J'ai vu du baume pour les lèvres dans l'armoire à pharmacie d'Ajax. Peut-être…

— Les gars des scènes de crime l'ont emporté. Le labo l'a examiné pour plus de sûreté. Au cas où un avocat de la défense trouverait un expert qui prétendrait que le truc a pollué le séquençage ADN ou avancerait je ne sais quelle autre foutaise pseudo-scientifique.

— Et qu'en est-il du baume lui-même?

— Ce n'est pas la même marque.

— Alors, attends. (J'ai reconstitué mentalement le scénario que nous avions si soigneusement échafaudé.) Ajax n'est peut-être pas notre homme.

Larabee a écarté les mains, paumes ouvertes. Qui sait?

— Pourtant, il avait la bague de Leal.

— Les chaussons de Nance. La clé de Gower.

— Et le sang trouvé dans le coffre d'Ajax ? Les morceaux de cuir chevelu ? Qu'est-ce que ça donne ?

— Ça prend plus de temps.

— Tu as mis Slidell au courant ?

— Il est en route.

Il s'est écoulé plus d'une heure avant que j'entende les talons de Slidell claquer comme des coups de feu devant ma porte. Le bourdonnement d'une conversation dans le bureau de Larabee, des voix posées, sans colère ni indignation. Dix minutes plus tard, Slidell faisait irruption dans mon bureau.

J'ai perçu un changement, subtil, mais bien réel. Même veste brune élimée. Même coupe de cheveux approximative. Qu'est-ce que c'était ?

Slidell a tiré une chaise du bout du pied pour l'approcher de mon bureau et s'y est laissé tomber. J'ai eu le temps d'entrevoir une chaussette orange vif. Certains détails restent éternels.

— Vous avez appris ?

— Oui.

C'est alors que ça m'a frappée. Il avait maigri. Le visage toujours avachi, même plus que d'habitude. Mais son ventre ne pendouillait plus par-dessus sa ceinture. Sa chemise jaune moutarde était soigneusement rentrée dans son pantalon.

Ses paroles m'ont surprise.

— Y a des trucs qui collent pas.

— Que voulez-vous dire ?

Il a serré les dents dans un mouvement énergique du menton.

— Vous avez des doutes sur la culpabilité d'Ajax ?

— Il se trouvait bien du côté de Pineville-Matthews Road quand Leal a été enlevée à Morningside ?

— Oui.

Un silence de dix secondes.

— L'informaticien a mis un nom sur le pseudo de la personne qui a visité le forum sur les maux de ventre.

— Celle qui se fait appeler HamLover.

— Oui. Mona Spleen. Quarante-trois ans. Vit à Pocatello, en Idaho. Appartient au CRA de Pocatello. Ça veut dire Club radio amateur.

— Ah bon.

— Ben oui.

Nouveau silence, plus long cette fois.

— Le 17 avril 2009. 14 h 20. Ajax s'est fait épingler pour avoir roulé à cent dix km/h dans une zone limitée à quatre-vingt-dix.

— L'après-midi où Lizzie Nance a disparu. Ça ne veut pas dire…

— Il a été arrêté sur l'I-64, dans les environs de Charleston, en Virginie- Occidentale.

— On l'apprend seulement maintenant ?

— Je ne suis pas magicien. On était tous très occupés à emballer des cadeaux et à décorer nos arbres de Noël.

— La contravention lui fournissait un alibi en béton. Pourquoi ne l'a-t-il pas dit ?

— Le flic lui a seulement donné un avertissement. Pas d'amende, pas de procès-verbal. Ajax avait sans doute oublié.

— Oublié qu'il avait fait ce trajet ?

— La date coïncide avec son entrée en fonction au Mercy. Il avait probablement d'autres soucis en tête.

Je n'ai rien dit. Autre long silence, et Slidell a repris :

— Je me suis renseigné sur la petite d'Oklahoma.

— La gardienne qu'Ajax a molestée ?

— Ouais. (En rajustant sa cravate. Noire avec des pois brillants.) La demoiselle a fait de la prison, dans un centre de détention pour mineurs.

Je suis restée de marbre.

— Trois interpellations pour racolage depuis 2006. Entre nous, mon informateur m'a dit que ses premiers démêlés ont eu lieu dans l'année qui a suivi la condamnation d'Ajax.

— Ça ne veut peut-être rien dire.

— Mouais.

— Qu'est-ce que vous en pensez ?

— Que ce petit salaud n'est peut-être pas notre homme.

— Vous en avez parlé à Salter ?

Un mouvement sec de la tête pour dire non.

— Pourquoi ?

— Je suis encore en train de travailler sur la question.

— En faisant quoi ?

— Déjà, en m'intéressant de près à cette nullité de Yoder.

— L'infirmier du Mercy Hospital?

Slidell a acquiescé.

— Pour quelle raison?

— J'aime pas ce type.

— C'est tout?

— Non, c'est pas tout. (Laconique.) Pendant que vous entonniez des chants de Noël et accrochiez des boules à vos sapins, je suis retourné voir l'entourage, les autres membres du personnel de l'hôpital.

— C'est-à-dire?

— Petites conversations à cœur ouvert.

— Et alors?

— Rien. Le bonhomme vivait caché.

— Et maintenant?

— Je vais continuer avec ceux qui n'étaient pas là. Descendre dans la vallée, les traquer dans les bois. Ho! Ho! Ho! Je vais leur coller au cul.

— Vous vous prenez pour Grinch.

— Je m'exerce.

— Quand vous aurez fini d'interroger tout ce monde-là, vous informerez Salter?

— Oui.

— Et Tinker?

— C'est pas demain la veille que je vais le ramener dans le circuit.

— Y a qui sur votre liste?

— Un infirmier, une infirmière, un médecin, une aide-soignante. C'est sans doute inutile. Mais peut-être que quelqu'un aura remarqué quelque chose.

Un coup d'œil à la pendule. Un autre à ma pile de rapports en attente.

— Allons-y. (En récupérant mon sac dans le tiroir.)

Slidell a soupiré, s'est redressé, a hoché la tête et s'est levé.


Nous avons eu de la chance. Le médecin et l'infirmier faisaient partie de l'équipe de jour.

Les deux nous ont dit être tombés des nues en découvrant les reportages des médias sur Hamet Ajax. Ils avaient tous les deux travaillé avec lui et le considéraient comme un bon médecin. Ils ont fait part de leur tristesse en apprenant sa mort. Ils ne savaient rien de sa vie personnelle.

Les deux autres n'étaient pas de service ce jour-là. Alice Hamilton, aide-soignante, et Arnie Saranella, infirmier.

Slidell tenait particulièrement à s'entretenir avec Hamilton. Elle était de garde lorsque Colleen Donovan et Shelly Leal étaient passées aux urgences. Et Ellis Yoder avait laissé entendre qu'Ajax et Hamilton fricotaient ensemble.

Slidell avait téléphoné plusieurs fois à Hamilton. Laissé des messages sur son répondeur. Elle n'avait pas rappelé. Ce qui ne le mettait pas dans de bonnes dispositions à son égard.

Hamilton habitait sur l'avenue North Dotger, à un jet de pierre de l'hôpital. Une rue sinueuse bordée d'arbres dont le feuillage surabondant en été formait un dôme qui la privait de la lumière du soleil.

Sa maison ne faisait pas partie des villas qui avaient poussé comme des champignons après la pluie quand le quartier Elizabeth s'était embourgeoisé. Hamilton occupait un appartement dans un bunker en brique sans style datant de l'après-guerre. Ces blockhaus étaient au nombre de quatre, tous badigeonnés de peinture beige censée empêcher la formation de moisissure. Vaine tentative.

Côté rue, ils comportaient des terrasses jumelles en ciment, entourées de clôtures en fer et protégées par des auvents en métal, tous aussi rouillés et tordus. Les terrasses étaient juste assez grandes pour accueillir un fauteuil, ou deux à condition de ne pas être claustrophobe. On y accédait par des portes-fenêtres dépolies par le temps. À l'étage, les logements possédaient des balcons à découvert. Même surface. Mêmes vitres dépolies.

Slidell et moi nous sommes engagés dans l'allée boueuse infestée de mousse verte, comme les murs de brique. Nous avons pénétré dans un petit passage au sol couvert d'un carrelage crasseux noir et blanc. Sur le mur de gauche, quatre boîtes aux lettres disposées en carré.

Par terre, un fouillis de circulaires, publicités et quelques magazines. *Good Housekeeping, O, Car and Driver.*

Le nom d'A. Hamilton correspondait à la boîte marquée 1C. Écrit à la main sur un bout de papier glissé derrière un petit rectangle de verre fendillé.

Slidell a appuyé sur la sonnette. Attendu. Encore appuyé. Aucun son. Aucune voix dans le petit haut-parleur rond.

— Eh bordel.

Slidell a appuyé plus fort, en martelant la sonnette avec son pouce.

Pendant ce temps, je regardais les noms des destinataires des magazines entassés à mes pieds. La revue automobile était pour Roger Collier, le mensuel d'Oprah pour Hamilton. Les conseils aux ménagères pour Melody Keller.

Slidell a sonné une quatrième fois, dans un état de fureur palpable. Je lui ai lancé :

— Ne faites pas de crise cardiaque.

— Pourquoi elle répond pas ?

— Elle n'est peut-être pas chez elle ?

Slidell considérait les boîtes aux lettres, sourcils froncés, lèvres pincées.

— Qu'a dit sa coordonnatrice ?

— Qu'elle a une entente particulière qui l'oblige pas à travailler régulièrement.

— Intérimaire. C'est fréquent dans les hôpitaux. Ça veut dire que les horaires changent tout le temps et que les heures ne sont pas garanties.

— Peut-être bien.

— On n'a qu'à continuer. Aller voir l'autre infirmière.

— Ça me fait suer que cette maudite Alice Hamilton me rappelle pas.

Slidell en était à son cinquième round de boxe avec la sonnette quand mon téléphone a vibré dans ma poche.

Larabee. Il avait les résultats des analyses ADN des objets et spécimens trouvés dans le coffre d'Ajax.

# Chapitre 37

— C'est Pomerleau. Le sang, le cuir chevelu.

— Je le savais.

— Il y avait de la salive sur certains Kleenex.

— Celle de Pomerleau ?

— Oui.

Mon cœur s'est mis à cogner plus fort.

— Qu'est-ce que tu en penses ? a demandé Larabee, surpris par mon silence.

— Que le tueur dépose de son ADN à elle sur ses victimes à lui.

— C'est aussi mon avis.

— Pour Gower et Nance, de la salive de Pomerleau sur les mouchoirs en papier qu'il a glissés dans leurs mains.

— C'est risqué. Et s'il pleuvait ? Que le mouchoir se perde ? Que des animaux l'emportent ? (Larabee était sur la même longueur d'onde que moi.) Il a dû trouver des solutions plus sophistiquées.

J'ai fermé les yeux. J'ai vu un corps enduit de sirop sur une table en métal.

— Pomerleau avait des traces de piqûre au creux du bras, ai-je dit. Le médecin examinateur du Vermont trouvait que ça ne ressemblait pas à des marques d'injection de drogue. Moi non plus. Et les analyses toxicologiques effectuées sur Pomerleau ont confirmé l'absence de toute substance suspecte.

— Ajax a extrait son sang et l'a conservé dans des flacons.

— À moins qu'elle ne le lui ait donné volontairement.

— Ça m'étonnerait qu'elle lui ait fait cadeau des morceaux de son crâne.

Une réflexion que j'ai pris le temps de méditer.

— Il est malin. Il sait qu'un cheveu ne suffit pas. Qu'il faut la racine pour pouvoir séquencer l'ADN.

— Tu penses qu'il a prélevé son scalp quand il l'a tuée ?

— Oui.

Un silence. Un raclement métallique en bruit de fond. Déduction : Larabee se trouvait dans une salle d'autopsie. J'ai repris, réfléchissant tout haut :

— Le tueur s'est constitué un stock. Des cheveux. Du sang. De la salive.

— Il devait les garder au congélateur.

— Mais pourquoi se donner tout ce mal ?

— Pour détourner les soupçons ? Au cas où il serait pris ?

— Peut-être. Ou alors, cela faisait partie du jeu.

— Qu'il aurait continué à pratiquer après avoir fichu Pomerleau dans son tonneau ? C'était quand ?

— Probablement en 2009.

— Au moment où les crimes ont commencé à se produire ici.

Mon téléphone m'a signalé l'arrivée d'un texto.

— Il faut que je te laisse.

— Tu veux bien prévenir Slidell ?

— Je suis justement avec lui.

Un soupir de Larabee et il a ajouté :

— Tu dis « le tueur ». Pas Ajax. C'est ce que pense Slidell ?

Rongée par la culpabilité, j'ai appuyé mon téléphone contre mon oreille.

— Oui.

— Je pensais qu'il m'arracherait les yeux quand je lui ai annoncé la nouvelle ce matin. Pas du tout. Il n'a pas réagi.

— Il avait déjà des doutes.

— Nom d'un petit bonhomme.

— On peut dire ça.

Le texto venait de maman. Un lien vers une vidéo sur YouTube. En voyant Slidell approcher à grands pas énergiques, j'ai décidé que cela attendrait.

Pendant que nous roulions vers le domicile de Saranella dans le South End, je lui ai fait part des derniers résultats de Larabee. Il m'a écoutée. Sans broncher.

Saranella n'était pas chez lui. Son colocataire, Grinder, avait de vilains implants capillaires et une attitude gravement je-m'en-foutiste. Après une réprimande en règle de Slidell, il a fini par dire qu'Arnie était à Hilton Head et devait revenir le lendemain matin.

Retour dans la Taurus. 15 h 10.

Slidell était de mauvais poil. Moi aussi. Nous n'arrivions à rien. Et je me sentais de plus en plus coupable envers Ajax. En plus, je mourais de faim.

J'ai demandé à Slidell de me déposer au MCME.

Après m'être débarrassée gentiment de M$^{me}$ Flowers, j'ai attrapé un yogourt dans mon compartiment de réfrigérateur et une barre tendre dans mon tiroir. Arrosé le tout avec un Coke Diète. Toutes choses qui se marient bien.

Ensuite, j'ai appelé Ryan. Répondeur.

Rodas. Il a répondu. Je lui ai parlé des analyses ADN, de l'excès de vitesse, des arrestations de la gardienne d'Ajax. Il a réagi plus vivement que Slidell. Beaucoup plus vivement.

Dès la fin de mes explications, il a embrayé :

— J'ai examiné les photos de la scène de crime de Gower.

— À la carrière de Hardwick ?

— Oui. Je me suis dit que si Ajax s'y trouvait, ça ajouterait une pièce au puzzle.

— Et ?

— Il y avait des tas de badauds, mais pas d'Ajax.

— Retour à la case départ ?

— Ça se pourrait bien.

J'ai raccroché, impressionnée. Umpie Rodas ne laisserait jamais tomber Nellie Gower.

Ryan a rappelé au moment où je terminais mon avant-dernier rapport. Je l'ai mis au courant. Nous avons avancé toutes sortes de suppositions, semblables à celles que j'avais évoquées avec Larabee. Si ce n'était pas Ajax, qui ? Comment le type s'était-il acoquiné avec Pomerleau ? Pourquoi ? Pourquoi venir commettre ses crimes à Charlotte ?

— Pourquoi placer l'ADN de Pomerleau sur ses victimes? s'est étonné Ryan. Pourquoi pas le sien? Ils formaient une équipe avant qu'il la tue.

— Avant que quelqu'un la tue.

— Tu crois qu'elle s'est laissé prélever volontairement?

— Je ne sais pas.

— Ou est-ce que ce salaud l'a séquestrée pour pouvoir récolter des bouts de son corps?

Je n'avais pas la réponse. L'idée était trop effrayante. Même pour un monstre comme Pomerleau.

— L'a-t-il fait simplement parce qu'il l'avait sous la main? (Ryan lançait des théories au hasard pour voir si l'une d'elles tiendrait la route.) Ou est-ce que Pomerleau cadrait avec sa pathologie?

— Tu veux dire qu'il fallait que les prélèvements viennent précisément de Pomerleau, pas de n'importe qui?

— Oui.

— Dans ce cas, elle reste la clé de l'histoire. La pièce que nous n'arrivons pas à intégrer dans le tableau.

— C'est juste une idée.

Un court silence et Ryan a demandé:

— Salter va rouvrir les dossiers?

— Slidell essaye de gagner du temps. (Diplomatique.)

— Il ne lui a pas dit.

— Non.

— Qu'est-ce qu'il fait en ce moment?

— Il discute avec des gens qui ont connu Ajax. Revient sur les incidents d'Oklahoma. S'intéresse de près à un certain aide-soignant, Ellis Yoder.

— Pourquoi?

— Yoder travaillait à l'hôpital quand Leal et Donovan y ont été soignées.

— Qu'est-ce que tu en penses?

— Il n'a rien d'autre.

— Ça va barder au CMPD.

— En effet.

Nouveau souper commandé au resto avec Birdie.

Nous mangions des spaghettis de chez Il Nido en zappant d'une chaîne à l'autre quand mon iPhone a sonné sur l'air de *Frosty the Snowman*.

— Pourquoi aurait-il lavé sa tasse ?

— Quoi ?

La question de Slidell me prenait au dépourvu. Comme son appel à une heure aussi tardive.

— Ajax. Il s'apprête à aller se zigouiller dans son garage. Pourquoi irait-il s'embêter à laver sa tasse ?

— C'était un maniaque de l'ordre.

Pas de réponse.

— En plus, il était shooté à l'hydrate de chloral. Les gens font des choses surprenantes parfois.

— J'ai les photos du CSS sous les yeux. Il y a de la terre sur le sol, à l'intérieur, devant la porte de derrière.

— Beaucoup ?

— C'est pas la question. Pourquoi aurait-il lavé sa tasse, nettoyé la cafetière et laissé la terre ?

— Il a nettoyé la cafetière ?

— Et sorti la poubelle. Le marc de café était dans un sac en plastique posé sur le conteneur dehors.

— Qu'est-ce que vous essayez de me dire ?

— Je dis qu'on est un maniaque de l'ordre ou on ne l'est pas.

— Peut-être qu'il a rapporté la terre en revenant du conteneur à ordures et qu'il ne l'a pas vue.

— En revenant d'où ? Le conteneur a le cul collé à la porte de derrière.

Des *tics tics* dans le téléphone. Sans doute des photos qu'il posait sur une table.

— Un fil. (*Tic. Tic.*) Resté accroché dans la haie.

— Quel genre de fil ?

Pas de réponse.

Un bruit de pages qu'on tourne cette fois.

— Violet. (Je ne savais pas si Slidell s'adressait toujours à moi.) D'après le spécialiste des fibres, de la laine violette.

— Le marc de café a été analysé ?

Nouveau froissement de pages tournées.

— Faut que j'y aille.

Plus rien.

J'ai envoyé mon téléphone valser sur le canapé. Me suis levée. Me suis mise à faire les cent pas en tournant comme un lion en cage. Birdie, en me suivant du regard, décrivait des cercles avec sa tête.

Où Slidell voulait-il en venir en me téléphonant? Il était perturbé par certains éléments constatés sur place à Sunrise Court. Avait-il des doutes, non seulement sur la culpabilité d'Ajax, mais aussi sur les circonstances de sa mort? Envisageait-il que ce ne soit pas un suicide?

Un meurtre?

Nous nous étions probablement trompés sur le compte d'Ajax. L'affreux sentiment de culpabilité que m'inspirait sa mort était-il injustifié? Quelqu'un l'avait-il tué et maquillé sa mort en suicide?

Qui? Pourquoi?

Mon Dieu. Toujours les mêmes questions que je me posais depuis des semaines.

Mon téléphone m'a signalé l'arrivée d'un texto.

Maman.

*As-tu regardé la vidéo sur YouTube?*

*Suis en train de la visionner.*

*C'est le bon endroit?*

Je suis remontée jusqu'au message précédent et j'ai cliqué sur le lien.

La vidéo s'intitulait: *Organisation randonnée nature des étudiants du Northern Essex Community College. Randonnée cycliste printemps 2008 (3): Traversée du Passumpsic.* Le clip durait vingt minutes et avait été vu 18 927 fois. La plupart de ceux qui l'avaient vu l'avaient aimé.

Plus intriguée par ce qui avait attiré l'attention de maman que par le contenu du film, j'ai cliqué sur le triangle blanc. Queen a entonné *Bicycle Race.* Un cycliste figé s'est mis à pédaler, sans frénésie, mais avec vigueur et fermeté.

Un rectangle a surgi sur l'écran. Encadré en blanc façon manuscrit déroulant, comme dans les vieux films muets. On y lisait les mots: «Randonnée cycliste printemps 2008».

La caméra passait en mode gros plan pour montrer huit autres cyclistes, tous casqués et vêtus de coupe-vent et de cuissards en lycra. Ils se suivaient en file indienne sur une route à deux voies. L'image sautillait, sans doute filmée par une caméra fixée au guidon ou au casque du dernier de la file.

Maman ne s'était jamais intéressée au vélo. Je ne voyais pas ce qui avait pu la subjuguer dans cette vidéo.

Le peloton est passé devant une épicerie-bureau de poste : un bâtiment gris avec un vieux siège d'auto rouge sur la galerie et un kayak en plastique rouge accroché à l'auvent de la façade.

Un autre intertitre est apparu, annonçant : *Barnet, Vermont.* Les mots se découpaient sur le flanc du kayak. Je me suis redressée d'un coup.

Le cœur battant, j'ai regardé les cyclistes traverser une étroite rivière sur un pont en métal vert. Nouvelle indication : *Passumpsic River.*

Deux minutes de pédalage à travers bois et, tout à coup, après une coupure un peu brutale, on retrouvait le groupe arrêté au bord d'un chemin, en train de désigner en riant un panneau de bois cloué à un arbre au-dessus d'eux. On y voyait quatre lettres d'un bleu délavé. ORNE. La pancarte délabrée marquant l'entrée de la maison des Corneau.

ORNE. Cela les amusait parce que ces seules lettres restantes correspondaient à l'acronyme de leur club. Organisation randonnée nature des étudiants.

Alors que je venais de comprendre la raison de leur hilarité, une voiture venant de la gauche est entrée dans le plan. Une silhouette au volant, aucun passager.

La voiture s'est arrêtée et la portière s'est ouverte brutalement. Une personne est sortie en furie et s'est dirigée vers les cyclistes. La caméra l'a suivie. Je ne voyais pas son visage, mais toute son attitude trahissait sa rage.

Un ruban de texte est apparu. « Indigène mécontent ! »

La personne s'est tournée vers la caméra en criant et en agitant les bras.

Je suis restée pétrifiée.

# Chapitre 38

J'ai repassé la scène un nombre incalculable de fois. Arrêté l'image. Scruté les traits, la forme du corps, pour être bien sûre. Espérant me tromper.

Mais non.

Inutile de transmettre la vidéo à Slidell. Le visage ne lui dirait rien.

À Ryan, si.

Les doigts tremblants, je lui ai envoyé le lien et j'ai appuyé sur le numéro du dernier appel entrant. Deux sonneries et Slidell a répondu.

— Tawny McGee était à la ferme Corneau. (En faisant les cent pas.)

Un silence, le temps pour Slidell de retrouver le nom dans son fichier mental.

— La fille que Pomerleau séquestrait dans sa cave ?

— Oui.

Je lui ai parlé de la vidéo.

— Vous en êtes sûre ?

— Absolument.

— *Jesus Christ.* Comment vous avez trouvé ce truc ?

— Je vous raconterai plus tard.

*Quand maman m'aurait expliqué.*

— Qu'est-ce que McGee vient faire dans le tableau ?

— Comment diable pourrais-je le savoir ?

— Vous croyez que c'est elle, le grand type qu'a vu le réparateur de fournaise ?

— C'est vrai qu'elle est grande.

332

— Ou bien c'était Ajax et nous avons trois suspects ?

— Ou bien c'était quelqu'un d'autre. (Grognon, mais j'avais horreur de me sentir dépassée.) L'ADN récupéré sur la veste de Leal est celui d'un homme.

— Il faut que je rencontre cette McGee.

— Vous croyez vraiment ?

— Vous pouvez isoler l'image et l'imprimer ?

— Le visage est trop flou. Mais la mère de McGee a une photo assez récente. Je vais la lui demander.

— Je vais faire sortir un portrait-robot. Et dire à Rodas d'en faire autant dans le Vermont.

— J'ai l'impression que McGee vit sous un autre nom. Ryan a tout fait pour essayer de la retrouver.

— Comment est-elle arrivée dans le Vermont ?

— Je ne sais pas. Il faudrait peut-être voir avec Luther Dew à l'ICE ?

L'ICE étant le sigle du service des douanes et de l'immigration.

Slidell a laissé échapper un petit rire.

— Le gars des chiens momifiés ?

J'avais aidé Dew dans une affaire de trafic d'antiquités portant sur des momies canines du Pérou. Slidell ne ratait pas une occasion de plaisanter sur ces cadavres de chiens. Je n'ai pas relevé.

— La vidéo montre McGee à la ferme Corneau en 2008.

Je ne sais plus quand les passeports sont devenus obligatoires entre le Canada et les États-Unis. Ni quel genre de registre existait à cette époque.

— Je vais me renseigner demain à la première heure.

— Pourquoi attendre ?

Un coup d'œil à la pendule : 22 h 27.

— Bonne idée. Si on appelle Dew maintenant, ça va sûrement l'inciter à se fendre en quatre.

Trois bips. Slidell n'était plus là.

Merde !

À qui téléphoner en premier ? Maman ou Ryan ?

Maman ne m'a pas laissé le choix. J'ai pris son appel et j'ai attaqué avant qu'elle ait pu en placer une.

— Comment as-tu trouvé cette vidéo ?

— Ma chérie, la politesse veut qu'on commence par dire bonjour quand on répond au téléphone.

Grande respiration.

— Bonjour, maman. Comment vas-tu?

— Bien, merci.

— Comment as-tu déniché cette vidéo de YouTube?

— C'est bien la ferme dans laquelle se cachait cette horrible femme?

— Oui. Comment l'as-tu trouvée?

— Mon Dieu. Tu veux toute l'histoire?

— Seulement le procédé.

— Ça n'a pas été bien compliqué. Mais j'ai dû me taper des heures et des heures d'âneries insipides. Un crétin malveillant qui poste le clip de la crise cardiaque en direct d'un journaliste. Et...

— Mais comment tu as fait?

— Pas la peine d'être désagréable, Tempe. (Soupir réprobateur.) J'ai simplement lancé diverses combinaisons de mots-clés sur Google. Corneau, Vermont. Hardwick. St. Johnsbury. Un lien m'a conduit à un autre, puis à un autre. J'ai lu des articles interminables, avalé des tonnes d'images d'érables, de centres commerciaux, de campus enneigés. Savais-tu que la mascotte de l'Université du Vermont est le chat sauvage. C'est un...

— Genre de lynx. Continue...

— De fil en aiguille, je suis tombée sur un ensemble de cinq vidéos publiées sur YouTube, racontant la randonnée à vélo d'un club d'étudiants. Le titre du deuxième clip de la série mentionnait St. Johnsbury. Après l'avoir visionné et m'être, je dois dire, ennuyée ferme, je suis passée au troisième. Quand j'ai vu le groupe arrêté sur le bord, j'ai complété mentalement le nom tronqué du panneau qu'ils regardaient.

— Comment étais-tu au courant pour la ferme Corneau?

— C'est toi qui m'en as parlé quand tu es venue me voir. (Surprise et légèrement condescendante.) Le pont. La Passumpsic. Le panneau délabré.

Je me souvenais du roulement incessant de questions qu'elle avait posées, mais pas de lui avoir donné autant de détails.

— C'est utile?

— Plus que tu ne peux l'imaginer, maman. Tu es une virtuose du virtuel. Mais je dois raccrocher maintenant.

334

— *Pour téléphoner à monsieur le détective ?** (Presque un murmure.)

— *Ouï**.

Ryan n'a pas répondu. Ce qui n'était pas fait pour me calmer. J'étais survoltée. Besoin d'action. De réponses. De solutions.

J'ai essayé de lire. Impossible de me concentrer. Sachant que Ryan appellerait une fois qu'il aurait vu la vidéo, j'ai attrapé Birdie et suis montée me coucher.

Les heures se sont égrenées. J'étais là, agitée, impuissante. À me demander ce que je pouvais faire. Pas le début d'une idée.

J'ai fini par m'endormir vers deux heures du matin. Un peu plus de sommeil ne m'aurait pas fait de mal.

Le lendemain, les choses ont viré à la folie.

À sept heures, appel de Ryan. J'étais debout depuis presque une heure et j'avais déjà pris mon petit-déjeuner, nourri le chat, lu la présentation d'un projet étudiant. Je lui ai tout raconté.

— McGee avait une Chevy Impala 2001, a-t-il dit. Couleur bronze. La voiture garée sous l'abri était une F-150.

— Tu as pu lire la plaque ?

— Non. Mais elle était verte, couleur des immatriculations du Vermont.

— Tu vas contacter Rodas ?

— C'est fait. Il a demandé un agrandissement. Si le numéro est lisible, il le communiquera au service des immatriculations.

— Emprunte la photo de Tawny à Bernadette Kezerian. Scanne-la et envoie-la nous par courriel, à Rodas, Slidell et moi.

— C'est fait. Je vais aussi contacter les douaniers pour voir s'ils ont la trace dans leurs registres d'une entrée de McGee dans le Vermont. Ou d'un retour au Québec.

À peine avais-je raccroché que Slidell se présentait à ma porte. Je lui ai proposé un café. Qu'il a accepté. Nous nous sommes installés à la table de la cuisine. Je lui ai rapporté ma conversation avec Ryan.

— D'après Dew, c'est peine perdue.

— Qu'est-ce que vous voulez dire, peine perdue ?

— Depuis le 23 janvier 2007, il faut un passeport pour entrer aux États-Unis en provenance du Canada.

— Parfait. Le service des douanes et de l'immigration tient des registres…

— Vous voulez bien me laisser finir ?

M'étant juré de me montrer plus patiente avec Slidell, je me suis tue.

— Ça, c'est pour les aéroports. La réglementation s'est appliquée aux frontières terrestres et maritimes que le 1er juin 2009.

— Il y a peu de chance qu'elle ait pris l'avion pour une distance aussi courte.

— En effet.

— Merde.

— Ouais. Mais j'ai ça. (Il a sorti un papier d'une poche intérieure et l'a posé sur la table.)

Je l'ai déplié. Des résultats d'analyse toxicologique. Éberluée par ce que cela impliquait, j'ai relevé le nez.

— On a trouvé de l'hydrate de chloral dans le marc de café ?

— Ouais. (En pointant le menton vers la feuille.) Des tonnes.

— Ajax a été drogué ?

— M'étonnerait qu'il ait empoisonné son café lui-même.

— Vous pensez que quelqu'un l'a bourré de tranquillisants et l'a enfermé dans sa voiture ?

— Ça expliquerait pourquoi la tasse et la cafetière ont été lavées. Et le marc dehors dans la poubelle. (Un temps de réflexion.) Bizarre, comme choix, non ?

— L'hydrate de chloral ?

— Ouais.

— On en avait trouvé sur les victimes de Jonestown. (Allusion au massacre par empoisonnement de plus de neuf cents adeptes du Temple du Peuple en Guyane en 1978, orchestré par Jim Jones, un pasteur évangéliste paranoïaque.) Ainsi que sur Anna Nicole Smith et Marilyn Monroe.

Aucun commentaire de Slidell.

— Ajax est mort entre minuit et deux heures du matin. (Mon esprit tournait à toute vitesse.) Une voiture banalisée est restée stationnée toute la nuit. L'équipe de surveillance n'a vu personne entrer ou sortir de la maison jusqu'à l'arrivée de Cauthern à l'aube.

— La maison d'Ajax donne à l'arrière sur un sentier qui longe Sunrise Court et sur lequel débouchent un ou deux culs-de-sac. Celui qui l'a trucidé a dû se garer plus loin et emprunter le sentier pour entrer par derrière, par la cuisine.

— D'où les fibres accrochées à la haie. Et la terre sur le plancher.

Nos regards se sont croisés, porteurs des mêmes questions. Qui? Pourquoi?

— Vous allez informer Salter?

— Bientôt.

Haussement de sourcils étonné.

— Je veux d'abord questionner encore une fois cette ordure de Yoder.

— Pourquoi une ordure?

— Y a quelque chose qui pue dans cette histoire.

— Ce n'est pas une réponse.

— On lui pose des questions sur Leal et Donovan, et on a à peine tourné le dos qu'on retrouve Ajax mort avec un drôle d'arsenal dans son coffre. (Long regard de Slidell.) Qu'est-ce que vous en dites? On a affaire au même meurtrier?

— Pour les filles et Ajax? (Il a acquiescé.) Mon instinct me souffle que oui.

— Enfant de chienne. Et on a rien.

— On sait que notre tueur est un homme.

Slidell est resté à contempler sa tasse comme si la réponse se trouvait au fond de son café. Je ne l'avais jamais vu aussi découragé.

— Vous croyez que c'est un pervers sexuel?

— Les victimes n'ont pas été agressées sexuellement. Aucune d'elles. (J'avais beaucoup réfléchi à la question.) Je pense qu'il prend son pied dans le pouvoir qu'il exerce, dans sa capacité à manipuler.

— Nous ou ses victimes?

Je n'avais pas vu les choses sous cet angle.

— Les deux. Il joue avec nous manifestement.

Slidell s'est levé. Je l'ai raccompagné à la porte.

— Comment il fait? (En passant la porte.)

— Fait quoi ?

— Pour rester invisible sans jamais rien nous laisser.

J'étais dans le bureau en train de lire mes courriels quand le téléphone a sonné à nouveau. J'ai regardé le nom qui s'affichait. S. Marcus. Ne sachant pas de qui il s'agissait, j'ai laissé embrayer le répondeur. J'ai aussitôt reconnu la voix de ma petite gardienne de chat, Mary Louise. Elle voulait passer me voir après l'école. Elle avait quelque chose à me donner.

*Désolée, ma puce. Pas aujourd'hui.* Histoire de rajouter une couche à mon sentiment de culpabilité envers Ajax, pour commencer, et maintenant envers Mary Louise, je suis retournée à l'ordinateur.

La pièce jointe envoyée par Ryan s'était ouverte. Tawny McGee m'observait depuis le pont d'un bateau, cheveux au vent.

— Pourquoi ? ai-je murmuré. Pourquoi es-tu allée voir Pomerleau ?

McGee continuait à contempler le lointain d'un regard vide. Elle était grande, avec une forte poitrine. Loin de mettre en avant ce pour quoi bien des femmes auraient payé des prix exorbitants, elle dissimulait ses formes sous un sage col roulé.

Les curieux échanges entre les Kezerian me sont revenus à l'esprit. Les commentaires de Bernadette. Ceux de Jake.

Tawny avait horreur d'être photographiée. Ne supportait pas qu'on la voie nue. Ne sortait jamais avec des hommes ou des garçons et se sentait mal à l'aise avec eux.

Bernadette avait dit que sa fille avait des problèmes d'image. Jake avait dit qu'elle était cinglée.

J'ai examiné ses longs membres, ses seins bonnet D, ses traits sans expression. Qu'est-ce qui se tramait derrière ce regard vide ?

Compte rendu par Ryan de sa conversation avec Lindhal. La psy avait laissé entendre que quelque chose n'allait pas.

Pendant que je dévisageais la femme affichée sur mon écran, une idée a pris forme dans mon esprit. Un truc improbable.

Le cœur battant, j'ai tendu la main vers le téléphone.

# Chapitre 39

Un grésillement, une brève attente.

— Pamela Lindhal.

— Je m'appelle Temperance Brennan. Nous nous sommes rencontrées il y a plusieurs années.

— Vous travaillez au laboratoire médico-légal de Montréal.

— Oui.

— Pourtant, vous appelez de Caroline du Nord. D'après la réceptionniste, vous vous êtes montrée très insistante.

— Il s'agit d'une question urgente.

— Allez-y. (Ton prudent d'un délateur sous protection.)

— C'est au sujet de Tawny McGee.

— Je m'en doutais. (Soupir.) Je vais vous dire ce que j'ai déjà dit au détective. Discuter du cas d'un de mes patients sans son autorisation est une grave atteinte à l'éthique professionnelle.

Je n'allais pas y aller par quatre chemins. Ni faire appel à son sens de la justice et de l'équité. J'ai foncé d'un coup.

— Tawny s'est acoquinée avec Annick Pomerleau.

— Je ne comprends pas.

— Oui, vous comprenez. Et je n'ai pas le temps de tourner autour du pot.

— Qu'est-ce que vous voulez?

— Tawny souffre d'un syndrome d'insensibilité aux androgènes, c'est ça?

Pas de réponse.

— L'absence de flux menstruel à l'adolescence. La grande taille, la poitrine très développée, la chevelure abondante.

— Vous m'avez l'air tellement sûre de votre diagnostic. Pourquoi m'appeler?

— J'ai besoin de vérifier.

— Je suis désolée, mais…

J'ai lâché une autre bombe.

— Tawny pourrait avoir tué Pomerleau. Elle assassine sans doute des enfants.

Silence assourdissant du côté de Montréal.

— Des adolescentes. Quatre jusqu'à présent. Peut-être six.

— Où?

— Quelle importance?

— En effet.

— Alors?

— En quoi son état médical, que je ne confirme pas, peut-il vous intéresser?

— On a prélevé de l'ADN sur une des victimes, une jeune fille de quatorze ans. Le test de l'amélogénine indique qu'il s'agit d'un homme. Ce résultat a orienté l'enquête pour trouver son meurtrier dans une direction que je crois désormais erronée.

J'ai fait l'impasse sur l'ADN de Pomerleau, pour ne pas compliquer les choses.

— En quoi est-ce que cela me concerne?

— Je crois que vous le savez.

— Un moment.

Des bruits confus. J'ai supposé que Lindhal fermait une porte.

— Tawny est venue me voir après avoir subi une effroyable épreuve, comme vous savez. Je ne peux pas révéler le contenu de nos conversations, mais les cinq années passées dans cette cave l'ont complètement démolie.

— Bien. (Pour le moment.)

— Nous nous sommes d'abord occupées de ses problèmes immédiats. Quand elle a été plus en confiance avec moi, elle a commencé à se livrer davantage et elle a fini par me parler des bizarreries de son corps.

Lindhal s'est tue un moment pour rassembler ses idées. Ou pour envisager la façon de ne révéler que l'essentiel.

— Tawny n'avait jamais eu de règles. Elle n'avait pas de poils pubiens, ni sous les bras. Les médecins lui disaient que c'était à cause des carences alimentaires et du stress qu'elle avait connus sur une longue durée. Et assuraient que ça s'arrangerait avec le temps. Ça a été le cas, en partie. Elle a grandi, ses seins ont poussé, mais certains changements ne se sont jamais produits. Sur mon conseil, elle a accepté de se soumettre à des analyses. À condition que je choisisse le médecin et que je l'accompagne. Ce que j'ai fait. (Un temps.) Que savez-vous du syndrome d'insensibilité aux androgènes ?

— Les notions de base. C'est une anomalie du développement sexuel qui se manifeste avant la naissance ou à la puberté. Les personnes atteintes du SIA ont une impossibilité à répondre aux androgènes, les hormones sexuelles mâles. Je n'ai qu'une idée rudimentaire des aspects génétiques.

J'ai aussitôt regretté cette dernière phrase. Je ne voulais pas me payer tout un cours sur la question. J'étais impatiente de clarifier le point qui m'intéressait.

— Le syndrome d'insensibilité aux androgènes est dû à des mutations du gène AR, qui code des protéines appelées récepteurs androgènes. Ceux-ci permettent aux cellules de répondre aux hormones qui déterminent le développement sexuel masculin.

— La testostérone.

C'était parti. J'avais droit à toute la conférence. Il fallait que je parvienne à écourter.

— Pas seulement. Les androgènes et leurs récepteurs fonctionnent aussi bien chez les hommes que chez les femmes. Les mutations du gène AR empêchent le fonctionnement normal des récepteurs androgènes. Selon le degré d'insensibilité, les caractéristiques sexuelles de la personne seront majoritairement féminines ou majoritairement masculines.

Je pianotais sur le bureau en attendant d'obtenir l'information dont j'avais besoin. La solution au point d'interrogation qui mettait mes nerfs à vif.

— Le syndrome présente divers niveaux de gravité. Le syndrome d'insensibilité complète aux androgènes, le SICA, se traduit par une incapacité complète du corps à réagir aux androgènes. Les patients qui en sont atteints ont les caractères sexuels externes d'une femme, mais un vagin atrophié et une pilosité pubienne et axillaire absente ou sommaire.

Ces individus n'ont pas d'utérus, de trompes de Fallope ni d'ovaires, mais des testicules non descendus, en position abdominale.

— Ils n'ont pas de règles et ne peuvent pas avoir d'enfant.

— Exact. Une forme moins sévère, le SIPA, est due à une insensibilité partielle des tissus aux androgènes. Les personnes porteuses de cette maladie, qu'on appelle aussi syndrome de Reifenstein, ont l'aspect extérieur d'un homme ou d'une femme normale, des organes génitaux virilisés ou un micro-pénis, des testicules internes et une pilosité androgénique sommaire ou normale.

— Dans les deux cas, SICA et SIPA, le caryotype est 46XY?

Droit à l'essentiel.

— Oui. Bien que femmes extérieurement, ces personnes sont génétiquement hommes.

— Et Tawny McGee?

— Tawny a un syndrome d'insensibilité complète aux androgènes.

— Ce qui veut dire qu'elle a un chromosome X et un chromosome Y dans chacune des cellules de son corps.

— Oui.

Mes doigts ont suspendu leur gigue.

— Qui a fait les analyses génétiques de Tawny?

— Un collègue spécialisé dans ce type de maladie.

— Il a séquencé l'ADN? Il a des échantillons biologiques?

— Pour avoir accès à ces éléments, il faudra un mandat.

— Naturellement. Puis-je connaître son nom?

Elle me l'a donné. J'ai noté.

— Une dernière question. Quels sentiments Tawny éprouvait-elle envers Annick Pomerleau?

— À votre avis?

(Un ton sec, empreint de tristesse.)

— Merci, docteur Lindhal. Vous m'avez été d'une grande aide.

— Je peux vous envoyer de la documentation sur le SICA si vous voulez.

— Merci.

Je l'ai entendue retenir son souffle.

— Ça va aller pour elle?

J'ai un peu hésité avant de répondre.

— Je ne sais pas.

La communication coupée, composition d'un autre numéro.

— *Yo.*

Slidell se trouvait dans un endroit vibrant d'animation.

— McGee pourrait être notre tueur.

— La salive la met hors de cause.

— McGee présente une anomalie qui fait qu'elle a un corps de femme, mais des gènes masculins.

Déjà assez compliqué à comprendre pour Slidell.

La preuve. Il en est resté muet pendant un long moment.

— Ouah, doc. Avec les os, tout ce que vous dites a du sens. Mais là, je crois pas.

— Qu'est-ce que vous voulez dire? (Slidell venait-il de me faire un compliment?)

— Les os ne mentent jamais. Mais ça, *fuck*, c'est complètement fou.

— Écoutez, tout colle. McGee devait savoir à quelles dates avaient eu lieu les enlèvements de Montréal. Elle déteste Pomerleau et pourtant elle est allée la retrouver à la ferme des Corneau. Elle est grande et correspond à la description du réparateur de fournaise.

— Pourquoi s'en prendre à des enfants?

— Sainte mère de Dieu! Laissez tomber la psychologie et trouvez-la!

— Vous vous êtes occupée de McGee. Vous avez une idée du nom qu'elle a pu prendre?

J'allais dire non. Je me suis arrêtée net.

— Pomerleau parlait d'elle-même en disant Q. Elle appelait McGee D.

— Pourquoi?

— Parce qu'elle était folle! (Un peu trop violent.) Q pour *queen*. La reine. La reine de cœur. D, je ne sais plus pourquoi. (J'ai entendu une voix mécanique appeler un médecin.) Vous êtes au Mercy?

— Je voudrais revoir Yoder.

— Oubliez Yoder. Cherchez McGee.

Slidell a émis un de ces raclements de gorge dont il a le secret.

— Je suis sérieuse. Trouvez-la.

— Vit sans doute sous un faux nom. Pas d'adresse connue. Pas de relevé de carte de crédit. Pas de compte en banque. Pas de téléphone, fixe ou cellulaire. Pas de tickets de péages. Pas de numéro de sécurité sociale ni d'inscription fiscale. Aucune trace papier ou virtuelle. *Fuck*, Alice au fond du terrier du lapin et elle, c'est pareil.

— Vous êtes détective. Enquêtez.

J'ai raccroché et pressé une autre touche de composition automatique.

— Ryan.

Je lui ai dit ce que m'avait appris Slidell. Et le docteur Lindhal. Fait part de mes soupçons à l'égard de McGee.

— Le SICA cadre avec un profil Y-STR?

— Oui. Le médecin qui a pratiqué les analyses sur Tawny a son ADN dans ses fichiers.

Je lui ai indiqué son nom.

— Je vais demander un mandat.

— Les recherches sur la plaque d'immatriculation ont donné quelque chose?

— Pas encore.

— Préviens-moi s'il y a du nouveau.

Les heures ont passé. J'ai payé des factures. Enlevé l'arbre de Noël et les décorations. Rédigé un énième rapport. Vérifié à plusieurs reprises le bon fonctionnement de mes téléphones. Qui, naturellement, marchaient parfaitement bien l'un et l'autre.

J'ai appelé Larabee. Maman. Harry.

Personne ne m'a appelée.

Birdie a passé la journée à roupiller ou à jouer avec sa souris en tissu écossais rouge.

Je ne tenais pas en place. Impossible de me concentrer. Quand je me levais pour bouger, je ne savais que faire de mes bras et de mes jambes. Ni où poser les yeux. Si ce n'est à ma montre toutes les deux minutes.

Et de nouveau ce truc qui me chatouillait. L'impression que quelque chose m'échappait. Que mon subconscient avait enregistré un fait qui n'était pas encore remonté au niveau de ma pensée lucide.

J'ai repris les dossiers. Dossiers sanglants, implacables. La solution devait se trouver là, cachée dans cet amas de papier. La preuve que j'avais raison. La preuve que j'avais tort.

À quatre heures, je suis allée dans la cuisine prendre un verre de lait et des biscuits Oréo. Un goûter réconfortant. Quand mes yeux sont tombés sur le téléphone, le souvenir de l'appel de Mary Louise a réveillé mon sentiment de culpabilité.

Pourquoi pas ? Une veste, un foulard, mon téléphone dans la poche et je suis sortie.

De gros nuages gris ardoise voguaient dans le ciel. L'air était doux, mais lourd, chargé d'humidité. La pluie n'était pas loin.

Mary Louise habitait à un pâté de maisons. Sa mère m'a ouvert. Un sweatshirt couleur cannelle qui avait l'air d'être en cachemire. Des cheveux bruns, ramenés sur le sommet du crâne et retenus par une pince turquoise et argent. Je me suis présentée. Elle aussi.

Yvonne Marcus. Un orque se serait senti tout petit en sa présence. Elle devait peser pas loin de cent cinquante kilos. Mais elle était belle, avec des yeux mordorés et une peau fine et parfaite.

— Mon mari et moi vous sommes reconnaissants de votre gentillesse envers notre fille. Elle adore votre chat.

— Et c'est réciproque.

Elle a regardé derrière moi et s'est mise à chantonner :

— Personne ne regarde sous le porche.

J'ai dû paraître surprise.

— Vous devez me prendre pour une folle. (Petit rire de gorge.) Ça vient d'une histoire que Mary Louise adorait quand elle était petite. Elle se cachait, je l'appelais, elle réapparaissait et courait se cacher ailleurs. Je sais qu'elle est un peu grande pour jouer encore à ce genre de jeu. (Le petit rire, à nouveau.) Mais ça reste un petit secret entre nous.

— Je venais voir si Mary Louise serait partante pour un yogourt glacé chez Pinkberry.

— Je la croyais chez vous.

— Non. (Un léger malaise.) Je ne l'ai pas vue.

— Elle a dit qu'elle passerait vous voir après l'école.

— Elle m'a appelée, mais je n'étais pas disponible.

— Pas de quoi s'en faire. (Une note d'inquiétude dans la voix malgré le sourire chaleureux.) Elle va revenir.

— Vous êtes sûre ?

Elle a haussé les épaules, comme pour dire : « Ma fille, quelle coquine, celle-là. »

Sur le chemin du retour, j'ai regardé mon téléphone. Aucun appel.

Pas de message non plus sur le répondeur à l'Annexe.

Qu'est-ce qu'ils foutaient tous, bordel ?

À six heures, j'ai mis une pizza surgelée dans le micro-ondes. Yvonne Marcus a appelé au moment où je la sortais.

— Mary Louise n'est toujours pas rentrée et elle ne répond pas sur son cellulaire. Je me demandais si elle n'était pas chez vous.

— Je ne l'ai pas vue. Vous ne savez pas où elle a pu aller ?

Un long silence. Trop long.

— Madame Marcus ?

— On a eu une petite dispute ce matin, Mary Louise et moi. Vraiment sans importance. Elle voulait relever ses cheveux en un chignon ridicule et j'ai insisté pour qu'elle tresse ses cheveux comme d'habitude. (Le petit rire était moins spontané que deux heures plus tôt.) Peut-être que je ne veux pas la voir grandir.

— Ça lui est déjà arrivé ?

Un coup d'œil à la fenêtre. Il faisait nuit noire désormais.

— Oh, elle sait bouder quand ça lui prend.

— Je vais aller faire un tour du côté de Sharon Hall.

— Si ça ne vous ennuie pas trop. Elle y va souvent pour donner à manger aux oiseaux.

— Ça ne m'ennuie pas du tout.

En fait, j'étais contente de me changer les idées.

Une tranche de pizza pepperoni fromage et j'étais partie. J'ai eu beau arpenter tout le coin en appelant Mary Louise, mes efforts sont restés vains.

J'ai téléphoné chez les Marcus. Yvonne m'a remerciée, s'est encore excusée. M'a assurée qu'il n'y avait pas de quoi s'inquiéter.

Et je me suis retrouvée dans mon Annexe silencieuse entourée de téléphones muets. Et de dossiers entêtants.

Et de mon subconscient qui me narguait subtilement.

Au diable les dossiers. Je me suis allongée sur le canapé du bureau, les chevilles croisées, les yeux fermés. J'ai fait le tri dans mon esprit.

Que s'était-il passé ? Qu'est-ce qui avait été dit ? Qu'est-ce que j'avais lu ? Vu ? Fait ?

J'ai laissé les images et les faits se balader dans ma tête. Des noms. Des lieux. Des dates.

Les dossiers. Les panneaux de la salle de conférences. Gower. Nance. Estrada. Koseluk. Donovan. Leal.

Les anciens cas de Montréal. Bastien. Violette. McGee.

Malgré toute mon application, l'aiguille subliminale de mon cadran intérieur ne bougeait pas d'un pouce.

Les entretiens avec Violette. Avec Sabine Pomerleau. Avec les parents de Tawny McGee, Bernadette et Jake Kezerian.

Une petite secousse de l'aiguille.

La photo. La découverte du syndrome dont souffrait McGee.

La conversation avec Lindhal.

Autre secousse.

McGee était l'auteure des crimes. Terrible, mais je le sentais au plus profond.

Où était-elle ? Qui était-elle ?

J'ai repensé à mes échanges avec Slidell.

Hamet Ajax.

Ellis Yoder.

Un frémissement dans les profondeurs.

*Quoi ?*

Alice Hamilton.

Secousse plus nette de l'aiguille.

*Allez. Allez.*

Un appartement crasseux sur North Dotger.

L'aiguille s'est soulevée et est retombée, tandis que l'idée s'enfuyait encore.

*Merde. Merde. Merde.*

Remontée de nulle part, une réflexion de Slidell. Alice dans le terrier du lapin.

Un nom sur un magazine. Alice Hamilton.

Un nom griffonné dans un journal intime retrouvé dans une cave. Alice Kimberly Hamilton.

L'aiguille a décollé et s'est inclinée complètement vers la droite.

# Chapitre 40

Même topo.

J'ai appelé Slidell. Suis tombée sur le répondeur. Ai poussé un juron. Et laissé un message destiné à le convaincre de se bouger le cul.

J'ai appelé Ryan. L'ai eu au bout du fil. Lui ai expliqué ma théorie. Lui ai demandé d'aller consulter l'inventaire des indices relevés dans la maison de la rue de Sébastopol. De confirmer.

Et puis j'ai attendu. Fait les cent pas. Mon intuition était-elle le fruit de mon ras-le-bol? De l'autosuggestion? D'un mauvais jeu de mots à propos du trou de lapin?

Non. Je tenais une certitude.

Quand mon cellulaire a enfin sonné, j'ai bondi.

— Bon sang, où êtes-vous?

Un long silence.

— Dans ma voiture. (Une voix grave un peu voilée.)

Mon cerveau bouillonnant a mis un moment à faire le point. Hen Hull. Celle qui avait enquêté sur l'affaire Estrada.

— Excusez-moi. Je m'attendais à quelqu'un d'autre.

— Je n'aimerais pas être dans la peau de ce quelqu'un-là.

J'étais trop tendue pour trouver une répartie.

— Ça m'a donné du boulot, mais j'ai fini par localiser Maria Estrada, m'a annoncé Hull. La mère de Tia. Elle est à Juárez et n'a pas le téléphone. Mais elle a un cousin qui vit près de Charlotte, à Rock Hill. J'ai un peu de temps libre, alors je suis en train de m'y rendre.

— C'est très aimable à vous.

— Cette enfant s'est fait avoir sur toute la ligne. La famille mérite d'être la première informée.

— Il va peut-être falloir attendre.

— Attendre ?

— Nous pensons que ce n'était pas Ajax.

— Vous pensez ?

— Ce n'était pas lui. Et il ne s'est pas suicidé.

Je lui ai servi une version abrégée des derniers événements. Et j'ai senti un vent froid souffler vers moi depuis Wadesboro.

— Les résultats des analyses toxicologiques d'Ajax n'ont atterri qu'hier sur le bureau de Larabee. (Pour me justifier, essayer de lui expliquer pourquoi elle n'avait pas eu plus tôt de mes nouvelles.) Et c'est ce matin seulement que j'ai pu m'entretenir avec le médecin de McGee.

— An-han.

— J'aurais dû vous tenir au courant.

— En effet. (Un temps.) Vous croyez vraiment McGee capable d'une chose pareille ?

— La psychiatre n'a pas été jusqu'à le confirmer, mais elle a laissé entendre que McGee était très perturbée.

Comme Slidell, Hull est allée droit à l'essentiel. Parce que le meurtre l'exige. Contrairement au vol ou à l'escroquerie, le motif des homicides n'est pas toujours clair.

— Pourquoi tuer ?

— Je ne sais pas.

Encore un moment de silence avant que Hull reprenne la parole.

— Peut-être que McGee trouve une satisfaction à liquider indéfiniment Pomerleau.

— Si c'est son truc, pourquoi choisir de toutes jeunes filles ?

Un petit coup d'œil à ma montre. Dix minutes d'écoulées.

— Peut-être qu'elle se tue elle-même par personne interposée. Une histoire de culpabilité. Elle a survécu alors que les autres victimes de Pomerleau sont mortes.

Même si je n'avais cessé de me poser les mêmes questions, je n'avais aucune envie, à cet instant, de jouer au docteur Freud. J'avais besoin de réponses. D'action.

— Peut-être…

Un bip m'a signalé l'arrivée d'un autre appel.

— Ne quittez pas.

Sans attendre l'approbation de Hull, j'ai basculé sur l'appel entrant. Ce n'était ni Ryan ni Slidell. Mais une Yvonne Marcus paniquée. Qui ne cachait plus son affolement.

— Mary Louise n'est toujours pas rentrée. Il est presque huit heures. Il a dû lui arriver quelque chose. Oh mon Dieu ! On entend ces choses-là aux informations, mais, oh mon Dieu ! J'ai appelé toutes les personnes que j'ai pu. Ses professeurs. Ses amis. Personne ne l'a vue depuis la sortie de l'école, à trois heures et demie. Mon mari est parti à sa recherche, mais...

— Madame Marcus...

— Qu'est-ce que je fais ? J'appelle la police ?

— Est-ce que Mary Louise prend le bus ?

— Non, non. Elle va à Myers Park Traditional. C'est juste au bout de la rue, alors je la laisse aller à pied.

En passant devant Sharon Hall.

J'ai senti mes cheveux se dresser sur ma nuque. Ma main s'est crispée sur le téléphone.

— Je suis sûre qu'elle va bien. (Voix posée.) Mais par précaution, appelez le 911. Je vais aussi passer quelques coups de fil de mon côté.

— Oh mon Dieu !

— Ça va aller.

— Je devrais sortir pour...

— Non. Restez chez vous. Pour être là quand Mary Louise reviendra.

En reprenant la communication avec Hull, j'avais un flot d'images qui jaillissaient dans ma tête.

Une fille dégingandée qui aimait la mode et les chapeaux.

Des ombres mouvantes sous le dôme d'un énorme magnolia.

Une photo de moi en train de mesurer un crâne.

Pourquoi n'avais-je pas répondu au téléphone ? Pourquoi n'avais-je pas pris son appel ? Comment avais-je pu être aussi égoïste ?

— McGee a peut-être encore enlevé une adolescente.

— Vous parlez sérieusement ?

— Mary Louise Marcus a quitté son école à pied il y a quatre heures. Elle n'est toujours pas arrivée chez elle.

— Elle a des problèmes ?

— Aucun.

— Il ne peut pas s'agir d'une fugue ?

— Non.

— Elle correspond au profil ?

— Oui.

Quatorze ans. Des cheveux bruns, une raie au milieu et des nattes.

J'ai entendu Hull respirer un grand coup avant de demander :

— Si c'est McGee, vous croyez qu'elle nous nargue ? Qu'elle fait un pied de nez aux autorités ?

— Je crois que, cette fois, c'est personnel. (En avalant ma salive.) Et je crois savoir où elle est.

Il pleuvassait. J'avais mis les essuie-glaces à pleine vitesse. Pas à cause de la pluie. Pour accompagner les battements de mon cœur.

J'ai appelé Slidell. Encore le répondeur. Évidemment.

Au diable Slidell.

J'ai appelé la police locale. Suis tombée sur un dénommé Zoeller. Il avait la réputation de n'être pas très futé, mais je ne le connaissais pas personnellement.

— Ouaip. Yvonne Marcus. Elle a téléphoné il y a vingt minutes pour signaler la disparition de sa fille.

— Et ?

— Vous avez dit que vous étiez qui ?

Je lui ai réexpliqué.

— Elles se sont disputées. La fille est partie au cinéma sans prévenir, histoire de donner une leçon à sa maman.

— Je crois qu'elle est en danger.

— C'est toujours le cas, non ?

— Qu'est-ce que vous venez de dire ?

Soupir excédé.

— La petite a levé le camp depuis quelques heures seulement. Il y a des règles. Si on creuse toutes les possibilités, qu'on applique toutes les procédures, ça finit par foutre le bordel.

— J'ai une adresse. Je voudrais que vous alliez jeter un œil.

— D'accord. (Zoeller aurait pris des tranquillisants qu'il n'aurait pas eu l'air plus ennuyé.) Moi, là, je m'en vais, mais je vais faire le message.

— Quand pouvez-vous déclencher une alerte AMBER ?

— Lorsque l'enlèvement est confirmé et qu'on dispose d'une description et de suffisamment d'éléments.

L'article du manuel appris par cœur.

— Eh bien, déclenchez-la immédiatement. (Ton glacial.)

— Écoutez, on vient de recevoir un 10-91 avec un 10-33.

Violence domestique avec un policier abattu. *Shit.* Plus question de compter sur lui pour m'aider à retrouver Mary Louise.

— Je vous rappellerai, soyez-en sûr.

— Ce sera un plaisir.

Zoeller a raccroché.

J'ai essayé Barrow.

Salter.

Ils s'étaient tous évaporés ou quoi ?

Pendant que je roulais à toute allure dans Queens Road, je cherchais toutes les raisons anodines pouvant expliquer l'absence de Mary Louise. J'en ai trouvé des dizaines. N'importe quoi.

J'ai continué vers Providence, tourné dans Laurel, traversé Randolph. Arrivée à Vail Avenue, je suis restée paralysée, les mains moites sur mon volant. À gauche ou à droite ? Où ? Où avait-elle bien pu aller ?

Coup de klaxon derrière moi.

Zoeller était peut-être un crétin, mais il avait raison sur un point. Une fausse piste pouvait coûter cher en moyens et en personnel, et mener à une impasse.

Nouveau coup de klaxon. Plus long. Moins aimable.

Décision.

J'ai tourné à gauche, filé vers le nord, contourné le pâté de maisons, emprunté l'allée conduisant aux urgences du Mercy Hospital.

Quatre voitures blanches et bleues se trouvaient à l'entrée, rassemblées en angle comme des chiots en train de téter. Quelque chose m'a interpelée. Quoi ? Les véhicules stationnés n'importe comment ? Non. Le flic qui s'était fait tiré, dont Zoeller avait parlé. Naturellement, ils n'avaient pas pris le temps de se garer proprement.

Il y avait là une ambulance aux portes arrière grandes ouvertes. Deux berlines banalisées. Les camions de toutes les chaînes de télévision de la ville.

Policier abattu. Mort ? La nouvelle serait sur toutes les chaînes à onze heures, imprimée en gros titres dans tous les journaux du lendemain. Avant cela, elle se baladerait sur tous les réseaux sociaux, pour le plus grand bénéfice des journalistes qui ne seraient pas encore au courant. Les médias allaient épiloguer toute la nuit.

La police de Charlotte se mobiliserait tout entière pour venger l'un des siens.

Tout le monde se ficherait comme de l'an quarante de mes « requêtes ».

J'ai observé le terrain. La Taurus de Slidell n'était pas là. Je ne pouvais compter que sur moi-même.

Levier en position d'arrêt. J'ai éteint le contact. Foncé au pas de course vers la porte que j'ai franchie en trombe, le cœur battant à tout rompre.

Je m'attendais à trouver l'hôpital en effervescence. Des brancardiers courant partout. Des médecins aboyant des ordres. Des infirmières cavalant dans tous les sens pour trouver des instruments et des médicaments.

Pas du tout. L'atmosphère était tendue, mais calme.

Le lot habituel de miséreux dans la salle d'attente. Les ensanglantés, les grippés, les drogués, les ivrognes.

Des policiers en uniforme discutaient par petits groupes. Des hommes en veste sombre et cravate desserrée, sans doute des détectives. Je n'ai parlé à personne. Je n'ai pas interrompu leur veillée d'armes.

Quand j'ai posé ma question, la réceptionniste a levé les yeux. Étonnée. Ou embarrassée. Impossible à dire. Elle portait des lunettes qui lui mangeaient la moitié du visage. D'après sa plaque, elle s'appelait T. Santos.

À défaut d'autorisation officielle, j'ai brandi ma carte de sécurité du MCME. D'un geste vif.

Santos a regardé ma photo, m'a regardée. Elle allait dire quelque chose quand un type puant l'alcool et la transpiration s'est approché.

— Monsieur Harker, il faut attendre votre tour.

Harker a toussé et craché dans un mouchoir taché et imbibé de secrétions.

Santos lui a désigné la salle d'attente. Elle s'est retournée vers moi et a pointé le pouce derrière elle.

Je suis partie dans la direction indiquée en fouillant des yeux tous les recoins, l'esprit en ébullition. Pleine d'espoir. De crainte. Se pouvait-il que Mary Louise soit ici ? Où Alice Hamilton avait-elle sacrifié sa proie ? À l'arrière d'une voiture ? Dans le coffre ?

*Mon Dieu, je vous en supplie. Non.*

J'étais oppressée. Je devais faire un effort pour respirer normalement.

Comme à la réception, il régnait un calme relatif dans la zone de soins. Un patient en chaise roulante attendait contre un mur. Une aide-soignante poussait un chariot dont les roues en caoutchouc bruissaient doucement sur le carrelage. Quelque part, un téléphone sonnait.

Le personnel médical allait et venait, l'un avec une radiographie, l'autre avec un plateau d'éprouvettes, un troisième avec un stéthoscope autour du cou. Tous en blouse. Efficaces. Indifférents à ma présence.

L'agitation se concentrait autour d'un compartiment isolé par des rideaux, le troisième de la rangée de droite. Un policier en uniforme montait la garde devant. Un concert de bruits émanait de l'intérieur : des voix tendues, un fracas de métal, le bip régulier d'une machine.

J'ai eu une bouffée de compassion pour la personne allongée derrière les rideaux en polyester blanc. Un être, homme ou femme, fauché par une balle alors qu'il tentait de secourir une épouse ou une compagne malmenée, ou peut-être ses enfants. J'ai prononcé silencieusement une prière.

Mais il fallait que je retrouve la ravisseuse de Mary Louise. Ou la preuve que je me trompais.

Avec le sentiment de commettre une indiscrétion, j'ai commencé à écarter les pans des rideaux pour apercevoir un visage.

Derrière le premier rideau, un enfant en costume de Spider-Man, une plaie suturée et sanguinolente au front. Lui tenant la main, une femme aux joues striées de coulures de mascara.

Derrière le rideau suivant, un homme torse nu respirant à travers un masque à oxygène.

En me voyant approcher du troisième compartiment, le policier a levé la main. Derrière lui, un chariot abandonné en hâte maintenait les pans du rideau partiellement ouverts.

Tout en faisant mine de m'éloigner vers l'autre rangée de compartiments, j'ai glissé un regard par l'ouverture.

Divers appareils. Des vêtements couverts de sang. Des médecins et des infirmières portant des masques.

Le blessé sur sa civière, le teint gris, les paupières closes, d'un bleu translucide.

J'ai figé sur place.

# Chapitre 41

Pétrifiée, je suis restée à fixer Beau Tinker, son visage qui n'était plus qu'un masque mortuaire et sa chemise trempée de sang.

Soudain je comprenais le pourquoi des voitures de patrouille. Bleues et blanches, oui. Mais, pour la plupart, appartenant au SBI et non pas à la police de Charlotte.

Pendant un moment, je n'ai plus vu qu'un nom en grosses lettres noires se détachant sur une blancheur éblouissante.

*Il aura complètement grillé en enfer avant que je le reprenne avec moi, le salaud!*

Je me suis dirigée vers l'agent, juste un pas. Il a aussitôt écarté les pieds en secouant la tête. Traduire : T'avise pas d'avancer !

Le médecin a passé la tête dans l'entrebâillement du rideau. Un ordre étouffé a franchi son masque.

— Tenez tout le monde à l'écart.

Ça bourdonnait tellement à l'intérieur de mon crâne que j'ai dû me retenir au mur pour ne pas perdre l'équilibre.

Était-ce pour cela que Slidell ne répondait pas à mes appels ? Où était-il passé ? Qu'avait-il fait ?

Les secondes s'égrenaient.

Un insecte m'a frôlé les cheveux. Une fois. Une seconde.

Je me suis retournée.

Ellis Yoder, juste derrière moi. Nonchalant et couvert de taches de rousseur. Comme une apparition hideuse suscitée par ma peur.

Près de moi. Trop près.

J'ai chassé sa main de mon épaule.

— Le patient qui a reçu une balle est là. (Lui désignant Tinker de la tête.) Qu'est-ce qui s'est passé ?

— C'est vous qui travaillez avec ce policier cinglé.

— Qu'est-ce qui est arrivé à cet homme ?

— Dites-lui donc de se calmer, à ce pauvre con.

— Ce patient est un agent du SBI. Comment a-t-il été blessé ?

Yoder est resté à regarder droit devant lui.

Un centième de seconde s'est écoulé. Un autre dixième de seconde.

Je l'ai attrapé par le bras. Brutalement.

— Qu'est-ce qui s'est passé ? (Serrant sa chair molle comme dans un étau.) Vous le savez forcément, espèce de fouineur !

— Vous êtes tous plus cinglés les uns que les autres.

Il a voulu tourner les talons. Je l'ai rattrapé.

— Qu'est-ce qui s'est passé ? ai-je répété d'une voix sifflante en détachant chaque mot.

— Aïe, vous me faites mal.

— Appelez une infirmière ! (Serrant les doigts encore plus fort.)

— Tout ce que j'ai entendu dire, c'est que c'est un autre flic qui l'a mis dans cet état.

Ma bouche est devenue toute sèche. Impossible d'avaler.

Une autre secousse de l'aiguille.

*Oublie Slidell. C'est Mary Louise qui a besoin de toi.*

De ma main libre, j'ai brandi sous le nez de Yoder la photo de Tawny McGee.

— Conduisez-moi jusqu'à elle.

— Elle n'est pas ici.

*Seigneur Dieu, j'avais raison.*

— Santos, à la réception, m'a dit le contraire.

— Santos n'a pas la moindre idée de ce qui se passe ici.

— Vous en êtes sûr ? (Serrant si fort la photo entre mes doigts que le papier s'est totalement froissé.)

— Puisque je vous le dis… (Sur un ton pleurnichard.)

Mes ongles se sont enfoncés profondément dans le gras de son bras.

— Sûr et certain.

Dans la quiétude de la voiture, ma respiration m'a fait l'effet de résonner bruyamment. À ce bruit s'ajoutait celui du sang battant à mes oreilles.

Je suis restée un moment à étudier les lieux. La brique couverte de mousse. Les clôtures et les auvents rouillés. Les dalles de béton à moitié cassées.

Pas un mouvement sauf celui des gouttes de pluie. Qui tombait plus dru, maintenant, et tambourinait sur le capot et le toit du véhicule.

Je me suis précipitée hors de la voiture et j'ai couru jusqu'au bâtiment en restant bien à l'abri des grands arbres.

Dans l'entrée, pas un seul journal sur le sol en carrelage.

*Sonner chez elle ? Chez un voisin ? Réfléchis bien !*

Pas le temps.

J'ai traversé à fond de train la pelouse détrempée. Balançant une jambe par-dessus la balustrade, je me suis laissée choir sur la terrasse. Là, prenant soin de rester accroupie, je suis allée coller mon nez contre le verre dépoli.

D'un couloir au fond de l'appartement parvenait une lumière parcimonieuse, à peine assez forte pour percer les ténèbres. À l'intérieur, j'ai réussi à distinguer les contours d'un canapé, d'une chaise et d'une télévision. Un salon.

Je me suis relevée et j'ai essayé d'ouvrir la porte. À ma grande surprise, le verrou s'est décroché et a rebondi quelques centimètres plus loin. Dans le silence, le fracas d'un coup de tonnerre. J'ai figé.

Dans mon dos, le chuintement de roues sur la chaussée mouillée. L'aboiement d'un chien et le sifflement de son maître. L'animal s'est tu.

En provenance de l'appartement, un océan de silence.

Mary Louise se trouvait-elle à l'intérieur ? Ma proie aussi ? Son rituel tordu impliquait-il un prélude qui allait nous faire gagner du temps ? Mais combien de minutes ?

La fillette était-elle déjà morte ?

Hull n'était pas encore arrivée. L'attendre, puisque je lui avais donné l'adresse ?

*Vas-y !*

Quinze centimètres supplémentaires en poussant des deux mains sur le battant, et j'ai attendu, tous les sens en alerte. Toujours accroupie, je me suis glissée à l'intérieur et j'ai filé dans un coin comme un animal vers une cachette. Après, ajustement de la vision en clignant plusieurs fois des yeux et j'ai tendu l'oreille.

Juste le bourdonnement d'un moteur. Et mon cœur qui martelait comme un fou.

Je me suis relevée. Progression, dos au mur, jusqu'à un couloir. Arrivée au coin, j'ai glissé un œil.

Deux mètres plus loin, une salle de bains vide et sombre. La lumière arrivait d'une porte située à gauche.

Mon cerveau bourré d'adrénaline m'a transmis une pensée rationnelle : je n'avais pas d'arme, aucun moyen de défense si jamais elle était armée.

Retour dans le salon le cœur battant. De là, je suis passée à la cuisine. La lumière qui tombait d'une fenêtre au-dessus de l'évier dessinait plus ou moins un carré orangé sur la porcelaine. Les feux de circulation. Curieusement, un enchevêtrement de cellules a pris note de l'information.

Dans le premier tiroir, des serviettes. Dans le second, un mélange d'ustensiles de cuisine.

Parmi eux, un couteau à éplucher. Bingo !

Tout doucement, sans faire de bruit, je l'ai dégagé des autres et posé sur le plan de travail.

Tout aussi délicatement, j'ai sorti mon téléphone et essayé d'envoyer un texto à Hull.

Mes doigts engourdis refusaient d'obéir à mon cortex. Ils étaient comme endormis sous l'effet du froid ou d'une anesthésie.

*Secoue-toi !*

*Respire.*

*Expire.*

J'ai réussi à taper trois mots. Une adresse. À enfoncer la touche *Envoyer*. J'ai rempoché le téléphone. Retour dans l'entrée sur la pointe des pieds, le couteau dans mon dos, lame en bas.

De la lumière filtrait autour du chambranle et sous le bas d'une porte. Une lumière jaune, stable. Pas celle d'une bougie, celle d'une ampoule de faible puissance.

Me faisant la plus petite possible, j'ai commencé à avancer tout doucement. Deux pas et un arrêt. Pour décrypter les signes d'une présence éventuelle.

Rien d'autre que le bourdonnement du réfrigérateur et les tambourinades de la pluie.

Trois pas.

Trois autres de plus.

Le couteau bien en main, j'ai parcouru les soixante centimètres qui restaient jusqu'à la porte. Arrivée là, un pas de côté et je me suis plaquée dos au mur.

Les nerfs tendus comme des câbles, j'ai allongé le bras et poussé la porte du dessus de ma main. Pas de grincement théâtral à la Hitchcock. Juste le pivotement silencieux d'un battant sur ses gonds et la modification de l'angle d'ouverture qui m'a offert un panoramique de la pièce au ralenti.

Un lit simple, entièrement rose. Une commode et une ballerine montée en lampe. Une chaise berçante remplie de peluches et de poupées. Un bureau et, au-dessus, un panneau couvert de photos, d'articles de journaux et de souvenirs accrochés les uns sur les autres.

Chambre d'adolescente typique.

Des yeux j'ai fouillé l'obscurité, sondé les recoins de la pièce sous la commode et le bureau, sous la jupe de lit. Une porte, qui devait masquer un placard.

J'ai guetté une respiration, le bruissement d'un tissu.

Rien. La chambre était déserte.

Mon regard a fait marche arrière, balayant les lieux plus lentement. S'est arrêté sur le panneau.

Zoom cinématographique de mon cerveau et là, hoquet de stupeur.

*Non, impossible!* C'était un effet du mauvais éclairage.

J'ai secoué la tête comme si cela pouvait changer quelque chose.

Me mordant durement la lèvre inférieure, j'ai traversé la pièce pour aller me planter devant la photo.

Annick Pomerleau! Qui me regardait depuis son tonneau, de ses yeux sans regard. Ses cheveux blonds lui enveloppaient le crâne comme un linceul.

Recul involontaire. Pour m'éloigner du mal qui émanait de cette image? Peut-être. Peut-être aussi pour ne pas contaminer la scène.

Une boîte était posée pile au centre du bureau. Une boîte ancienne, sculptée, avec un couvercle à la poignée noircie par d'innombrables mains. Ou une seule.

Prenant soin d'éviter tout contact, j'ai inséré la pointe du couteau dans l'étroite rainure autour du couvercle et fait levier. Plus rapide que l'éclair, j'ai réussi à rattraper le couvercle par en-dessous et à le soulever.

La boîte était pleine à ras bord. Impossible de deviner ce que recelaient ses profondeurs. Mais la vue de l'objet posé sur le dessus a produit un afflux de sang dans mon cerveau.

Un chausson de ballerine. De même taille et de même couleur que celui découvert dans le coffre de la voiture d'Hamet Ajax : le chausson de Lizzie Nance.

Et juste en-dessous, deux photos de moi : la première, prise dans mon labo, en train de mesurer un crâne ; la seconde, prise à Sharon Hall, en train d'entrer dans l'Annexe. Chez moi.

Mon esprit s'est emballé. Pensées. Émotions. Peur. Rage. Rage, surtout.

Où était Slidell ?

Où était Hull ?

J'ai fermé les yeux. Senti du chaud à l'arrière de mes paupières.

*Ne pleure pas ! Va chercher de l'aide ! Retrouve Mary Louise !*

Avant tout, immortaliser cette boîte grâce à mon iPhone.

Me fichant désormais d'être entendue ou pas, j'ai couru à la cuisine. Ayant déposé mon couteau sur le plan de travail, j'ai retiré ma veste et l'ai enroulée autour de ma main. Une grande respiration, et j'ai ouvert le congélateur.

Des Popsicles. Des bâtonnets de poisson. Des bagels. Des lasagnes.

Des Ziplocs contenant des échantillons de cheveux et de chair. Des flacons remplis d'une glace rouge sang.

Mon estomac a effectué des bonds de gymnaste. Un goût amer a rempli ma bouche. J'ai pivoté sur moi-même. Deux pas chancelants jusqu'à l'évier où je me suis stabilisée, en appui sur ma main emmaillotée dans la veste.

La nausée passée, j'ai relevé les yeux vers la fenêtre. Dans la vitre, le reflet de mon visage flou et distordu par la pluie.

De l'autre côté du carreau, à moins d'un mètre cinquante, un lampadaire. Le cône de lumière traversé en tous sens par des fils électriques projetait tout un réseau d'ombres sur le gravier au sol.

Et sur un chapeau cloche rayé surmonté d'un pompon.

# Chapitre 42

Mon ahurissement s'est transformé en une soif de sang dont je ne me serais pas crue capable. En une haine farouche comme je n'en avais jamais éprouvée.

Je voulais attraper cette chienne.

Et je savais où la trouver.

Ces photos de moi dans la boîte… Était-ce une erreur? Un plaidoyer pour mettre un terme à cette folie? Un appât, peut-être, pour m'attirer dans un piège mortel?

Je m'en foutais. Je savais maintenant ce qu'elle voulait: me retrouver. J'ai envoyé un nouveau texto à Hull.

En voiture, le trajet depuis l'avenue Dotger était une affaire de quelques minutes. Arrivée dans une petite rue derrière Sharon Hall, j'ai coupé le moteur. À dix heures du soir, ce pâté de maisons était aussi calme qu'un tombeau.

J'ai remonté une allée au pas de course. La pluie me griffait le visage. Encore un jardin à traverser et j'allais déboucher dans l'enceinte de la résidence. J'ai franchi la haie là où les bâtiments de brique, disposés par groupe de trois, encadraient un carré bétonné tenant lieu d'aire de stationnement.

Hors d'haleine, je me suis arrêtée. Cinq voitures de garées, parmi lesquelles une Chevrolet Impala 2001. Bronze.

Elle était là!

Mais où?

La grande maison se trouvait plus loin sur ma gauche. Droit devant moi, deux corps de bâtiments. Au-delà, la remise à calèches et, à côté, l'Annexe.

Aurait-elle osé jusqu'à venir accomplir ses actes pervers sur le pas de ma porte?

J'ai sondé du regard les ombres entre arbres et arbustes. Mes cheveux dégoulinaient de pluie, mes jeans étaient trempés. Ma veste collait à ma chemise comme une seconde peau.

Contourner la maison pour rejoindre l'Annexe par l'avant? Emprunter le petit chemin en brique qui fait le tour de la propriété par l'arrière? Attendre des renforts?

Mais combien de temps?

Je n'avais pas appelé le 911 de crainte que la vue d'un homme ne déclenche chez Tawny McGee une crise psychotique. Avais-je eu tort de ne compter que sur Hull?

Celle-ci avait-elle reçu mon deuxième texto lui indiquant cette adresse? Était-elle déjà là? Jouissait-elle de toute sa liberté d'action dans cette circonscription?

Un étau glacé me comprimait le crâne; en même temps, je dégoulinais sous ma chemise — l'afflux d'adrénaline me tenait dans un état d'agitation général.

Au diable.

J'ai piqué un sprint. Par l'arrière, le long du sentier de brique. Jusqu'à un chêne persistant devant l'Annexe.

Personne sur la terrasse ni dans la cour, sur le flanc de la maison où je me gare d'habitude. Personne près de la remise.

Flashback d'un mouvement entraperçu sous un magnolia géant.

Le cœur battant à tout rompre, j'ai couru jusqu'à la pelouse de devant.

Et je l'ai vue, à côté de l'arbre, au-delà de cette frontière en brique.

J'ai tâté le couteau dans ma poche.

*Fonce!* m'ont crié toutes les cellules de mon tronc cérébral.

*Attends!* m'a exhortée la partie de mon cortex dédiée au raisonnement.

En nage et hors d'haleine, j'ai autorisé mes centres supérieurs à prendre le dessus. Et à convertir mon instinct animal en pensée rationnelle.

Ma respiration a ralenti. Mon cœur a réduit ses martèlements contre mes côtes. Mes pupilles dilatées ont absorbé toute la scène dans ses moindres détails.

Elle me tournait le dos. Je ne voyais donc pas ses traits. Néanmoins je pouvais dire qu'elle était grande et large d'épaules. Un long cou. Des jambes fines. Des bottes hautes.

Elle tenait quelque chose dans une main. Et il y avait une sorte de tas par terre, à ses pieds.

Autour d'elle et au-dessus, une architecture de feuillage plus brillante que de la glace. Çà et là, en partie basse, des endroits opaques, sans éclat, d'aspect sinistre.

Une grande inspiration, et je me suis élancée, zigzaguant d'arbre en arbre. Surtout, ne pas déraper dans l'herbe mouillée, ne pas faire de bruit. Conserver à tout prix l'effet de surprise.

Lorsqu'il n'est plus resté qu'un seul chêne entre elle et moi, j'ai pris le couteau bien en main, les doigts serrés à mort sur le manche.

J'ai vérifié : ils ne tremblaient pas.

Bien.

J'en étais toujours à peser le pour et le contre des options qui s'offraient à moi quand elle s'est accroupie. Ses mouvements de tête m'ont donné à penser qu'elle s'adressait à ce qui gisait par terre à ses pieds.

Ses paroles ne m'étaient pas audibles, mais le tas a changé de forme.

Elle a tendu la main.

Le tas s'est tordu, recroquevillé comme des pousses de blé filmées en accéléré. S'est assis.

À l'intérieur de mon cerveau, une vibration semblable au bourdonnement d'un essaim de guêpes : ma rage chauffée à blanc. Abandonnant toute prudence, je suis sortie de ma cachette.

— Alice... Ou devrais-je dire Kim ? ai-je lancé plus fort.

Au son de ma voix, les deux têtes ont pivoté. L'une très vite, l'autre au ralenti comme si elle était abasourdie. Ou droguée. Dans l'obscurité, deux ovales pâles se sont tendus vers moi.

— Quel nom faut-il utiliser, Tawny ? (Sur un ton de plus en plus exigeant, survoltée que j'étais par l'adrénaline.) L'avez-vous tuée pour lui voler son nom ?

Tawny McGee, dressée de toute sa hauteur, m'a dévisagée sans proférer un son.

— Ou faut-il dire Alice Kimberly Hamilton ? Parce que c'est le nom dans son entier qui vous plaît ?

La fermeté de ma voix m'a surprise moi-même.

— Allez-vous-en !

— Sûrement pas !

Un pas de plus dans la direction de cet ovale monté sur tige. Des détails sont apparus : des yeux, un nez, une bouche.

Le visage de la photo dans le cadre en nacre.

Surprise, peur, colère, quelle était son expression ? Impossible de la déchiffrer. Absence totale d'émotion, peut-être ?

— Le nom de Kim apparaît dans un journal intime retrouvé rue de Sébastopol après l'incendie allumé par Annick Pomerleau.

Pas de réponse.

— Est-ce que Kim était prisonnière avec vous dans cette cave ? Est-ce que Pomerleau ou son acolyte l'a assassinée ?

Le crépitement de la pluie, et c'est tout.

— Ou l'avez-vous tuée vous-même ? Vous êtes-vous mise en chasse de Kim dans cette intention ?

— Je ne lui aurais jamais fait de mal.

— Où est-elle ?

— Je l'aimais.

Manque de sentiment flagrant pour une déclaration sentimentale. Qui m'a fait répéter ma question sur un ton glacé :

— Où est-elle ?

Elle aurait pu dire quelque chose, mais dans ce bref instant de silence, Mary Louise a gémi. Un petit bruit qui avait tout du miaulement d'un chaton.

— Laissez-la venir à moi.

— Non.

— Tout de suite ! (Avec une dureté de diamant.)

— Je ne peux pas.

— Pourquoi ?

— Parce que je l'aime, elle aussi.

— Vous ne la connaissez pas.

— Elle n'aura pas à endurer ce que nous avons enduré. Ce que Kim a enduré.

— Où est Kim ?

— Elle est morte. (Sur un ton absent.)

— Dans la cave ?

Encore une fois, pas de réponse.

— C'est vous qui avez tué Annick Pomerleau ?

— Je l'aimais.

— Elle vous torturait.

Ses yeux ont soutenu mon regard sans ciller. Deux trous noirs forés au plus profond du mal. Ou de la folie. Puis sa mâchoire s'est relâchée, signe qu'elle s'était retirée en elle-même.

S'est écoulé l'équivalent de plusieurs battements de cœur.

Sentant que l'ambiance s'était modifiée, Mary Louise a levé les genoux et planté ses talons dans le sol.

McGee l'a retenue d'une main posée sur sa tête.

— Arrête, tu vas être couverte de boue.

— Laisse-moi partir. (Un ton entre supplique et défi.)

— Tout à l'heure.

— Je ne t'aime pas, moi, et je veux rentrer chez moi.

— Allonge-toi ! (Avec une légère pression.)

Mary Louise a obtempéré. En même temps, un petit sanglot a vogué dans la nuit jusqu'à moi.

À ce bruit, McGee s'est raidie et a baissé les yeux sur ce qu'elle tenait dans la main. Était-ce une arme ? Un pistolet ?

Un instant, mon cœur a cessé de battre.

J'ai visualisé la lame de mon couteau pénétrant dans sa chair, traversant l'os, parvenant jusqu'à la moelle à travers les alvéoles du tissu osseux, et j'ai imaginé la cavité noire de la blessure se remplissant de sang. Je n'éprouvais aucune envie de poignarder cette femme, mais j'allais le faire sans hésiter. Oh oui, seigneur Dieu, sans hésiter un instant !

L'état dans lequel se trouvait McGee n'avait plus rien à voir avec celui dans lequel elle accomplissait ses actes antérieurement. Peut-être était-ce dû à la pression subie de la part de Slidell. Peut-être était-ce à cause d'Ajax. Peu importe le déclencheur à l'origine de son état actuel. Le fait est qu'à présent, elle était totalement hors de contrôle.

Si elle était armée, sur qui allait-elle tirer en premier ? Sur la personne la plus proche d'elle ? Sur celle qui gâchait son plaisir ? Et moi, saurais-je agir assez vite ? La maîtriser avant qu'elle ne blesse Mary Louise ?

Ce regard vide, cette voix désincarnée... À ce stade, tout pouvait la faire exploser. Mieux valait gagner du temps. Attendre l'arrivée de Hull.

À moins qu'elle ne fasse un geste.

À moins que.

— Votre talent, Tawny, c'est de guérir les gens. Pas de les tuer.

— Je suis un monstre.

— Non. Vous n'en êtes pas un.

— Comment pouvez-vous le savoir ?

— J'ai parlé avec le D$^r$ Lindahl.

— Elle est nulle.

— J'ai parlé avec votre mère.

— Ma mère ! (Le mot a claqué comme un fouet.) Cette chienne qui n'a jamais cherché à me retrouver ? Qui s'est juste tirée pour tout recommencer à zéro ?

— Oui, elle vous a recherchée. (En effaçant toute émotion de ma voix.)

— Pas avec assez d'énergie.

— Elle...

— Fermez votre gueule à propos de ma mère !

Première note d'hystérie. Changer vite de sujet.

— Ces petites filles, vous les avez aidées. Nellie. Lizzie. Tia. Shelly. (Prononcé lentement, comme un mantra, pour tenter de la calmer.) Vous les avez rendues jolies. Vous avez tout fait pour qu'elles ne souffrent pas.

— Personne ne devrait faire de mal aux autres. (À peine un murmure.) Personne ne devrait mourir dans le noir.

Elle n'était plus qu'un radeau sur une eau blanche d'écume. Plongeant et tournoyant sur lui-même, horriblement ballotté.

Pendant que je cherchais la bonne phrase à dire, mes yeux ont capté une lueur dans les ombres du feuillage. À deux heures sur un cadran d'horloge.

Une chauve-souris, un oiseau, mon imagination ? Je n'aurais su le dire, le mouvement avait trop vite disparu.

— Cette enfant s'appelle Mary Louise. (Dans l'espoir de l'individualiser.)

Pas de réponse de la part de McGee.

— Pourquoi est-ce que vous l'avez emmenée ici, à cet endroit ?

— Pour vous.

— Comment ça, pour moi?

— Parce que vous m'avez fait sortir.

— De la cave?

— Vous avez dit que je n'étais pas seulement un animal en cage.

McGee s'est laissée tomber à genoux et a pressé contre sa poitrine l'objet qu'elle tenait dans sa main. De l'autre, elle s'est mise à caresser les cheveux de Mary Louise.

— Elle, elle ne sera jamais un animal en cage.

Dans l'ovale du visage de Mary Louise, dans les renfoncements sombres au-dessus de son nez, j'ai repéré deux petits croissants blancs: ses yeux grands ouverts et terrorisés.

J'ai resserré les doigts sur le couteau, bien décidée à m'en servir. Oui, sans aucun doute!

— Où allez-vous la mettre? ai-je demandé en levant haut un pied au-dessus de l'herbe pour venir le poser à côté de l'autre.

— Ici. Au soleil.

— Il y a des chiens, ai-je fait remarquer tout en avançant d'un autre pas sans faire de bruit.

Pas de réponse. McGee réfléchissait. À ce que je venais de dire? À ce qu'elle allait entreprendre maintenant? J'ai insisté:

— Il faut trouver un endroit où elle sera plus en sécurité.

— Où ça? (Tout en continuant de caresser l'enfant qu'elle s'apprêtait à tuer.)

— Personne ne regarde jamais sous le porche.

Mary Louise clignait des yeux, prise de panique, le souffle court. J'ai levé un doigt. Pour lui signifier d'attendre.

— Non, a dit Tawny McGee. Pas dans le noir.

Le pas suivant m'a rapprochée d'elle à moins de deux mètres.

— Le soleil brille toujours à travers les lattes.

Elle s'est retournée brusquement, surprise de me découvrir si près.

— Reculez!

Se levant d'un bond.

— Laissez-la partir.

— Non!

*C'est maintenant ou jamais.*

J'ai hurlé à nouveau.

— Personne ne regarde jamais sous le porche !

Et là, trois choses se sont produites simultanément.

Je me suis élancée vers McGee.

Mary Louise a roulé sur le côté puis a rampé à quatre pattes.

Une forme a jailli de l'ombre du mur qui entoure la propriété.

Hull et moi nous sommes jetées sur McGee exactement au même instant.

En l'espace de trente secondes, elle était maîtrisée.

Quatre-vingt-dix secondes de plus, et Mary Louise a été rescapée.

## Chapitre 43

La Terre avait tourné quatorze fois sur son axe. Charlotte jouissait d'un de ces répits au milieu de l'hiver qui vous rendent heureux de vivre dans le Sud. Le ciel était un dôme infini de bleu et d'or, la température flirtait avec les 22 °C.

Au Pinkberry de la place Phillips, Mary Louise a choisi un yogourt glacé à la mangue parsemé d'une quantité de choses délicieuses : fraises, ananas, noix, raisins secs, etc. Vraiment impressionnant.

Nous avons emporté nos desserts sur une petite table en fer à l'extérieur et nous avons observé la foule d'après les fêtes, tous ces acheteurs qui venaient ici pour chasser les aubaines ou échanger des cadeaux dont ils ne voulaient pas. Au jeu de qui rapporte quoi, la petite avait une imagination bien plus fertile que moi.

Au cours des deux semaines précédentes, l'appartement de l'avenue Dotger avait été passé au crible par le CSS.

Dans le congélateur, tous les éléments que je craignais y trouver : sang, cuir chevelu, cotons-tiges imbibés de salive. L'ensemble prélevé sur Annick Pomerleau, comme l'avaient prouvé les tests ADN.

Dans une armoire de la salle de bains, un flacon sans étiquette avec des capsules d'hydrate de chloral. À côté, une seringue, un bol et un pilon pour mélanger la poudre avec de l'eau.

Dans un tiroir de la cuisine, des sacs en plastique à poignées coulissantes provenant, après analyse, du même fabricant et du même lot que celui utilisé par McGee à Sharon Hall pour tenter d'asphyxier Mary Louise.

Un manteau en laine violet rangé dans le placard de la chambre a permis d'établir l'origine des fibres récupérées dans la haie bordant le jardin de derrière chez Ajax.

Quant à la boîte sur le bureau de McGee, elle contenait, en plus du chausson de ballerine de Lizzie Nance, des articles de journaux sur les meurtres de Gower, Nance et Estrada, et sur la disparition de Donovan ainsi que d'autres photos de moi.

Mary Louise, apparemment indemne, semblait très désireuse de raconter son calvaire. En rentrant de l'école, ce jour-là, elle s'était arrêtée à l'Annexe pour m'offrir un tableau de Birdie qu'elle avait peint à l'école. N'obtenant pas de réponse à son coup de sonnette, elle avait décidé d'attendre un peu en lisant un livre.

Elle venait juste de s'installer sur la terrasse quand une dame se prétendant mon amie lui avait dit que j'étais malade et que je voulais qu'elle s'occupe de Birdie.

Lui faisant confiance parce que c'était forcément une infirmière, vu qu'elle portait sa tenue de travail, Mary Louise l'avait suivie jusqu'à sa voiture pour récupérer le chat. En chemin, elle se rappelait avoir grignoté des tranches de pomme offertes par la femme et, après, «s'être permis quelques pirouettes sur la pelouse». Ses propres termes.

Par une ironie du sort, il se trouve qu'au moment même où Mary Louise était enlevée, je me trouvais chez ses parents, à deux pâtés de maisons de là.

L'analyse toxicologique des petits bouts de pomme retrouvés dans l'Impala de Tawny McGee avait révélé la présence d'hydrate de chloral. Les tranches imprégnées de cette substance avaient été entaillées à un bout.

Un vieux MacBook Pro avait été découvert sous le siège avant de la voiture. Pastori et ses copains du service de l'informatique n'avait pas encore fini de le transformer en pièces détachées.

Pour Leal, comme pour Nance, McGee avait été inculpée de meurtre au premier degré, d'enlèvement et d'une douzaine d'autres crimes ou délits. Pour Mary Louise, les chefs d'inculpation seraient enlèvement et agression.

L'État du Vermont attendait son tour pour la juger du meurtre de Gower et décider ce qu'il convenait de faire à propos de la mort de Pomerleau. Quant aux procès pour les meurtres de Violette et de Bastien, ils se tiendraient au Québec.

Ce qu'il y a de bien avec les homicides, c'est qu'il n'y a pas de délai de prescription.

Pour l'heure, McGee subissait des interrogatoires quotidiens, menés le plus souvent par Barrow et Rodas.

Slidell avait été relevé de ses fonctions, procédure normale pour un policier censé avoir usé de son arme à mauvais escient. Rongeant son frein, il suivait les interrogatoires par retransmission vidéo, en noircissant les pages de son carnet avec tant de hargne qu'il cassait sans cesse la mine de son crayon.

Tinker était sorti du Mercy Hospital et se remettait bien. Si son explication des faits différait de celle de Slidell pour les détails, dans les grandes lignes les versions des deux intéressés concordaient avec les déclarations des témoins.

Tinker était allé voir Verlene Wryznyk, une ex petite amie à Slidell sur qui il avait des visées. Il avait voulu lui offrir ses faveurs, mais Verlene avait refusé. Elle lui avait demandé de partir, mais Tinker avait refusé. Agacée, Verlene avait appelé à la rescousse quelqu'un en qui elle avait toute confiance.

Slidell avait déboulé sur place, en furie. Tinker avait sorti son arme, espérant neutraliser Skinny le temps qu'il se calme. Les deux hommes en étaient venus aux mains et Tinker avait écopé d'une balle dans l'épaule.

Une semaine après l'arrestation de McGee, Slidell est venu me voir au MCME. Dieu sait pourquoi, il se sentait obligé de me faire part de l'histoire dans toute sa vérité. Après m'avoir fait jurer le secret absolu sur ce qu'il allait me révéler, il m'a expliqué que Tinker avait débarqué complètement ivre chez Verlene, qu'il était devenu agressif et que c'était elle qui lui avait tiré dessus.

Je lui ai dit qu'il était fou de prendre tout le blâme. Il m'a répliqué un vague « euh-euh ». De toute évidence, il avait toujours Verlene dans la peau.

McGee avait renoncé à son droit d'être assistée par un avocat, même après avoir reçu l'assurance d'être défendue par une femme. En l'apprenant, Barrow et Rodas en ont presque pissé de joie dans leurs slips.

Comme Slidell, j'ai assisté à la plus grande partie de ses interrogatoires. McGee est demeurée froide et distante tout le temps, le regard vide. À croire qu'elle n'établissait aucune connexion avec ce qui se trouvait dans la salle, que ce soient les choses ou les personnes.

Elle a admis avoir usurpé l'identité de Kim Hamilton, la jeune fille avec qui elle avait été emprisonnée, et a volontiers parlé d'elle et de leurs conversations à mi-voix dans le noir.

En 1998, Alice Kimberly Hamilton et quatre amies un peu plus âgées étaient parties en cachette de chez elles, à Detroit, pour s'offrir une nuit de folies canadiennes à Toronto. À cette époque, il n'était pas nécessaire de posséder un passeport pour passer la frontière. Un certificat de naissance suffisait et, justement, Hamilton avait le sien sur elle, dissimulé dans une chaussure.

Ce voyage secret s'était transformé en équipée mortelle quand Hamilton avait croisé le chemin de Pomerleau — à moins que ce soit celui de Catts alias Menard. En effet, ils se trouvaient tous les deux en Ontario à ce moment-là. Pour quelle raison ? McGee n'en avait aucune idée. Cette question risque de demeurer à jamais sans réponse.

Hamilton avait caché son certificat de naissance dans un creux du mur de sa cellule, entre bois et ciment, dans l'espoir de conserver le seul lien qui la rattachait à sa vie antérieure, sa vie avant d'être tombée entre les mains de ses ravisseurs. Elle s'en était confiée à McGee, qui avait conservé cette information en vue d'en tirer éventuellement avantage.

Hamilton était restée dix-neuf mois en captivité. Elle avait seize ans au moment de sa mort. McGee ignorait ce qu'il était advenu de son corps.

Après sa libération, McGee avait insisté pour retourner dans la maison de la rue de Sébastopol et sa psychiatre, Lindahl, l'y avait accompagnée. Là-bas, Tawny était descendue dans la cave toute seule et avait récupéré le certificat de naissance d'Hamilton.

Et ce document démontrerait son utilité bien plus tôt que prévu, dès l'été 2006.

Après son départ explosif de la maison des Kezerian et une semaine d'errance dans les rues, Tawny McGee s'était acoquinée avec des étudiantes de l'Université du Vermont. Ivres ou défoncées, les filles lui avaient proposé de l'emmener avec elles aux États-Unis. À l'époque, il ne fallait toujours pas de passeport pour franchir la frontière si vous étiez à bord d'un véhicule. Et c'est ainsi que McGee était entrée aux États-Unis en se servant du certificat de naissance d'Hamilton.

Pendant plusieurs mois, elle s'était planquée dans l'une ou l'autre des résidences étudiantes à Burlington. Se servant de l'argent volé à Bernadette et du nom d'emprunt Alice Hamilton, elle s'était inscrite à des cours de soins infirmiers sur Internet et avait obtenu son diplôme d'aide-soignante.

McGee avait découvert l'existence de la ferme Corneau en entendant Pomerleau en parler avec Catts-Menard. Autre information qu'elle avait stockée pour un usage ultérieur. Au début de 2007, en utilisant ce qui restait de l'argent de Bernadette, ou peut-être en s'appropriant des fonds par les mêmes moyens, McGee avait acheté la vieille Impala et pris la route de St. Johnsbury. Comment s'étaient déroulées les retrouvailles entre un ex-prédateur et sa proie ? Toutes les hypothèses étaient permises.

À l'en croire, McGee avait vécu un temps avec Pomerleau, s'adonnant à la fabrication du sirop d'érable et jouant dans la neige. Tous les péchés étaient pardonnés. Mais voilà qu'une nuit Pomerleau était morte dans son sommeil. Attristée, McGee avait quitté le Vermont pour la Caroline du Nord dans l'intention d'assouvir son vieux désir de me remercier comme je le méritais.

D'où ces photos de moi découpées dans les journaux.

McGee avait continué à payer les factures relatives à la propriété des Corneau pour avoir un lieu où se replier au besoin, si jamais l'épopée Dixie était un fiasco. Pomerleau lui avait expliqué l'escroquerie mise en place et comment fonctionnaient les comptes ouverts à la Citizens Bank de Burlington.

À moins que Tawny ne lui ait extorqué ces renseignements. Possibilité qui me paraît plus plausible, car cette période dans le Vermont recouvrait certainement une réalité très différente de celle décrite par McGee, ses buts non avoués étant des désirs de vengeance, de torture et même de sang.

Saurons-nous un jour comment elle a tué son ancienne geôlière et comment elle a prélevé sur elle ces fragments de tissus ? Peut-être que oui, ou peut-être que non. Cela dépendra d'elle, et de personne d'autre.

Interrogée sur Gower, Nance, Leal ou les autres, McGee déviait toujours sur des sujets abstraits : les anges, la lumière du soleil, la paix éternelle, la sécurité. Et dans ces moments-là quelque chose qui ressemblait à un sentiment humain adoucissait son regard.

Pour tout le reste, elle gardait un air absent.

Un air absent, lorsqu'on lui demandait pourquoi Pomerleau se trouvait dans un tonneau.

Un air absent, lorsqu'on l'interrogeait sur les tissus humains conservés au congélateur.

Un air absent, lorsqu'on l'interrogeait sur l'hydrate de chloral.

Un air absent, lorsqu'on l'interrogeait sur Hamet Ajax.

Était-ce la marque d'une ruse incroyable ou d'une folie hors du commun, j'étais bien incapable de le dire.

— Prête ?

La question de Mary Louise m'a ramenée brutalement au temps présent. J'avais eu tort de mettre en doute ses facultés d'adaptation. La petite avait tout mangé son dessert.

— Oui, madame, ai-je répondu tout en faisant une boule de ma serviette.

Pendant le trajet, nous avons discuté de son dernier projet : fabriquer des chapeaux en l'honneur de chacune des filles assassinées ou disparues. Un bonnet en laine pour Nellie Gower. Une sorte de filet à chignon pour Lizzie Nance. Quelque chose en coquillage pour Shelly Leal. Un chapeau cloche pour Violette et pour Bastien, le premier avec une fleur-de-lys sur le bord, le second avec un drapeau acadien. Les autres modèles étaient encore sur la planche à dessin.

Mary Louise était au courant de tous les rebondissements de l'affaire qui avait fait les gros titres de la presse pendant plus d'une semaine. Leal. Nance. Estrada. Approuvée par la population, la police de Charlotte-Mecklenburg avait repris du poil de la bête. Il y avait même eu redistribution des rôles avec le SBI : à aucune des conférences de presse Tinker n'était monté sur l'estrade.

Dans cette bonne volonté générale, Henrietta Hull avait échappé aux critiques pour avoir agi en dehors de sa juridiction. Il est vrai que, malgré sa hâte, elle avait eu l'intelligence de prévenir son responsable des opérations qu'elle se rendait à Mecklenburg pour interroger un témoin susceptible de quitter la région.

Arrivée sur place, elle avait notifié à la police qu'elle souhaitait rencontrer quelqu'un pour une affaire qui ne relevait pas du comté et clairement précisé qu'elle n'aurait pas besoin du soutien des forces locales. Apparemment, cela avait satisfait tout le monde. Par la suite, Hull avait même été félicitée pour son intervention dans une partie des événements.

La presse réclamait des interviews. À la demande de Salter, je me suis dévouée. « Que ressentez-vous à l'égard de ces fillettes assassinées ? Que ressentez-vous à la perspective d'attraper leur assassin ? » La vérité ? La frustration de ne pas pouvoir leur balancer leurs micros dans la figure, à ces journalistes pétris de fausse sollicitude.

Puis le cirque médiatique est passé à autre chose.

Ryan a téléphoné deux fois, tout de suite après l'arrestation de McGee. La voix lourde de remords. Ce que je lui avais dit sur le journal intime retrouvé rue de Sébastopol et sur la possibilité qu'il existe une autre victime l'avait incité à fouiller les antécédents de Kim Hamilton. Il avait travaillé sans lever le nez. Il avait comparé des renseignements fournis par Lindahl ou les Kezerian avec des dossiers des douanes canadiennes, et décortiqué des listes d'inscriptions à des cours de soins infirmiers sur Internet impliquant le Vermont. Un jour de plus et il aurait débusqué McGee. C'était pour effectuer ces recherches qu'il était resté à Montréal.

Je lui ai dit qu'il avait eu raison d'agir ainsi. C'était notre façon à nous de travailler, notre mode opératoire. Il a répondu qu'il aurait dû être là pour moi. Ouais. Pour moi. J'ai essayé de le croire. Au fond de moi, je pense que son vrai regret, c'était de ne pas avoir pris part à la grande scène finale. Après cela, il n'a plus appelé.

J'ai reconduit Mary Louise chez elle. Nous nous sommes embrassées, puis je l'ai regardée marcher jusqu'à sa porte.

Deux semaines avaient passé et je continuais à me ronger les sangs. Peut-être que je ne me déferais jamais de ce sentiment de culpabilité.

Le lendemain, après douche et shampooing, j'ai enfilé des jeans propres et un haut Ella Moss.

À la mode, mais pas trop pour ce rendez-vous à la fois très attendu et un peu redouté.

On ne pouvait pas vraiment dire qu'elle m'avait sauvée. Mais elle m'avait aidée dans une situation où je n'aurais jamais pu me débrouiller seule. J'en éprouvais de la reconnaissance mais aussi un certain malaise.

À dix-neuf heures dix, je me suis garée dans le stationnement du resto Good Food sur la rue Montford, un endroit assez bruyant pour que nous ne soyons pas entendues des tables voisines et assez tranquille pour que nos paroles puissent franchir aisément la distance entre nous. C'est moi qui avais suggéré ce lieu.

Hull était déjà là, installée à une table haute pour deux placée sur un côté de la salle. Habillée dans le même esprit que moi : avec une nonchalance étudiée.

En me voyant, elle a agité la main. Une paume toute rose, comparée au reste de son corps très pigmenté. J'ai tracé mon chemin jusqu'à elle.

— Comment ça va, Merlin ?

Question assortie d'un chaleureux sourire de toutes ses dents.

Activation d'une synapse : un éclair blanc dans l'obscurité ; un grognement et des coups de feu. Et, simultanément, une McGee qui s'écroulait au sol, ses poumons vidés de tout l'air qu'ils contenaient.

— Je ne peux pas me plaindre. Et vous, Mean Joe ?

— Mollo et en pleine forme !

Ces surnoms de Merlin Olsen et Mean Joe Greene, deux légendes de la NFL, nous nous les étions donnés après le départ de Mary Louise en ambulance et celui de Tawny McGee en fourgon cellulaire. Pour soulager la tension, pendant que nous attendions dans le noir de raconter notre version des faits.

Je me suis installée sur le siège en face d'elle. Quelques secondes plus tard, un garçon de table est apparu. Sean.

Pour moi un Perrier, pour elle une Budweiser. Pendant que Sean partait chercher les boissons, nous avons étudié le menu. Cela a pris un certain temps car le resto servait des tapas.

— Comment va Slidell ? a demandé Hull après que nous avons passé la commande.

Ou plutôt après que j'ai eu passé la commande, car Hull avait jeté le menu au loin en levant les yeux au ciel. De grands yeux. De la même couleur que le sirop Hershey.

— Skinny joue les héroïnes effarouchées des mauvais films d'horreur.

— Toujours aux frais de la princesse ?

— Ouais.

— Et Tinker ?

— Aucune idée.

Une fois que nous nous sommes servies de tous les petits plats déposés sur la table, nous avons évoqué les dernières nouvelles liées à l'affaire.

— L'ADN obtenu grâce à l'empreinte de la lèvre était bien celui de McGee ? a demandé Hull en s'emparant d'une moule.

— Oui, les résultats sont arrivés hier. Son visage a dû frotter contre la veste pendant qu'elle transportait le corps de Leal.

— Personne ne comprend rien à ce cheveu qui était dans la gorge d'Estrada.

— Comment ça, qui était ? Il n'y est plus ?

— Parti avec le vent.

— Pas étonnant, ce rapport d'autopsie était d'une telle ineptie.

Je me suis servie d'une boulette de viande avant de reprendre :

— En tous cas, le visionnement des vidéos de surveillance a fini par payer. Par deux fois une bagnole qui était probablement l'Impala de McGee a été repérée roulant en direction de l'I-485.

— La nuit où Leal a été abandonnée sous le viaduc ?

J'ai acquiescé à nouveau.

— Ils vont tenter d'améliorer l'image pour lire la plaque d'immatriculation.

— Vous voulez dire que la correspondance de ces deux chiffres avec la voiture d'Ajax était juste une coïncidence? s'est exclamée Hull avec un petit sourire ironique.

— Oui, et la petite aperçue dans Morningside n'était pas du tout Leal. Dans la famille des délinquants sexuels, Ajax est vraiment le champion des malchanceux.

— Et l'ordinateur portable? a demandé Hull en examinant un morceau de carpaccio de bœuf pour arrêter son choix sur une huître farcie.

— De l'or en barre. Il semble que McGee ait fait la connaissance de Nance sur un forum consacré à la carrière d'infirmière.

— Elle avait déjà quitté le Vermont pour Charlotte à ce moment-là?

— Apparemment. Leal, elle l'a repérée aux urgences cinq ans plus tard, et elle a profité de l'occasion pour l'informer des réunions sur la dysménorrhée. C'est là qu'elle communiquait avec elle.

Le silence s'est installé. Nous pensions toutes les deux à la vulnérabilité des enfants face à l'impitoyable anonymat de la Toile.

— Des preuves que McGee ait été en contact avec Colleen Donovan? a voulu savoir Hull.

— Rien pour le moment. Donovan était une itinérante et n'avait probablement pas accès à un ordinateur.

— Elle demeure introuvable?

— Ouais.

Quelques bouchées en silence, et Hull a repris:

— Si je comprends bien, McGee a drogué le café d'Ajax et ensuite elle l'a installé dans sa voiture. Mais pourquoi?

— À cause de Slidell, probablement. Ses coups de fil et ses visites aux urgences et à son appartement ont dû déclencher chez elle une sorte de spirale paranoïaque. Sachant que les flics soupçonnaient Ajax, McGee l'a tué et a déposé des preuves dans le coffre de sa voiture pour régler l'affaire.

— Pourquoi Ajax lui a-t-il ouvert sa porte, à votre avis?

— Elle a dû imaginer une histoire plausible à propos des urgences. Elle est sans aucun doute gravement atteinte, psychiquement parlant, mais ça ne l'empêche pas d'être plus rusée qu'un renard.

— Et très douée pour dissimuler qu'elle est folle à lier.

Pas vraiment politiquement correct, mais juste.

— Comment peut-on affirmer que McGee droguait ses victimes à l'hydrate de chloral si on n'en a retrouvé que dans le corps d'Ajax?

— Chez Mary Louise aussi. Mais si on en a retrouvé, c'est parce que le toxicologue savait qu'il devait en chercher. En général, les tests standards permettent de détecter la présence d'alcool, de stupéfiants, de sédatifs, de marijuana, de cocaïne, d'amphétamines et d'aspirine.

— Mais nous parlons d'enfants, ici. Personne n'a cherché à aller au-delà des tests standards?

— Le fait est que ces filles n'ont pas été retrouvées tout de suite. Pour Gower, ça a pris huit jours, pour Nance quatorze, pour Estrada quatre. Quand bien même on aurait recherché la présence d'hydrate de chloral dans leur corps, ce qui n'était pas le cas, on aurait très bien pu ne rien découvrir en raison de la décomposition qui était déjà bien avancée.

Les sourcils de Hull ont plongé, signe qu'elle ne comprenait pas très bien.

— La chromatographie en phase gazeuse montre que les composants chimiques qui résultent de la décomposition atteignent des taux plus élevés que l'hydrate de chloral. De sorte que, dans l'affaire qui nous occupe, on aurait très bien pu ne pas repérer sa présence, même en pratiquant des tests plus poussés.

— Vous pensez que McGee a tué Gower de son propre chef? Ou après s'être associée à Pomerleau?

— Assassiner, ça n'a jamais été le style de Pomerleau.

Hull a baissé le menton et relevé la tête sur le côté. L'air de dire: «Voyons donc!»

— Vous savez ce que je veux dire. Bien sûr qu'il y a eu meurtre, mais, pour Pomerleau, c'était le résultat d'une cruauté et d'un état de privation. Ce n'était pas un objectif en soi.

— C'est vrai.

— De toute façon, à moins qu'elle ne nous le dise un jour, nous ne saurons probablement jamais où McGee vivait quand Gower a disparu, et si elle a agi seule.

— Et si elle avait déjà assassiné quelqu'un avant de s'en prendre à Gower.

Pensée sinistre qui m'avait également traversée.

— Pourquoi McGee a-t-elle subitement abandonné ce modèle de dates quand elle a enlevé Mary Louise Marcus?

— Même réponse: on ne peut que spéculer. Je dirais que les interventions de Slidell l'ont chamboulée au point de lui faire perdre tout contrôle.

Hull a dû retourner cette idée dans sa tête, car sa mastication s'est ralentie, et elle a déclaré:

— Pour les dates, je comprends: elle commet ses meurtres les jours où des petites filles ont été tuées ou enlevées à Montréal. Des petites filles qu'elle connaissait. Qu'elle a peut-être vu mourir. Mais ces cheveux et ces mouchoirs en papier imbibés de salive, dans quel but? Et pourquoi déposer sur ses victimes de l'ADN provenant de Pomerleau?

J'avais posé la question à Pamela Lindahl au cours de nos longues conversations téléphoniques. Elle ne me l'avait pas dit explicitement, mais son ton — pour autant que l'on puisse décrypter le ton d'un interlocuteur qu'on ne voit pas — m'avait laissé entendre qu'elle agissait sous l'emprise d'un abominable sentiment de culpabilité.

Le temps d'organiser mes pensées et d'avaler une bouchée de risotto au maïs, et j'ai expliqué:

— La thérapeute de McGee est convaincue que ce qui lui procure de l'excitation, ce n'est pas de détruire ou de contrôler autrui, comme c'est bien souvent le cas avec les tueurs en série. Tawny souffre en fait d'une psychose différente. À deux temps, si l'on peut dire. D'abord, elle doit «rejouer» la mort des victimes originelles, mais en tuant les siennes rapidement et en les laissant «au soleil», pour qu'elles ne connaissent pas les souffrances par lesquelles elle-même est passée…

— C'est pour ça que les corps n'étaient pas seulement laissés à la vue de tous, mais arrangés avec soin, et qu'ils n'étaient ni blessés ni défigurés?

— Exactement. Ensuite, McGee cherchait à se venger de Pomerleau tout en veillant à détourner l'attention de sa personne. Au cas où elle ferait l'objet de soupçons par la suite.

— Autrement dit, d'après sa psy, McGee était manipulée à la fois par l'amour et par la haine? a résumé Hull sur un ton pas du tout convaincu.

— Et aussi par l'instinct de conservation.

— Oui.

— Elle choisissait ses cibles sur la base de leur ressemblance avec les victimes de Pomerleau à Montréal?

— Probablement aussi leur ressemblance avec elle-même. Elle avait douze ans quand elle a été kidnappée.

— C'est McGee qui a passé les deux coups de fils à la police six mois plus tard? Pour voir s'il y avait du nouveau dans les enquêtes sur Donovan ou Estrada?

— Probablement.

Hull a roulé sa serviette en boule. Bien calée contre son dossier, les bras croisés sur la poitrine, elle a dit en remuant la tête:

— Quelque part, ça ne me paraît pas assez fou.

Je me suis représentée la fille en imperméable avec un béret posé de travers. Le chagrin a bloqué dans ma gorge toutes les réponses que j'aurais pu fournir.

Je connaissais la routine. Hull aussi. Bien avant le procès, juges et avocats décideraient au cours d'innombrables audiences et motions si l'état mental de McGee autorisait qu'elle soit jugée.

Saine d'esprit. Folle. Quelle que soit la conclusion retenue, ce serait la prison dans tous les cas de figure: le pire des cauchemars pour Tawny McGee. Un cauchemar qu'elle avait déjà subi.

Mais c'est ainsi qu'il devait en être.

Avoir souffert n'autorise personne à faire souffrir autrui.

# Chapitre 44

Le lendemain matin, j'ai pris la route pour Heatherhill Farm. Comme le magnolia de Sharon Hall, les azalées et les rhododendrons étaient tantôt d'un vert lustré, tantôt d'un brun terreux. Je me suis représenté le feuillage, la tête à l'envers, ébahi par cette vague de chaleur et interrogeant les racines pour découvrir la conduite à tenir.

Le bungalow de River House lui-même était à moitié baigné de soleil et à moitié plongé dans l'ombre. Jusqu'aux fenêtres qui avaient l'air indécises, comme si elles ne savaient plus si elles devaient réfléchir la lumière ou la laisser entrer.

Maman se trouvait sur la terrasse à l'arrière de la maison, étendue sur la même chaise longue que lors de ma visite à l'Action de grâce.

Comme la dernière fois, je suis restée un moment à la regarder avant de m'avancer vers elle. Peut-être pour fixer à jamais son image dans ma mémoire.

Elle avait fondu, mais il n'était pas facile de se rendre compte de son état, emmitouflée qu'elle était dans un parka volumineux et un châle.

Ses joues s'étaient creusées et ses cheveux, dont elle avait toujours pris tant de soin, avaient perdu de leur éclat. Pourtant elle était belle.

La visite a été très agréable. Sans rancœur ni ressentiment. Je n'ai pas abordé la chimio, elle n'a pas critiqué mes manières ou ma tenue.

Je lui ai raconté l'arrestation de Tawny McGee. Lui ai parlé du syndrome d'insensibilité aux androgènes. De la psychopathologie haine-amour dont souffrait McGee. Elle a appelé ça « sa folie héritée de Pomerleau ».

Je l'ai remerciée pour son aide. Lui ai dit que sa vidéo sur YouTube avait grandement contribué à résoudre l'affaire. Et lui ai expliqué la théorie du big bang selon Ryan.

Elle m'a demandé si je l'avais vu récemment. J'ai répondu : « Pas depuis un bout de temps. » Elle n'a pas insisté.

Après, je l'ai mise au courant d'une nouvelle positive : le fait que la police avait retrouvé le frère de Kim Hamilton. Il vivait maintenant à Miami. Il avait été très attristé d'apprendre que sa sœur était morte et troublé qu'on ne sache pas où se trouvaient ses restes.

Surtout, il avait été réconforté de savoir que Kim n'avait pas tourné le dos à sa famille, qu'elle n'avait pas fugué. Il l'avait toujours senti au fond de son âme.

À midi, j'ai partagé une salade d'avocat et de poulet grillé avec maman et, à une heure, Goose l'a ramenée dans sa chambre faire la sieste.

Ce soir-là, je me suis couchée tôt. Comme cela m'arrivait souvent depuis que j'avais fait la connaissance d'Umpie Rodas deux mois plus tôt, les souvenirs ont commencé à me bombarder, à peine ai-je eu les yeux fermés. Visions d'os et de cadavres d'enfants qui surgissaient malgré moi et sans que j'aie mon mot à dire sur le choix de ces apparitions ou leur ordre de succession.

Il n'y avait que leur durée que j'étais en mesure de contrôler. En général, je coupais le déroulement de ces images sitôt qu'une bobine démarrait.

Ce soir-là, pour une raison que j'ignore, j'ai laissé mon esprit me repasser ces souvenirs selon son bon vouloir.

Vision de Nellie Gower pédalant sur sa bicyclette, ses cheveux bruns volant dans le soleil, puis de Tawny McGee lui serrant sous le menton le lien coulissant d'un sac en plastique.

Vision de Lizzie Nance faisant des exercices à la barre, des pliés et des arabesques, et McGee refermant ses petits doigts sans vie sur une serviette en papier.

Vision de Tia Estrada marchant main dans la main avec sa mère, et McGee lui introduisant de longs cheveux blonds au fond de la gorge.

Vision de Shelly Leal tapotant avec bonheur sur son clavier d'ordinateur, le visage éclairé par l'écran, et McGee arrangeant son corps sur le remblai d'une grand-route.

Je me suis représenté toutes ces petites filles au moment où le monde, pour elles, cessait à jamais de tourner. Avaient-elles eu conscience de l'imminence de leur mort? S'étaient-elles demandé pourquoi?

En plus du chausson de ballerine et des articles de journaux, la boîte à souvenirs de McGee contenait un ruban jaune identique à celui découvert dans le coffre de la voiture d'Hamet Ajax.

La mère d'Avery Koseluk ne l'avait pas reconnu. Et Laura Lonergan avait dit que Colleen Donovan n'en avait jamais eu de semblables. Ces rubans, hélas, n'avaient pas livré d'ADN.

Subitement, je me suis demandé s'ils n'avaient pas retenu un jour les cheveux de mon squelette non identifié. D'une autre petite fille qui nous était encore inconnue.

Tout portait à croire que nous ne saurions jamais avec certitude s'il y avait eu d'autres victimes. Pour autant, Barrow et Rodas continuaient d'enquêter aux États-Unis, et Ryan poursuivait ses recherches au Canada.

J'ai revu en esprit le cas ME107-10, ou plutôt ses tristes ossements. Et je me suis demandé si, quelque part, sa famille continuait d'attendre son retour.

Colleen Donovan… Avery Koseluk. J'ai espéré que l'une et l'autre viendraient un jour demander de l'aide dans un poste de police.

Qui avait retiré le nom de Donovan de la liste des personnes disparues du site NamUS? Nous l'ignorions toujours. Quoi qu'il en soit, il y figurait à nouveau. En compagnie de Koseluk, de toutes les personnes portées disparues et de tous les anonymes qui gisaient dans les morgues et les salles de pièces à conviction de la police.

Annick Pomerleau. Tawny McGee. Des victimes, mais aussi deux monstres. À qui on avait volé l'enfance et qui, devenues adultes, pratiquaient des jeux avec une ruse et un sang-froid implacables.

À présent, tout cela était fini.

Et en même temps, cela ne l'était pas.

Le lendemain matin, j'ai couru presque quatre kilomètres. Une douche rapide, un petit moment pour fouiller dans mes papiers et rassembler les devoirs de mes étudiants de l'Université de Caroline du Nord, section Charlotte, et je me suis mise à les noter.

J'étais arrivée à la moitié de la pile quand un petit couic m'a fait relever la tête. Il faut dire que plus tôt dans la semaine, la sonnette de la porte d'entrée s'était mise à faire des siennes et maintenant elle piaillait comme une mouette souffrant des amygdales.

Curieuse, je me suis précipitée et j'ai collé l'œil au judas.

Un œil d'un bleu hallucinant m'a fixée en retour.

J'ai sursauté.

*Super!*

J'avais les cheveux mouillés et je portais un pantalon de yoga deux fois trop grand pour moi.

J'ai ouvert.

Ryan portait des jeans, un blouson de cuir et une écharpe de laine noire autour du cou.

Ses joues étaient toutes rouges. La chaleur, probablement.

Pendant un moment, ni lui ni moi n'avons dit un mot. Puis, nous nous sommes lancés en même temps.

— Quelle surprise ! (Moi.)

— J'aurais dû téléphoner. (Ryan.)

— Vas-y, commence. (Moi.)

— Épouse-moi.

— Je… Quoi ? (J'avais dû mal entendre.)

— Je te fais ma demande.

— Ta demande.

— En mariage.

— Oui.

— C'est la première fois de ma vie.

— Oui.

— J'avais imaginé un discours plus romantique.

— Ton message était clair.

— Est-ce que je dois m'entraîner et recommencer plus tard ?

— Tu étais très bien.

— Ou on pourrait aller souper.

— Oui, je soupe souvent.

Ryan m'a attirée contre lui. Je l'ai serré dans mes bras la joue pressée contre sa poitrine. J'ai laissé passer un moment et j'ai fait un pas en arrière.

Nous nous sommes regardés.

— Huit heures, ça te va ? a-t-il demandé.

— Ça me va.

L'instant d'après, il avait disparu.

Je suis rentrée dans la maison comme un zombie. La porte refermée, je me suis appuyée contre le battant.

Je ne saurais dire combien de temps je suis restée à fixer le monde connu et familier qui s'offrait à ma vue.

Le jeté en chenille de Harry sur le dossier du canapé. Le panier en osier de grand-mère sur le tapis près du fauteuil. Les chandeliers en argent de maman sur le manteau de cheminée.

Mon regard est tombé sur un dessin d'enfant trouvé dans l'appartement de l'avenue Dotger. La peinture que Mary Louise avait faite de Birdie et qu'elle était venue m'apporter à l'Annexe.

Dans mon esprit, je me suis représenté des yeux bleus brillants comme de la glace. Et entendu à nouveau, en boucle dans mes oreilles, cette proposition d'un avenir différent.

J'ai pensé à l'infinité des possibles et des incertitudes. Aux obstacles qu'on ne peut jamais ni prévoir ni contrôler.

J'ai senti un sourire étirer mes lèvres.

Peut-être.

Oui. Peut-être.

Pour l'heure, j'allais trouver un cadre pour ce tableau du chat blanc jouant avec sa souris en tissu écossais rouge.

# REMERCIEMENTS

Comme toujours, j'ai une dette considérable envers un grand nombre de personnes.

Ce roman doit beaucoup à tous les membres des équipes des homicides et attaques à main armée et du service des affaires non résolues de la police de Charlotte-Mecklenburg qui m'ont consacré du temps pour me faire part de leurs souvenirs et de leur expérience. Une mention toute spéciale pour Chuck Henson, Dave Philips et Lisa Mangum.

Je suis reconnaissante à Mike Bisson, Michael Baden et Diane Seguin d'avoir répondu à mes nombreuses questions et à Courtney Reichs de m'avoir éclairée sur le fonctionnement des hôpitaux et le métier d'infirmière.

Cheri Byrd et Michelle Skipper m'ont apporté de belles provisions d'enthousiasme débordant. Et une profusion de vin et de fous rires.

Je remercie Philip L. Dubois, recteur de l'Université de Caroline du Nord, section Charlotte, pour son soutien indéfectible.

Mes sincères remerciements à mon agente, Jennifer Rudolph-Walsh, et à mes éditrices vedettes, Jennifer Hershey et Susan Sandon.

Je veux aussi exprimer ma reconnaissance à tous ceux qui travaillent dur pour moi. Aux États-Unis : Gina Centrello, Libby McGuire, Kim Hovey, Scott Shannon, Susan Corcoran, Cindy Murray, Kristin Fassler, Cynthia Lasky et Joey McGarvey. De l'autre côté de la grande mare : Simon Littlewood, Glenn O'Neill, Georgina Hawtrey-Woore et Jen Doyle. Au nord du quarante-cinquième parallèle : Kevin Hanson et Amy Cormier. Chez William Morris Endeavor Entertainment : Caitlin Moore, Maggie Shapiro, Tracy Fisher, Cathryn Summerhayes et Raffaela De Angelis.

Je remercie Paul Reichs pour ses commentaires avisés sur le manuscrit.

Comme toujours, un grand *merci*\* à tous mes lecteurs. Il est réjouissant de voir que vous suivez les aventures de Tempe, assistez à mes séances de dédicaces et apparitions publiques, visitez mon site Internet (KathyReichs.com), m'aimez sur Facebook et me suivez sur Twitter (@kathyreichs). Vous êtes merveilleux !

Si j'ai oublié quelqu'un, veuillez me le pardonner. Si le livre contient des erreurs, j'en assume l'entière responsabilité.

**MARQUIS**

Québec, Canada

Imprimé au Canada